악교정 수술의 이론과 실제

Surgical-Orthodontic Treatment,
From Basic to Clinics

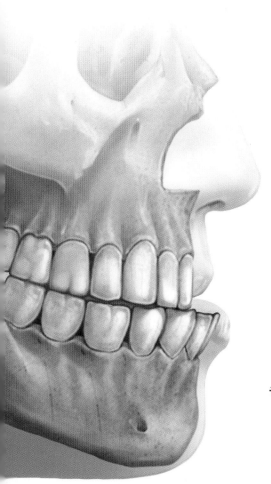

손우성 | 박수병 | 김성식 | 김용일

악교정 수술의 이론과 실제

Surgical-Orthodontic Treatment, From Basic to Clinics

첫째판 1쇄 인쇄 | 2019년 2월 14일
첫째판 1쇄 발행 | 2019년 2월 28일

지 은 이   손우성, 박수병, 김성식, 김용일
발 행 인   장주연
출 판 기 획   김도성
책 임 편 집   배혜주
편집디자인   주은미
표지디자인   김재욱
일 러 스 트   진승우
발 행 처   군자출판사(주)
　　　　　등록 제4-139호(1991. 6. 24)
　　　　　본사 (10881) **파주출판단지** 경기도 파주시 회동길 338(서패동 474-1)
　　　　　전화 (031) 943-1888　　팩스 (031) 955-9545
　　　　　홈페이지 | www.koonja.co.kr

ISBN   979-11-5955-409-4
정가   130,000원

악교정 수술의
이론과 실제

Surgical-Orthodontic
Treatment,
From Basic to Clinics

집필진

| 저 자

손우성(Son, Woo-Sung)

서울대학교 치과대학졸업
서울대학교 대학원 치의학석사,박사
미국 시카고 소아병원 연수
일본큐슈대학 치학부 치과교정과 연수
부산대학교 치의학전문대학원 치과교정학교실 교수

박수병(Park, Soo-Byung)

부산대학교 치과대학졸업
부산대학교 대학원 치의학석사, 박사
미국 University of Southern California 방문교수
부산대학교 치의학전문대학원 치과교정학교실 교수

김성식(Kim, Seong-Sik)

부산대학교 치과대학졸업
부산대학교 대학원 치의학석사, 박사
일본큐슈대학 치학부 치과교정과 연수
미국 University of Florida 방문교수
부산대학교 치의학전문대학원 치과교정학교실 교수

김용일(Kim, Yong-Il)

부산대학교 치과대학졸업
부산대학교 대학원 치의학석사, 박사
미국 University of North Carolina at Chapel Hill 방문교수
부산대학교 치의학전문대학원 치과교정학교실 교수

서 문

오늘날에는 외모 개선에 대한 환자들의 기대치가 높고, 수술 기법과 그를 뒷받침하는 의학 기술의 발전으로 안전을 보장하며 좋은 치료 결과를 얻을 수 있게 되어 턱수술의 수요가 급증하고 있습니다. 이에 더 좋은 치료 효과를, 더 짧은 기간에 얻기 위하여 많은 시도들이 있었고 괄목할 만한 진전이 있었습니다. 대부분의 환자들의 주된 관심은 외모의 개선이지만 교합에 대한 이해가 부족하다면 수술후 원하는 교합을 이루지 못하고 교정치료의 기간이 장기화되거나 재발이 많아질 수 있습니다. 따라서 좋은 치료 결과를 위해서는 수술에 대한 대략적인 이해와 수술 증례에서의 교정치료에 대한 깊은 이해가 밑바탕이 되어야 할 필요가 있습니다.

악교정수술에 관련된 책들이 많이 출간되었지만 그동안 마취와 수술후 관리, 악교정수술 방법, 악안면기형과 변형의 진단 방법, 환자의 요구를 수렴하려는 노력에서 많은 진전이 있었고 지금도 진행되고 있습니다. 이 책은 부산대학교 치과병원에서 실제로 적용하고 있는 진단 방법과 치료계획 수립 및 실제 행해진 치료를 정리하고 평가하여 앞으로의 발전을 위한 토대로 삼기 위하여 추진되었습니다. 이론적인 내용과 임상 증례뿐만 아니라 역사적 배경도 함께 살펴봄으로써 전체적인 흐름을 쉽게 이해할 수 있게 하였고 지금에 이르기까지의 여러 단계에서 행해진 치료 방법들의 배경과 한계, 그리고 새로운 개념들이 도입되면서 치료 결과가 향상된 과정을 살펴봄으로써 앞으로의 발전 방향을 제시하고자 하였습니다.

세부적인 내용으로는 Part I에서 악교정 수술의 역사적인 배경을 통해 악교정 수술 기법의 발전 및 수술과 관련된 최신 경향을 제시하였습니다. Part II~V에서는 수술전 환자의 임상검사와 진단자료 분석 및 치료계획에 대해 술전 검사로서 제시하였습니다. Part VI~VIII까지는 임상에서 환자에게 적용 가능한 수술 전 교정치료 및 수술교합 형성, 술후 교정치료뿐만 아니라 환자 관리까지도 아우르고 있으며, Part IX에서는 수술 후 교합의 재발과 안정성에 대한 내용을 다루고 있습니다. 이후 마지막 파트에서는 환자들의 증례를 제시하면서 실제 환자에게 적용된 사례들에 대해 분석하였습니다.

마지막으로, 이 책을 편찬할 수 있도록 치료를 받아 주신 환자들과 실제 치료에 참여한 구강악안면외과, 교정과의 여러 선생님과 출판을 해 주신 군자출판사에도 감사드립니다.

2019년 2월
저자 일동

V

Contents

악교정 수술의 발달 과정

① 악교정 수술에 기여한 역사적 주요 인물과 그들의 업적

② 무엇이 악교정 수술의 발전을 가능하게 하였나?

③ 최근의 악교정 수술의 경향

PART I 악교정 수술의 발달 과정

악교정 수술의 적응증인 악안면변형은 상당한 기능 장애, 외모의 불만 그리고 이에 따르는 사회심리적인 문제를 야기하기는 해도 생명을 위협하는 질병은 아니다. 따라서 반드시 해야 하는 치료가 아닌 대표적인 선택적 치료(elective surgery)에 해당되며, 모든 수술을 위해서 해결되어야 했던 통증, 감염, 출혈, 부종의 조절이 가능하지 않았던 19C 중반까지는 거의 행해지지 않았다. 그러나 1842년을 기점으로 전신마취술(Long 에테르 1842, Wells N2O 1844, Morton 에테르 1846, Simpson 클로로포름 1900)이 개발되고 이어서 수혈을 가능하게 한 혈액형의 발견(란트슈타이너 1901), 항생물질 사용(플레밍 페니실린 1929, 플로리와 체인 사람에 페니실린 적용 1941) 등으로 보다 안전하고 덜 고통스럽게 수술을 할 수 있게 되면서 악교정수술도 발전하게 되었다. 최근에는 외모를 중시하는 사회 분위기에 따라 수술을 받고자 하는 사람이 많아지고, 수술 기법의 발전으로 예측성과 안정성이 확보되면서 악교정수술은 비약적으로 발전하게 되었다.

 ## 1 악교정 수술에 기여한 역사적 주요 인물과 그들의 업적

악안면변형을 치료하기 위해 행한 최초의 수술은 1849년 미국에서 Hullihen이 화상 때문에 목과 가슴에 반흔조직이 생겨 그 영향으로 개방교합이 된 21세 여자 환자에게 시행한 것으로 알려져 있다. 즉 하악골을 쐐기형태로 골제(wedge-type osteotomy)하여 후방으로 이동시켰다고 한다. 이 수술은 마취, 항생제, 정교한 기구 없이 시행된 것이다. 턱의 형태를 바르게 하기 위한 초기의 수술은 혈류 공급 유지 때문에 하악에서만 시행되었다. 세인트루이스에서 활동한 외과의사인 Blair는 초창기 악교정 수술에서 두각을 나타내었으며 1897년에 하악체부 절단(mandibular body osteotomy)을 시행하였고, 1906년에는 Angle로부터 교정치료만으로는 개선하기 힘든

주걱턱 의과대학생을 의뢰받아 악교정수술(double mandibular resetion)을 하였다. 이 방법은 소위 "St Louis operation"이라고 불렸는데 시카고 출신인 Talbot가 이보다 몇 년 전에 자신이 제안하였다고 우선권을 주장하여 소위 "Battle of Priotity"가 진행되었는데 결국 Blair 등의 세인트루이스 그룹이 승리하였다. Blair는 최초로 악안면변형을 하악전돌, 하악후퇴, 상악치조골돌출, 하악치조골돌출, 개방교합의 다섯 가지로 분류하였으며, 이들의 치료에 교정치료의 도움이 필요함을 인식한 사람이었다. 그는 1907년에는 'Operation on the jaw-bone and face'라는 제목의 논문에서 악안면변형의 치료를 위한 몇 가지 수술 방법을 기술하였고 1912년에는 최초의 교과서를 출판하였다. 또 제1차 세계대전 중 미국 육군의 자문의로 많은 경험을 하고 전쟁이 끝난 후 Ivy와 같이 미국 최초의 성형외과교수가 되었다. 그는 "이상적인 교합이 항상 최상의 얼굴을 수반하지는 않는다"는 명언을 남겼다.

유럽에서는 Berger(1897)가 하악전돌을 개선하기 위해 하악과두돌기 절제술(condylar osteotomy)을 시행하였다는 기록이 있고, Kostecka(1928)는 이탈리아의 산부인과의사 Gigli(1890)가 발명한 철사로 만든 수술용 톱(wire saw)을 턱 수술에 사용하였다. 이는 소위 "blind surgery"라고 하며 간편하나 수술 결과는 그리 만족하지 못하였다고 하는데, 골 절단 부위의 수술 후 접촉면이 적어 근육의 잡아당기는 힘에 의해 골편이 변위되어 재발이 많이 되고 개방교합을 야기한 것으로 알려져 있다. 프랑스의 LeFort는 사체의 두개골을 피아노 다리로 가격하여 골절된 양상을 보고하였는데 이 용어가 상악골의 수술에서 적용되었다(Le Fort classification).

하악지의 수평절단(horizontal osteotomy)은 1907년에 처음 보고되었다. 개방교합의 치료를 위해 하악지에 수술을 한 최초의 사람은 Babcock(1909)으로 알려져 있다. 아르메니아출신인 Kazanjian(1879-1974)은 철사공장에서 일한 후 하버드치과대학을 졸업하였는데, 그때의 경험을 살려 분쇄된 턱과 틈이 벌어진 두개골을 치료하는 보철물을 만들었다. 그는 제1차 세계대전 당시 "서부전선 기적의 사나이"로 불렸으며 의과학위를 받고(1921년) Ivy를 도와 성형외과를 전문 분야로 확립하였다.

악교정 수술의 처음 시도는 미국에서 시작되었지만 획기적인 발전은 유럽에서 이루어졌다. 치과의사이면서 의사였던 베를린 출신 Cone-Stock(1921)은 상악골전방분절술을 개발하여 '악교정 수술의 아버지'로 일컬어진다. 그도 제1차 세계대전 중 얼굴을 다친 병사들의 치료를 많이 하였으며 그에게 영향을 받은 Wassmund(1927)는 상, 하악골의 수술 기법을 개발하였는데(total maxillary osteotomy and inverted "L" ramal osteotomy) 개방교합을 치료하기 위해 처음으로 LeFort I osteotomy(1927)를 하였고, 지금도 사용되고 있는 상악골 전방분절술도 개발하였다. 그는 1927년 German School을 열었다. 그의 제자 Schuchart(1942)는 전치부 개방교합을 고치기 위해 상악골 후방부 골절제술과 구강내 접근 하악지 수평절단술을 시행하였다.

1928년에는 하악골 수술을 많이 한 Pichler가 Viennna School을 설립하였는데 이곳에서

20세기 중반을 대표하는 외과의사가 많이 배출되었다. 그의 제자 Trauner는 왜소악(microgna-thia)의 수술법을 개발했고, Trauner의 제자 그라쯔의 Kőle는 치조골의 위치를 변화시키는 수술법을 최초로 개발하였다. 즉 돌출된 입을 고치기 위하여 양악 치조 수술(bimaxillary alveo-lar surgery)을 처음으로 하였으며, 심피개교합(deep bite), 단안모(short face), 개방교합(open bite)의 수술법과 이부성형술(genioplasty)에도 기여하였다. 또 1959년에는 하악골 전방부에서 치근첨하 골절단술(subapical dentoalveolar osteotomy)을 소개하였다. 1964년에는 'Surgical orthodontics'라는 악교정수술 분야 최초의 교과서 발간에 기여하였다.

또 다른 Trauner의 제자 Obwegeser(1955)는 구강 내로 접근하여 하악골시상분할법(intraoral sagittal split ramus osteotomy)을 개발하였는데 이 방법은 피부에 상처를 남기지 않으며 골이식 없이도 하악골을 전진시킬 수 있는 획기적인 방법이었다.

미국에서는 하악골수술 시의 하치조신경 손상을 피하기 위한 방법의 개발을 위해 노력하였는데 미시간의 Dingman(1944)은 수술기법, 고정법, 합병증 감소에 업적을 남겼다. 뉴욕의 성형외과의사 Converse는 교정과의사인 Horowitz와 긴밀하게 공조하여 악안면기형의 치료를 하여 1969년에 몇 가지 수술법을 발표하였다. 그는 특히 연조직 재건술과 연계하여 안면골 수술을 시행한 것으로 유명하다.

1950년대에 들어 악교정수술은 비약적인 발전을 하였다. Caldwell과 Letterman(1954)이 하치조신경의 손상을 줄이기 위하여 하악지수직절단술(vertical ramus osteotomy)을 보고하여 하악이 큰 사람에서 시행되던 하악체절단술(body ostectomy)을 대체하였다. 비엔나(Vienna School of Maxillofacial Surgery)의 Trauner와 Obwegeser(1957)는 양측 하악지 시상분할술(bilateral sagittal split ramus osteotomy)을 보고하여 골이식 없이 3차원적인 악골 이동을 가능하게 하였다. 이 수술법은 DalPont(1958)과 Hunsuck에 의해 피부에 상처를 남기지 않고 안면신경의 손상을 줄일 수 있도록 개량되었다. Robinson과 Moos는 구강외 접근법으로 하치조신경 후방의 하악지 수직 절단술을 시행하여 하악전돌을 개선하였다. Obwegeser는 1960년부터 상악골에서의 수술을 시작하여 1969년에는 치열안모변형의 치료에서 신기원을 이룩하였다. 전에는 중안면이 결핍되어도 가급적 하악에서 수술하였으나 그 후부터 Le Fort I osteotomy를 통하여 개선하게 되었다. 1970년에는 처음으로 양악수술을 하였다. 이 기간 동안 하악의 수술도 더욱 발전되어 intraoral vertical oblique osteotomy, total mandibular subapical osteotomy, lower boder osteotomy 등이 이루어졌다.

두개안면기형의 치료에는 프랑스의 Tessier가 1960년대와 1970년대에 많은 기여를 하였다. 1972년 Tessier가 뉴욕을 방문하여 수술 시범을 보이기 전에는 미국에서는 혈액 공급, 골편의 소실을 염려하여 중안면부의 수술이 행해지지 않았다. 1974년에 유럽의 문헌에 104건의 Le Fort I 증례에서 안정성과 수술예지성이 있더라는 보고가 발표된 후 Bell과 Epker가 중안면부의 수술을 시작하였다. 이 시기에 외과의들은 수술 전 교정치료가 악교정 수술의 결과 향상에 도움이 된다는 것을 인식하고 교정치과의사와 함께 치료하기 시작했다. 1980년대에는 Bell(1980,1985), Epker와 Fish(1985), Profitt와 White(1991) 등이 구강외과의사와 교정과의사의 긴밀한 협조를 통하여 보다 양호한 결과와 안정성을 얻을 수 있음을 보여주는 교과서들을 발간하였다. 그 전에는 전후방적인면(sagittal)에만 치우쳤으나 1975년부터 횡적(transverse)인 부조화도 다루기 시작했다. 악골 분절을 금속판(plate)을 이용하여 고정하는 술식이 1983년부터 적용되어 재발을 줄이고 악간 고정 기간을 단축하게 되었다. 1990년대에는 견고고정(rigid fixation)이 전반적으로 사용되어 정밀한 수술 결과가 얻어지고 환자의 불편이 감소되었다(6-8주의 악간고정, 유동식, 잇솔질 못함, 밀실공포증과 유사한 심리적 문제 등). 최근에는 플레이트의 제거를 의한 2차수술이 필요 없도록 흡수가 되는 재질이 개발되었다.

Wolford(1990)는 악교정 수술의 치료 결과를 미리 예측하는 체계적인 방법(surgical treatment objective, STO)을 정립하였다. Profitt 등(1996)은 악교정 수술의 방법에 따른 안정성을 체계적으로 평가하여 치료 계획 수립에 도움을 주었다. 이외에도 냉동건조골, 인공골, 생분해물질, 저혈압전신마취(출혈 감소), 작은 기구의 개발, 컴퓨터를 이용한 치료계획, 3차원 컴퓨터 단층 촬영 등이 개발되어 악교정 수술을 발전시켰다. 특히 전신마취와 골편고정방법의 발달로 상악골과 하악골을 동시에 정교하게 수술(양악동시수술: Two-jaw Surgery)을 할 수 있게 되었으며, 이에 따라 수술의 효과가 극대화되고 안정성도 증진되어 오늘 날에는 양악동시수술이 보편화되었다.

② 무엇이 악교정 수술의 발전을 가능하게 하였나?

1) Medical advance: 통증과 합병증(complication)의 경감

통증조절을 위한 마취법이 개발된 시기는 19C 중반으로 의사인 Long(1842)이 에테르를 이용하여 마취를 하였으나 공식적인 보고는 하지 않았고, 콘네티컷 주의 치과의사 Wells(1844)가 소기(nitrous oxide)를, 또 다른 치과의사인 Morton(1846)이 수술을 위한 마취 목적으로 에테르를 이용한 것을 발표하였다. Chloroform을 최초로 사용한 사람은 Simpson(1900)으로 알려져 있다. 마취학의 발전은 단순한 통증의 조절뿐만 아니라 수술 중의 위험을 관리하여 외과의가 안심하고 시술할 수 있게 하였다. 2000년대에 들어서는 저혈압마취(hypotensive anesthesia)가 악교정 수술에도 적용되어 수술 시 출혈을 감소시켜 수혈의 필요성을 줄이고, 수술 후 회복에도 도움이 되어 입원기간을 단축할 수 있게 하였다. 이에 의해 수술 중 시야를 좋게 하고 복잡한 수술을 동시에 시행할 수 있게 되었다.

수술 후 부종의 조절(edema control)도 큰 문제였는데 수술 기법의 발달에 의해 수술 시의 손상을 줄이고, 수술 시간을 단축하며, 지혈을 효과적으로 하고 스테로이드를 비롯한 약제를 적절히 사용하여 술후 종창을 줄임으로써 호흡 곤란과 불편을 줄이고, 사회로 복귀를 빨리 할 수 있게 되었다.

전신마취에 따르는 구토(nausea)의 조절, 항생제 사용을 통한 감염 관리(infection control) 등으로 악교정 수술에 따르는 합병증과 위험을 많이 감소시켜 더 많은 사람들이 턱수술을 받아들일 수 있게 되었다.

2) 수술-교정 협진 체계의 확립

악교정수술은 대표적인 선택적 치료(elective treatment)이며 따라서 환자의 동의(informed consent)를 구하는 것이 매우 중요한데 이를 위해서 초기부터 치료의 결과를 예측하여 설명하는 것이 필요하다. 1960년대 말부터 악교정수술을 하는 환자에서 교정치료와의 협진이 일반화되었다. 현재는 수술-교정 협진 치료의 순서와 각 분야의 책임에 대하여 잘 정립이 되었다. 수술 전 교정치료로 악안면변형을 보상하기 위해 이루어진 부정교합을 해소(decompensation)하여 골격 관계의 부조화를 드러나게 하고 상하악 치열궁의 조화로운 관계를 확립하고 수술을 하면 결과의 예측과 안정성에 큰 도움이 된다. 또한 교정장치에 안정화 호선(surgical arch wire)을 삽입하여 수술함으로써 종래의 arch-bar에 의한 치주조직의 손상을 줄이게 되었다. 또한 두부방사선규격사진 상에서 모의 수술을 해 보고(surgical treatment objective, STO) 이를 토대로 모형수술을 시행한 후 여기에서 수술용 스플린트(surgical splint, surgical wafer)를 제작함으로써 정확한 수술과 술후 안정성(immobilization)의 확보가 가능하게 되었다. 또한 교정장치는 수술 후 회복기에 시행되는 악골기능재활에 유용하게 사용되며, 그 후 마무리 교정치료를 통하여 정교한 교합이 이루어지게 되어 악구강계의 기능 회복이라는 악교정수술과 교정치료의 목표를 달성하게 되었다.

3) 수술기법의 발전

최근 수십년간 환자들의 다음과 같은 요구를 충족시키기 위하여 악교정 수술의 기법은 비약적으로 발전하였다.

- 수술의 안정성(safety of technique)
- 수술 후 병적 상태의 감소(reduced morbidity-neurologic or vascular)
- 수술 후 안정성(stability of procedure)
- 치유의 촉진(enhanced rate of healing)
- 마취 하 수술시간의 단축(reduced surgical time under anesthesia)

(1) 하악의 수술

하악골의 수술에서 가장 빈도가 높은 합병증은 하치조신경의 손상에 의한 감각 장애이다. 또한 수술 후 접촉 면적을 크게 하는 것이 술후 안정성에 유리하다. 초기의 하악골체절단술을 지양하고 하악지에서의 수술법이 발전되었는데 Trauner는 상행지에서 L-자의 골절단술(inverted-L osteotomy of the ascending ramus)을, Obwegeser(1955)는 구강내 하악시상분할법(intraoral sagittal split osteotomy of mandible)을 기술하였고 이 방법은 이탈리아의 Dal-Pont(1958), 미국의 군의관 Hunsuk(1968) 등에 의해 개량되었다. 하악지 시상절단술 외에도 하악상행지 수직절단술(vertical ramus osteotomt)도 시술 방법이 간단하고 턱관절의 위치유지에 유리하다는 장점이 있어 악관절증이 있는 사람이나 하악비대칭 증례에서 많이 시술되고 있다. 이외에도 하악지의 수직골절단의 형태에 따라 다양한 수술방법이 개발되었다.

(2) 상악의 수술

상악의 수술에서 가장 큰 문제는 수술 중에 출혈이 심하다는 것이었다. Bell은 원숭이를 이용한 실험에서 상악절제 후의 혈류 공급에 대한 연구를 한 후, 1975년에 Le Fort I osteotomy의 방법을 보고하였고, Epker 등도 같은 해에 중안면부의 기형을 치료하기 위해 상악에서 수술한 방법을 보고하였다. 통상적인 악교정 수술에는 주로 Le Fort I osteotomy가 이용되나, 코를 중심으로 한 중안면부의 함몰이 심한 경우 Le Fort II osteotomy가, 선천성 안면기형의 치료에는 Le Fort III osteotomy가 적용되고 있다. 이러한 수술은 수술 기구의 발달과 plate나 screw 같은 견고고정법의 개발에 의해 가능하게 되었다. 상악 분절술은 상악전체를 포함하는 Le Fort series와는 달리 상악의 일부만 골절시키는 외과적 수술로 상악 전방분절술과 상악 후방분절술 모두 시행되어 왔으며 Wassmund, Wunderer, Köle, Schuchardt 등에 의해 발전되어 왔으나 분절 골편에의 혈류 공급 문제와 수술의 복잡성, 절단 부위에의 공간 잔존 등이 문제가 되었다. Bell, Epker 등이 구개점막의 절개없이 시술하는 방법을 개발하였다.

(3) 양악수술(Two jaw surgery)

많은 악안면변형증 환자는 상악과 하악에 문제가 함께 있는 경우가 많다. 따라서 상하악에서 함께 수술을 해야 보다 조화로운 얼굴을 달성할 수 있다. Köle은 이미 1959년에 상하악 치조골 절단술을 보고하였고, Obegeser는 1970년에 상악에서는 Le Fort I osteotomy를 하악에서는 양측시상분할술을 한 양악수술의 경험을 발표하면서 심미적인 측면뿐만 아니라 술후 안정성이 증가된다고 하였다. 현재는 수술 방법의 개선과 마취의 발전, 견고고정법의 적용으로 양악수술이 일반화되었다. 이뿐만 아니라 악교정 수술에 일반적인 얼굴성형수술(이부성형, 윤곽성형 등)이 첨가되어 보다 심미적인 결과를 얻고 있다.

(4) 견고고정법(rigid skeletal fixation)

견고고정법이 적용되기 전에는 악교정수술 후의 회복기에 골편이 움직이지 않도록 상하악 치열의 악간고정과 안와하연(inferior orbital rim)이나 관골궁(zygomatic arch) 등에 wire로 비끄러 매어(suspension wire) 최소 6주 이상 유지하였다. 이렇게 입을 못 벌리게 하면 음식섭취 제한으로 체중 감소, 식욕 감퇴, 악관절 통증, 안면근 통증 등의 신체적 문제와 함께 심리적으로 심한 침체(depression)가 초래될 수 있었다. 1917년 독일의 Sorensen이 분쇄골절된 하악골을 고정하기 위해 금속판(gold plate)을 만들어 사용한 기록이 있고, 1960년대 말 스위스에서는 팔다리를 위한 금속판과 나사를 만들어 사용하였다고 한다(osteosynthesis). 그러나 악교정 수술에 이 원리를 적용한 것은 10년 정도 후로 Spiessl이 하악지 시상절단술(sagittal split ramus osteotomy)을 한 환자에서 나사로 고정하였다(1974). 1980년대 초부터 견고고정법이 많이 사용되기 시작하여, 조기에 말을 하고 음식을 섭취할 수 있어 빨리 일에 복귀할 수 있게 되고 구강위생과 정신 건강에도 도움이 되게 되었다. 이 방법이 사용되면서 상, 하악 동시 수술도 더 많이 시행되게 되었고, 최근에 시도되고 있는 선수술-후교정 치료법도 가능하게 되었다.

(5) 정확한 진단과 치료 계획의 수립: 턱교정수술의 예지성과 안정성의 확보

악교정 수술의 양과 방법을 결정하기 위하여 두부방사선규격사진이 이용되었으며(Broadbent 1931, Brodie 1938 등) 특히 기존의 교정치료 목적이 아닌 수술을 위한 환자를 위한 분석법(Bursone, 1978)들도 개발되었다. 경조직뿐만 아니라 실제적으로 외모에 더 큰 영향을 주는 연조직에 대한 고려도 중요하다고 하여 Stoner(1955), Burstone(1967,1980), Ricketts(1968), Merrifield(1996), Sarver 등(1988) 등의 연구가 이루어졌다. 이러한 진단법들은 컴퓨터를 이용한 진단과 치료 계획의 수립(Ricketts 등)으로 발전되어 많은 상업 프로그램들이 개발되었다. 이를 이용하여 환자의 형태를 다각적으로 분석하고 모의수술을 시행하여 치료 목표(STO)를 수립한 후 환자에게 설명하고 의견을 수렴한 후 동의를 얻는 절차가 간편하게 되었다.

Profitt 과 Akerman(1985)은 악교정수술이 꼭 필요한지를 판단하는 객관적인 기준으로 유용하게 적용할 수 있는 "부조화의 범주(envelope of discrepancy)"를 제시하였다.

최근에는 IT 산업과 의료 장비의 급속한 발전으로 치과에서도 컴퓨터 단층촬영 영상(CT)이 이용되었고 특히 Cone-Beam computed tomography (CBCT)가 널리 보급되어 악골의 변형을 삼차원적으로 더 잘 이해힐 수 있게 되었고 가상 시술(virtual surgery)과 surgical splint 제작(stereolithographic model)이 가능해져서 악교정수술 분야에도 많이 활용되고 있다.

③ 최근의 악교정 수술의 경향

최근에는 외모를 중시하는 사회 풍조에 따라 골격성 부정교합의 치료만이 아닌 외모의 심미적 개선을 주 목적으로 하는 환자들이 증가하고 있다. 이들은 인터넷 등에서 다양한 의료정보를 수집하여 때로는 치과의사보다도 많은 정보를 알고 있고, 검정되지 않은 새로운 경향의 치료를 요구하기도 한다. 의과-치과적 발전에 의해 더 광범위하고 복잡한 수술이 가능해졌고, 외모 개선에 도움이 되는 추가적인 수술(윤곽 성형, 연조직 수술) 등도 적극적으로 수용되고 있으며 치료 기간의 단축을 적극적으로 요구하기도 한다.

1) 양악회전수술(Two jaw surgery with rotational set-back of maxilla, Rotation of maxillo-mandibular complex)

최근의 환자들은 전체적으로 얼굴이 작아지고 갸름해지기를 원하는 경향이 있다. Köle, Owegeser 등이 오래 전부터 상, 하악 양악수술을 시행하였으나 교합평면의 회전을 시도한 것은 비교적 최근의 일이다(Reyneke 등 1990, Worford 등 1993). 특히 중안면부가 긴 장안모 Ⅲ급 부정교합자에서는 상악의 후방부를 더 절제하여 하악이 회전된 상태에서 하악의 수술을 많이 해주면 얼굴이 작아질 뿐아니라, 수술 후 전치부의 수직피개가 잘 유지되는 장점이 있어 최근에 많이 시행되고 있다.

2) 선수술-후교정, 또는 최소 술전 교정치료

30여 년 전에 정립된 수술전 교정치료-턱 수술-마무리 교정치료의 개념은 악안면변형의 치료를 획기적으로 발전시켰으나, 치료 기간이 길고 특히 술전 교정치료 기간 동안 외모가 더 나빠지고 기능적으로도 많이 불편하다. 따라서 최근에는 먼저 악교정수술을 시행하고 짧은 기간에 교정치료를 통해 교합을 개선하려는 경향이 있다. 그러나 이는 완전히 새로운 개념의 치료 방법은 아니고 과거부터 여러 가지 여건으로, 그리고 조건이 되면 턱수술만 하던 것의 적응증이 확대된 것으로 생각된다. 석고모형에서의 가상의 치아배열, 나아가서는 컴퓨터 프로그램을 이용한 치아 배열(virtual set-up)을 쉽게 할 수 있고 micro-implant를 교정치료에서 이용하면서 surgical archwire가 없어도 악간고정을 할 수 있고, 치아의 합임을 비롯한 종전에는 대단히 힘들었던 치아이동도 할 수 있게 된 것이 선수술 또는 최소한 술전교정치료 후 턱수술을 수용할 수 있는 기반을 제공하였다.

개요

골격적인 부조화가 심한 환자에서 교정만으로 절충치료를 할 경우, 치료에 한계가 존재하며 원하는 치료결과를 얻기가 어렵다. 더불어 외형의 심미적 개선이 되지 않으므로 치료결과에 대해 환자와 술자가 느끼는 만족도가 떨어질 것이다. 이러한 환자에서는 골격적인 개선을 해주어야 안모의 심미성이 개선되고, 기능성과 안정성 또한 확보할 수 있을 것이다. 악교정 수술 방법이 발전하기 전에는 교정적인 치료를 통해서만 부정교합을 개선해야 했지만, 악교정 수술 방법의 발달에 따라 골격적인 부조화를 해소하는 것이 더 용이해졌으며, 치료결과도 점점 더 안정적으로 발전되어 왔다.

의학영역과 치의학영역의 많은 문제들에 대해 그 원인 요소가 무엇인지에 대한 연구가 많이 이루어졌다. 하지만 아직 밝혀지지 않은 부분 역시 많이 존재하고, 밝혀진 부분에 대해서도 근원적인 치료방법이 제시되는 경우는 그리 많지 않다. 부정교합이나 악안면 영역의 기형은 병적인 과정에 의해 유발되는 경우도 있으나, 대부분은 정상적인 발육과정에 변형이 생긴 경우에 기인한다. 원인이 명확한 경우도 있지만, 대부분의 경우 여러 인자들의 상호작용에 의해 나타나는 결과이므로 이러한 복잡한 원인에 대한 해결책을 제시하는 것은 쉽지 않을 것이다. 골격적인 부조화가 심한 환자에서 악교정 수술을 시행하는 것이 골격적 부조화라는 근원적인 문제를 해결하는 것이지만, 골격적 부조화를 유발한 원인을 제거하는 것은 아니다. 그러므로 치료결과를 안정적으로 유지하기 위해서는 골격적인 부조화나 부정교합의 발생원인에 대해 파악하는 것이 중요하다.

성장기 아동에서 골격적인 부조화가 관찰되는 경우 성장조절을 통해 개선을 유도할 수 있지만, 모든 성장조절 환자에서 치료결과가 안정적으로 유지되는 것은 아니며, 성장조절 이후 치료결과의 안정성 또한 고려해서 성장조절을 시행해야 한다. 특히 골격성 III급 부정교합을 보이는 성장기환자에서 성장조절치료는 그 예후가 나쁘므로 성장이 종료될 때까지 기다린 후에 악교정 수술을 하는 것이 시간적, 경제적인 면과 환자의 불편감을 고려했을 때 더 좋은 치료방법이 될 수 있을 것이다. 또한 성장하는 환자에 있어서 악교정 수술을 언제 시행하는 것이 좋

을 것인지에 대한 고려가 필요한데, 성장연구를 통해 얻은 수치를 정상적인 성장발육을 보이는 사람에게 적용하는 경우에도 확신하기가 어려우므로, 악안면 기형이 있는 경우에는 그 성장양 상을 예측하는 것에 더 신중할 필요가 있다.

악교정 수술이 필요한 사람뿐아니라 그렇지 않은 사람이라도 치료를 위해서는 우선 병원에 내원을 하게 되고, 그 이후 면담과 임상검사를 통해 자료를 채득한 후 이를 분석하여 치료계획 을 세우게 된다. 분석결과에서 골격적인 부조화가 심해 절충치료로는 치료에 한계가 많으며, 환자의 심미적 요구도가 높은 경우에는 기능적, 심미적 개선을 위해 악교정 수술을 동반한 교 정치료를 시행하게 된다. 이제 그 일련의 과정들에 대해 살펴보고자 한다.

병력수집 / 임상검사

1 면담

사람들이 병원을 방문하는 이유는 보통 뭔가 치료해야 할 것이 있거나, 치료가 필요한 상황인지 아닌지 궁금하기 때문이다. 이러한 환자의 요구를 쉽고 정확하게 파악하기 위해서는 원활한 의사소통이 필요한데, 이를 보조해 줄 수 있는 방법이 있으면 좋을 것이다. 이를 보조해주는 한 가지 방법이 면담에 앞서 간단한 설문조사를 시행하는 것이다. 설문지를 통해 환자가 병원을 내원한 이유가 무엇인지, 환자의 현재 상태가 어떠한지에 대한 간단한 정보가 있다면 짧은 시간에 보다 유용한 면담을 시행할 수 있다.

1) 설문지

환자의 면담 및 임상적 검사 이전에 간단한 설문지를 이용하여 여러 정보를 얻을 수 있다. 본원에서 이용하는 초진 설문지에는 환자의 기본정보, 보호자의 기본정보, 외부 병원 의뢰 여부, 원하는 진료범위, 주소, 주치과의사, 주치의사, 호흡기병력, 교정 기왕력, 가족력, 구강악습관, TMD 관련 기왕력, 두경부 외상 기왕력, 전신병력 등에 관한 내용이 포함되어있다(그림 3-1).

설문지 작성 후 환자를 면담하게 되면 기본적인 정보를 보면서 상담을 하기가 용이해진다. 환자의 주소가 어떻게 되는지, 신체적 상태는 어떤가에 대한 정보들을 보면서 추가적인 질문을 통해 보다 자세한 정보를 얻을 수 있다. 이러한 정보를 토대로 임상검사 시 주의해야 할 부분들을 좀 더 자세히 살필 수 있다.

2 **임상검사**

의사가 설문지를 참고로 하여 환자를 면담하며 임상검사를 시행하게 된다.

부산대학교치과병원 교정과

Date.　　　.　　　.

본 인	성명			생년월일		성별	
	직업			주소			
	자택전화번호			휴대전화번호			
	E-mail			형 제 관 계		남　　　　녀 중　　　　째	
보호자	성명		나이		직업	연락처	
	성명		나이		직업	연락처	

■ **의뢰여부**
  □ 다른 치과에서 대학병원으로 가보라고 하였다.
  □ 다른 치과에서 상담 후 대학병원에 왔다.
  □ 처음부터 바로 대학병원에 왔다.

■ **오늘의 진료범위**
  □ 오늘은 치료기간, 방법, 비용 등에 대한 상담만 받고 싶다.
  □ 교정 상담 후 검사와 분석을 받아보고 싶다.
  □ 교정 검사와 분석 후 치료를 받고 싶다.

■ **교정치료를 받고 싶으신 부분에 대해 상세히 적어주세요.**
  예) 삐뚤삐뚤한 이를 바르게 펴고 싶다. 턱이 나왔다.

■ **누가 교정치료의 필요성에 대해 느끼고 있습니까?**
  □ 본인　　□ 보호자　　□ 기타

■ **정기검사, 잇몸치료, 충치치료 등 일반진료를 받으로 다니는 치과가 있습니까?**
  □ 예(　　　　　　　치과)　　□ 아니오

■ **주로 다니는 내과, 외과, 이비인후과 의원 등이 있습니까?**
  □ 예(　　　　　　의원/병원)　　□ 아니오

■ **비염, 축농증, 편도선염 등 이비인후과적 질환을 앓으신 적이 있습니까?**
  □ 예　　　　□ 아니오

■ **이전에 교정치료를 받아 보신 적이 있습니까?**
  □ 예　　　　□ 아니오

■ **가족 중 교정치료를 받으신 분이 있습니까?**
  □ 예　　　　□ 아니오

■ **입, 입술, 치아, 혀 등과 관련된 습관이 있습니까?**
  □ 예　　　　□ 아니오

■ **귀 앞쪽 턱관절에서 소리가 나거나 통증, 불편감 등을 느끼신 적이 있습니까?**
  □ 예　　　　□ 아니오

■ **얼굴, 입안, 치아, 혀 등을 외부 충격으로 다치신 적이 있습니까?**
  □ 예　　　　□ 아니오

■ **전신건강상태는 양호합니까?**
  □ 양호　　□ 전신질환 존재(질환명:　　　　　　)

■ **키(　　　　cm)** ■ **몸무게(　　　　kg)**

■ **전신병력**

	예	아니오
1. 간염이나 결핵등의 전염성 질환	□	□
2. 심장질환이나 혈액질환	□	□
3. 알러지(약물, 금속, 음식 등)	□	□
4. 정신장애나 행동장애	□	□
5. 수술이나 입원의 경험	□	□
6. 피가 나서 잘 먹지 않은 경험	□	□
7. 복용중인 약	□	□
8. 임신	□	□
9. 고혈압	□	□
10. 빈혈	□	□

그림 3-1. **설문지**

ORTHODONTIC CASE RECORD

CASE NO.		HOSPITAL NO.			Date	. . .
성 명		성별 남□/ 여□ 생년월일		. . .	나 이	
주 소						
전화번호	1.		2.		E-mail	

보 호 자	아버지 성 명		직 업		나 이		연 락 처	
	어머니 성 명		직 업		나 이		연 락 처	

주 소	
Past history		PMH (−)
담 당 의 사		교 수	Appliance

FACIAL ANALYSIS

Facial type
  Euryprosopic(Brachy) □
  Mesoprosopic(Meso) □
  Leptoprosopic(Dolicho) □

Facial & dental symmetry

Profile_____
Gingival exposure
  at smiling _____mm
  at full smiling _____mm
Nasolabial angle
  acute □
  average □
  obtuse □

SOFT TISSUE

Lip thickness		thin □	average □	full	
Frenum	Normal □	Heavy □	Labial □	Lingual □
Mentalis sction	Yes □	During _____	No □
Lips	Posture at rest	Open □	Closed □
	Upper	Normal □	Hypotonic □	Hypertonic □
	Lower	Normal □	Hypotonic □	Hypertonic □
Tonsils	Normal □	Enlarged □
Adenoid	Normal □	Enlarged □

DENTAL SURVEY

Angle classification   Ⅰ □   Ⅱ   div. 1□   div. 2□   Ⅲ □

Dental arch form   Palate
Mx   Mn   High □   Normal □   Shallow □
□ Square   □   Oral hygiene
□ Paraboloid □   Good □   Moderate □   Poor □
□ Ovoid   □   Periodontal condition
□ Tapered □   Healthy □   Gingivitis □
□ V-shape □   Periodontitis □
Overbite _____mm   Gingival recession
Overjet _____mm   _____

CLEFT

Both □	Rt. □	Lt. □	None □
Cleft lip □	Cleft palate □		Cleft alveolus □
Submucosal cleft □		Soft palate cleft □	

Syndrome _____
Related history _____
_____
_____

HABITS

Tongue thrusting □	Lip biting □	Finger Sucking □
Mouth breathing □	Nail biting □	Lip Sucking □
Bruxism □	Clenching □	
Mastication Bath □ Rt. □ Lt. □		

TMJ

Asymptomatic □	Symptomatic □
Pain	Rt. □	Lt. □
Sound	Rt. □	Lt. □
Locking	Rt. □	Lt. □

Muscle tenderness _____
Maximum opening _____
CO-CR discrepancy
  horizontal _____mm   transverse _____mm

R   L
8mm   8mm
40mm

Development evaluation

____Y ____M	Height _____cm	Weight _____kg
____Y ____M	Height _____cm	Weight _____kg
____Y ____M	Height _____cm	Weight _____kg
____Y ____M	Height _____cm	Weight _____kg

여아의 경우 초경, 남아의 경우 변성   YES □   No □   ____세

OTHER

Previous orthodontic treatment history
_____

Trauma history
_____

Etc _____

부산대학교 교정학 교실

그림 3-2. 임상검사지

임상검사에 이용되는 챠트에는 안모분석, 연조직 평가, 구강내 평가, 구순구개열 유무 평가, 구강악습관 평가, TMJ 평가, 성장평가, 교정치료 기왕력 및 외상기왕력 등을 평가할 수 있도록 구성되어 있다(그림 3-2). 임상검사를 통해 환자의 상태를 평가하고 기록하며, 추가로 어떤 진단 기록이 필요한지 결정하여 채득한다.

1) 안모분석

임상가는 안모 분석 시, 자연스런 상황에서 환자를 평가하는 것이 필요하다. 정적인 상태에서의 분석은 차후 진단과정에서 사진을 통해서 가능하나, 일상적인 대화나 미소 시의 환자 안

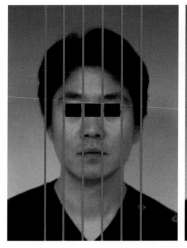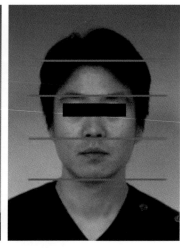

그림 3-3. **안면의 수직, 수평 비율 평가**

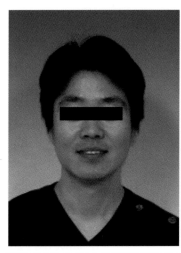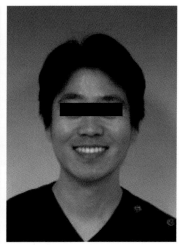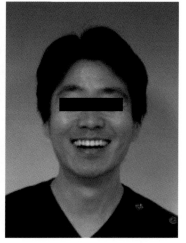

그림 3-4. **미소 평가**

모 특성은 환자를 마주하고 있는 상황에서만 가능하다. 따라서 주의깊게 환자를 관찰하여 놓치는 특징이 없도록 해야 한다.

기본적으로 안모는 정모와 측모를 분석한다. 정모의 평가 시 전체적인 윤곽과 수직 안면비율, 수평 안면 비율을 평가하고, 안모가 대칭적인지 체크한다. 비율이 모든 것을 결정하는 것은 아니지만 안모의 평가 시 비율을 많이 고려하는 것이 진단에 편리하다.

정모는 보통 네 개의 수직선을 이용하여 안면을 다섯 부분으로 나누어서 그 비율을 평가한다. 즉 눈의 내안각, 외안각을 지나는 좌우 수직선을 이용하여 수평적 비율을 평가한다. 또한 glabella와 subnasale를 지나는 두 개의 수평선을 이용하여 상안모, 중안모, 하안모의 수직적 비율도 비교하는데, 이는 측모에서도 동일하다(그림 3-3). 정모사진에서는 안정시나 미소시의 상악 전치노출도와 치은노출도를 관찰할 수 있다. 미소 시와 활짝 웃는 경우의 치은노출도를 구분해서 기록하는데, 보통 교정치료의 목표는 사회적 미소(social smile, 미소 시 웃는 정도)를 기준으로 세워지지만, 환자의 주소가 활짝 웃는 경우의 치은노출도와 연관되어 있다면 치료목표는 변경 가능하다(그림 3-4). 상악 전치 노출도나 치은노출 정도는 나이가 들어감에 따라 상순의 탄력이 감소하여 노출정도도 감소한다고 하지만, 그 노출의 정도가 크고, 잇몸 노출 정도가 환자의 주소인 경우에는 치료 목표에 포함되어야 한다.

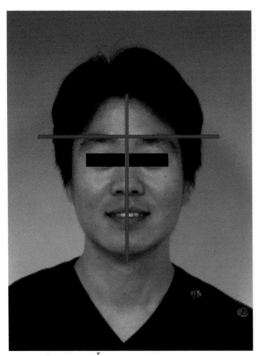
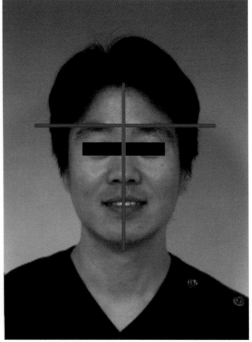

그림 3-5. **안면의 수직, 수평 비율 평가**

비율에 대한 평가와 더불어 대칭성도 파악해야 하는데, 이는 비대칭이 주소인 환자와 비대칭
이 존재하나 인지하지 못하는 환자 모두에서 중요하다. 비대칭은 상악골의 기울어짐이 있는지,
하악골 턱끝이 좌우측으로 돌아가 있는지 등을 보는 것이 중요하며, 자연스런 미소시 상순의
입술선을 관찰하는 것도 중요하다(그림 3-5). 간혹 골격적인 요소에서 기인하지 않은, 편측 입꼬
리 근육의 과활성으로 비대칭이 유발될 수도 있기 때문이다. 또한 비대칭 환자는 무의식적으로

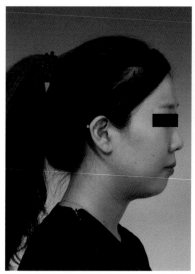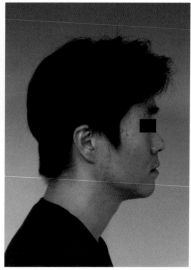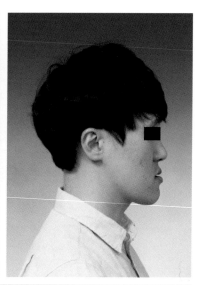

그림 3-6. **턱 돌출도**

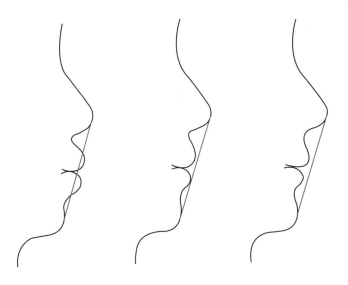

그림 3-7. **구순 돌출도**

비대칭을 보상하기 위한 자세를 취할 수 있으므로, 이를 임상가가 알아차리고 파악하는 것이 필요하겠다. 측모의 형태는 glabella, subnasale, soft tissue pogonion을 연결한 선을 이용하여 볼록(convex)한지, 오목(concave)한지, 평편(straight)한지 구분하게 된다(그림 3-6). 환자의 주소가 구순돌출인 경우에는 중요하게 고려해야 할 문제이나, 각 환자들이 느끼는 구순돌출감의 정도나 의사가 파악하는 구순돌출감의 정도가 다를 수 있기 때문에 충분한 상담을 통해 치료 목표

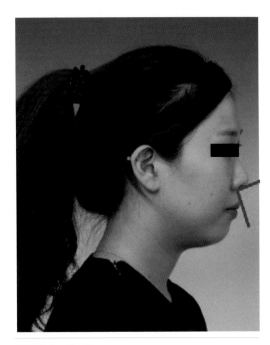

그림 3-8. **비순각**

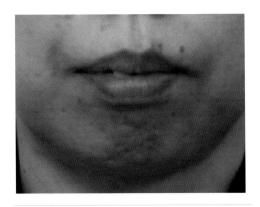

그림 3-9. **이부 긴장감**

를 설정해야 한다. 일본인을 대상으로 Ioi1 등이 쓴 논문에 의하면 교정의사가 가장 선호하는 구순돌출 정도는 남자의 경우 subnasale와 soft tissue pogonion를 연결한 선에서 상순은 3.4~5.4 mm 전방, 하순은 2.7~4.7 mm 전방, 여자의 경우 상순은 3.5~5.5 mm 전방, 하순은 3.4~5.4 mm를 선호하는 것으로 보고했다. 또 다른 구순돌출감 평가 방법으로는 코끝과 턱끝을 연결하는 선에 상하순이 닿는 것을 정상으로 판단한다(그림 3-7).

코의 형태 또한 측모에 많은 영향을 주는데, 코가 낮을 경우에는 상대적으로 구순돌출감이 더 커지는 효과가 있다. 그러므로 환자가 코 수술을 계획하고 있는 경우라면, 이를 고려하여 치료계획을 세워야 하며, 구순돌출감 및 전치부 치축 개선을 위한 발치교정이 예정되어있는 경우라면 코 수술을 교정치료 이후로 미루어 코수술 여부를 재평가할 필요가 있다. 비순각의 크기는 평균 90~95°인데, 이보다 각도가 큰지 작은지도 평가한다(그림 3-8).

2) 연조직 평가

안모분석과 더불어 연조직의 형태도 파악되어야 한다. 입술의 두께, 입술의 형태 및 긴장도, 이부긴장감 존재 여부 등을 고려한다(그림 3-9).

3) 구강내 평가

구강내 평가를 할 경우 치아의 평가와 더불어 주변 연조직의 평가도 시행한다. 치아 평가 시에는 결손치나 형태이상을 보이는 치아는 없는지 확인하고, 치아 우식이 있는지, 또는 과거 우식 치아의 수복 상태 등을 평가한다. 치아의 잔금(crack), 동요도 역시 확인되어야 한다. 이와 더불어 구강위생관리는 잘 되고 있는지를 평가한다. 치은 퇴축 정도, 치주 질환 여부를 확인하는 것도 중요하다. 주변 연조직은 혀, 소대, 편도 등의 인접 연조직을 평가한다. 혀의 크기는 적절한지, 소대(frenum)의 위치나 형태는 괜찮은지, 편도(tonsil)가 비대하지는 않은지 평가한다. 혀의 크기가 실질적으로 큰 경우는 흔하지 않으나, 림프종 등의 전신 질환과 연관된 경우도 있음을 고려해야 한다.

4) 구순구개열 유무 평가

구순구개열은 두개안면의 선천기형 중 가장 발생빈도가 높은 것으로 알려져 있어 종종 교정 임상에서 접하게 된다. 구순구개열의 평가 시에는 그 범위가 얼마나 되는지, 치열에 영향은 없는지, 관련 증후군이나 연관된 기왕력은 없는지 평가한다.

5) 구강악습관 평가

현재 구강상태에 영향을 줄 정도의 구강악습관이 존재하는지와 과거 존재하였는지에 대해 평가한다. 혀내밀기, 입술깨물기, 입술 빨기, 손가락 빨기, 손톱 깨물기, 구호흡, 야간 이갈이, 이악물기 등의 습관과 편측 저작여부를 체크한다.

6) 측두하악관절(Temporomandibular Joint, TMJ) 평가

측두하악관절장애(temporomandibular joint disorder, TMD)는 특히 악안면변형증이 있는 경우 빈도가 높아지므로 모든 환자에서 측두하악관절(temporomandibular joint, TMJ)에 대한 평가가 필요하다(표 3-1). 환자 면담 시에 체크해야 할 것은 우선 환자가 현재 증상이 있는지 여부와, 증상이 없더라도 과거에 불편감이 있었는지 확인한다. 그 이후에는 촉진을 통해 저작근이나 악관절부위의 동통, 관절잡음을 확인할 수 있다. 최대개구량을 체크하면서 개구장애는 없는지, 개구 시 하악의 변위가 나타나지 않는지 확인한다. 이러한 사항들을 바탕으로 추가적인 평가나 치료가 필요하다고 판단되면 구강내과에 의뢰한다.

표 3-1. **측두하악관절 평가시 필수 사항**

증상 여부	현재 증상, 과거의 증상
동통	저작근 부위 통증, 측두하악관절 부위 통증
관절잡음	딸각하는 소리(clicking), 염발음(crepitation)
하악 운동 범위	제한된 개구(40 mm 이하), 측방운동 제한(8 mm 이하)
개구 시 하악 변위	3~4 mm가 넘는 변위

7) 성장평가

악교정 수술환자에서는 성장에 의한 재발도 고려해야 하므로, 성장이 종료되는 시점을 고려해서 수술일정을 계획해야 한다. 성장이 종료되는 시점을 정확히 예측하는 것은 어려우므로 잔여성장에 관한 설명을 충분히 하고, 적절한 수술 시점을 정하는 것이 중요하다. 현재 악교정 수술을 위해 치과에 내원하는 대부분의 환자들은 성장기를 이미 지난 성인이므로 대다수의 경우 잔여성장이 영향을 끼치지 않으나, 간혹 남자 환자들(20대 초반)에 있어서 잔여성장이 남아 있거나, 하악골 만기 성장 등이 나타날 수 있으므로 고려해야 한다.

그 외에도 증후군 등 심한 골격적 부조화나 심리적인 요인으로 10대 후반에 악교정 수술을 시행하려는 경우가 있다. 이러한 경우 신체성장(키 성장), 수완부 방사선 사진 혹은 측모두부규격방사선사진, 변성기(남자 환자), 초경여부(여자 환자) 등의 생체 징후를 다양하게 고려하여 적절한 수술 시점을 정하는 것이 필요하다. 성장을 평가하는 방법에는 수완부방사선 사진이나 측

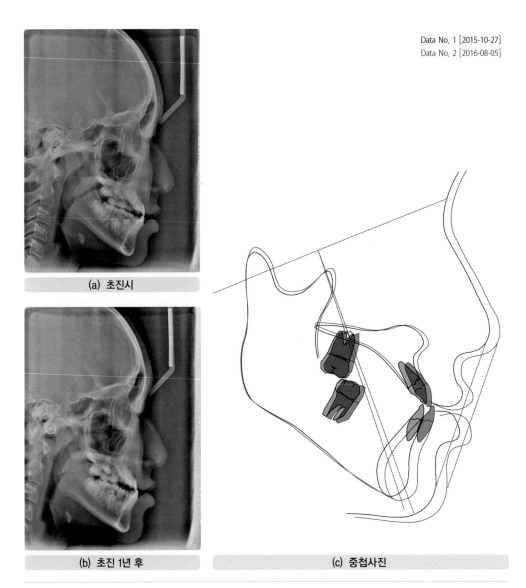

Data No. 1 [2015-10-27]
Data No. 2 [2016-08-05]

(a) 초진시

(b) 초진 1년 후

(c) 중첩사진

그림 3-10. **측모두부규격방사선사진을 이용한 성장 평가**

모두부방사선 사진의 경추골을 이용할 수 있으나, 가장 확실한 방법은 측모두부규격방사선사
진을 1년 단위로 촬영하여 성장을 비교하는 것이다(그림 3-10).

8) 기왕력

① 교정치료 기왕력

교정치료 기왕력 자체가 크게 문제가 되지는 않지만, 이전에 시행한 교정치료의 결과로 인한 현재 환자의 구강내 상태를 충분히 평가하여 치료목표를 설정해야 한다.

② 외상 기왕력

보통 외상 기왕력이 있는 치아의 경우 치수괴사나, 치근흡수, 치아유착 발생 가능성이 높다. 따라서 이에 해당되는 치아가 있을 경우 발생 가능한 부작용에 대해 충분히 설명하고, 교정력을 가했을 때 치아이동이 일어나는지 확인 후 치료를 시작해야 한다.

③ 전신병력

교정적 치아이동은 골의 개조가 수반되어야 하기 때문에 섬유이형성증(fibrous dysplasia), 체루비즘(cherubism), 쇄골두개이형성증(cleidocranial dysplasia) 등의 골대사에 영향을 주는 전신질환이 있을 경우 주의가 필요하고, 전신질환이 조절되지 않는 경우에는 교정치료를 시작하는 것이 환자에게 어떤 이익이 있을 것인지 충분히 고려해서 시행해야 한다. 교정하기 전에 직접 수술하는 구강외과 등에 의뢰하여 수술 가능성, 수술 계획 등을 상담 받는 것이 필요하다. 또한 악교정 수술 시행 시 수술을 할 수 있는 신체조건이 안된다면 술전교정은 다 해놨는데 수술을 진행할 수 없는 상황이 발생할 수 있으므로 이에 대한 체크도 필요하다.

9) 예제

주걱턱을 주소로 내원한 수술 교정 환자의 임상 검사에 대한 실제 예제는 다음과 같다(그림 3-11).

ORTHODONTIC CASE RECORD

CASE NO.		HOSPITAL NO.		Date	. . .

성 명		성별 남☐/ 여☐ 생년월일	. . .	나 이

주 소	

전화번호	1.	2.	E-mail

보 호 자	아버지 성 명	직 업	나 이	연락처
	어머니 성 명	직 업	나 이	연락처

주 소	주걱턱 입니다.

Past history		PMH (−)
담당의사	교 수	Appliance

FACIAL ANALYSIS

Facial type
Euryprosopic(Brachy) ☐
Mesoprosopic(Meso) ☑
Leptoprosopic(Dolicho) ☐

Facial & dental symmetry

U1-exposure: 1mm

Profile____Concave____

Gingival exposure
at smiling ___0___ mm
at full smiling ___0___ mm

Nasolabial angle
acute ☑
average ☐
obtuse ☐

75 mm
65 mm
68 mm   68 mm
1 mm
70 mm
1 mm
3 mm

Chin deviation

SOFT TISSUE
Lip thickness   thin ☐   average ☑   full
Frenum   Normal ☑   Heavy ☐   Labial ☐   Lingual ☐
Mentalis sction   Yes ☐   During _____   No ☑
Lips   Posture at rest   Open ☐   Closed ☑
       Upper   Normal ☑   Hypotonic ☐   Hypertonic ☐
       Lower   Normal ☑   Hypotonic ☐   Hypertonic ☐
Tonsils   Normal ☑   Enlarged ☐
Adenoid   Normal ☑   Enlarged ☐

DENTAL SURVEY
Angle classification   I ☐   II div. 1☐   div. 2☐   III ☑

Dental arch form   Palate
Mx   Mn   High ☐   Normal ☑   Shallow ☐
☐ Square   ☐   Oral hygiene
☐ Paraboloid ☐   Good ☐   Moderate ☑   Poor ☐
☑ Ovoid   ☑   Periodontal condition
☐ Tapered ☐   Healthy ☐   Gingivitis ☑
☐ V-shape ☐   Periodontitis ☐
Overbite __−1__ mm   Gingival recession
Overjet __0__ mm

하악전치설면
calculus deposit

CLEFT   N/s
Both ☐   Rt. ☐   Lt. ☐   None ☐
Cleft lip ☐   Cleft palate ☐   Cleft alveolus ☐
Submucosal cleft ☐   Soft palate cleft ☐
Syndrome _____
Related history _____
_____
_____

HABITS
Tongue thrusting ☐   Lip biting ☐   Finger Sucking ☐
Mouth breathing ☐   Nail biting ☐   Lip Sucking ☐
Bruxism ☑   Clenching ☐
Mastication   Bath ☐   Rt. ☑   Lt. ☐

TMJ   중2~3: sprint 치료 병력.
Asymptomatic ☑   Symptomatic ☐
Pain   Rt. ☐   Lt. ☐
Sound   Rt. ☐   Lt. ☑
Locking   Rt. ☐   Lt. ☐
Muscle tenderness ____(−)____
Maximum opening ___60mm___
CO-CR discrepancy
   horizontal ____mm   transverse ____mm

8mm   8mm
60mm
40mm

Development evaluation
____Y ____M   Height ____cm   Weight ____kg
____Y ____M   Height ____cm   Weight ____kg
____Y ____M   Height ____cm   Weight ____kg
____Y ____M   Height ____cm   Weight ____kg
여아의 경우 초경, 남아의 경우 변성   YES ☐   No ☐   ____세

OTHER
Previous orthodontic treatment history
____N/s.____
Trauma history
____N/s.____
Etc _____

부산대학교 교정학 교실

그림 3-11. 임상 검사의 실제 예제

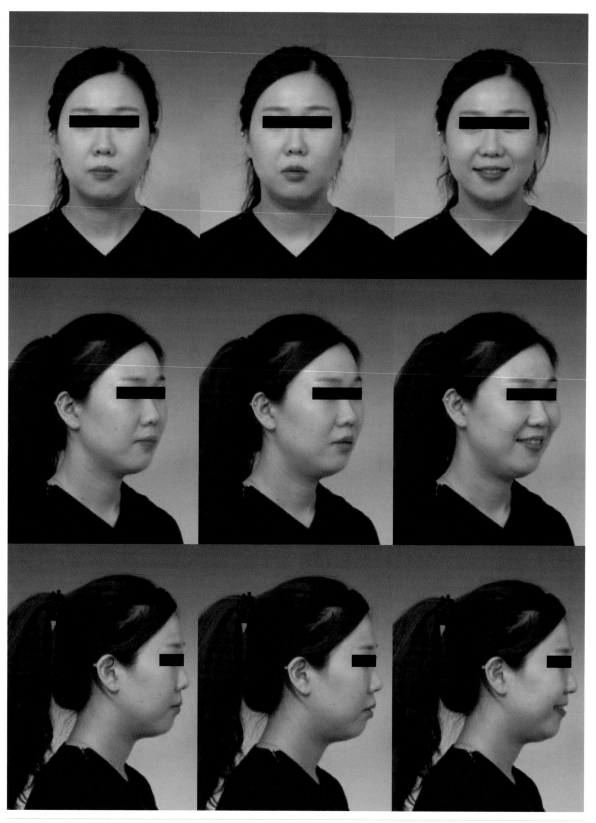

그림 4-5. **구외사진**

진단 기록 채득

PART IV 진단 기록 채득

진단 기록의 채득은 기록 보존의 측면도 있지만 환자의 귀가 후 분석을 가능하게 해준다. 면담 시 바로 모든 항목을 체크하는 것에는 한계가 있기 때문에 진단 자료 채득 후 추가적인 분석을 해야할 필요가 있다. 면담 시에는 환자의 주소와 문제점을 파악하는 것도 중요하지만, 기본적인 진단자료 외에 어떠한 진단 자료를 더 채득해야 할 것인지 파악하여 필요한 진단자료를 남기는 것도 중요하다.

① 임상사진

구내사진과 안모사진의 채득을 통해 환자의 치료 전 기록을 남긴다. 사진 정리를 위한 편집에는 한계가 있기 때문에 사진 촬영 시 모든 조건을 일정하게 촬영하고, 필요한 부위가 충분히 드러나게 촬영하는 것이 중요하다. 또한 정해진 일정한 규격에 맞추어 촬영하는 것이 매우 중요하며, 이것은 치료 전, 치료 중간 그리고 치료 후의 사진을 비교하는 것에 많은 도움을 줄수 있다.

구내사진의 촬영 시 입술 견인기(lip retractor)를 이용하여 적절한 시야를 확보하고 최대한의 해부학적 구조물이 촬영 가능하도록 해야 한다(그림 4-1). 환자의 입 크기를 고려하여 적절한 견인기를 선택하는데, 여성이나 어린이들에서는 작은 견인기를 사용하지 않으면 최대감합이 이루어지지 않고, 이개되는 경우가 있으므로 주의한다. 좌우측 교합상태의 촬영 시 제1대구치 교합상태가 드러나도록 충분히 견인기를 당겨 촬영한다. 이때 반대측 중철치도 같이 보이도록 촬영한다. 교합면의 촬영 시에는 최대한 교합면에 90°가 되도록 교합면 거울을 사용해서 촬영한다. 구강 내에 존재하는 모든 치아가 다 나오도록 촬영하는 것이 원칙이지만, 촬영이 어려울 경우

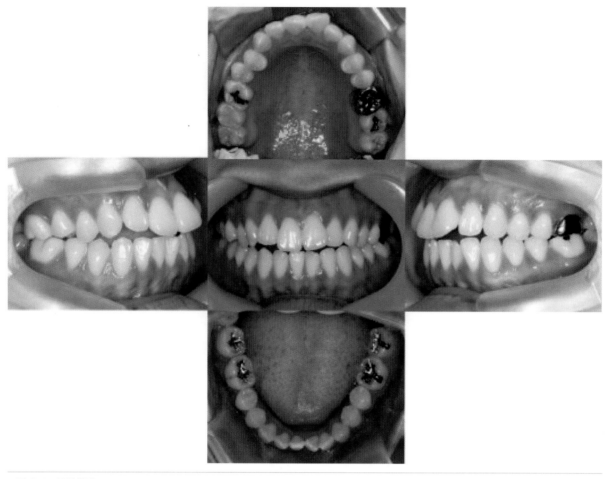

그림 4-1. **구내사진**

적어도 제1대구치까지는 나오도록 촬영한다.

구외사진의 촬영 시 재현성을 위해서는 모든 환자에서 동일한, 안정 자세(natural head position)로 촬영을 하는 것이 중요하다. 촬영용 의자에 앉을 때 허리를 펴고 시선은 정면을 바라보게 해서 촬영한다. 카메라 렌즈 높이를 환자의 눈높이와 일치시켜서 촬영한다(그림 4-2). 측모의 촬영 시에는 환자 정면에 거울을 위치시키고 거울에 비친 환자 본인의 눈을 쳐다보도록 하는 것이 도움이 된다(그림 4-3). 비대칭 환자의 경우에는 좌우측의 안모형태가 다르므로 필요시 좌우측의 측모를 다 촬영하는 것이 진단에 도움이 될 수 있다. 추가적인 비대칭을 평가하고 기록하기 위해서 이하부와 두정부 사진을 촬영하는 경우도 있다(그림 4-4). 적절한 광원을 사용하여, 환자 사진 뒤쪽으로 그림자가 생기지 않도록 해야 하겠다(그림 4-5).

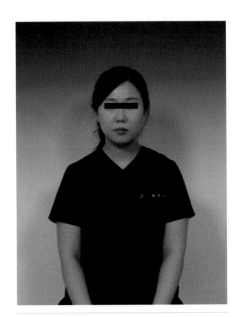

그림 4-2. **정모 촬영시의 자세**

그림 4-3. **측모 촬영시의 자세**

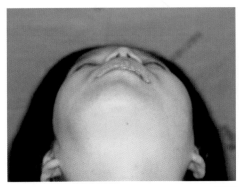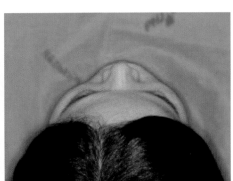

그림 4-4. **이하부와 두정부 사진**

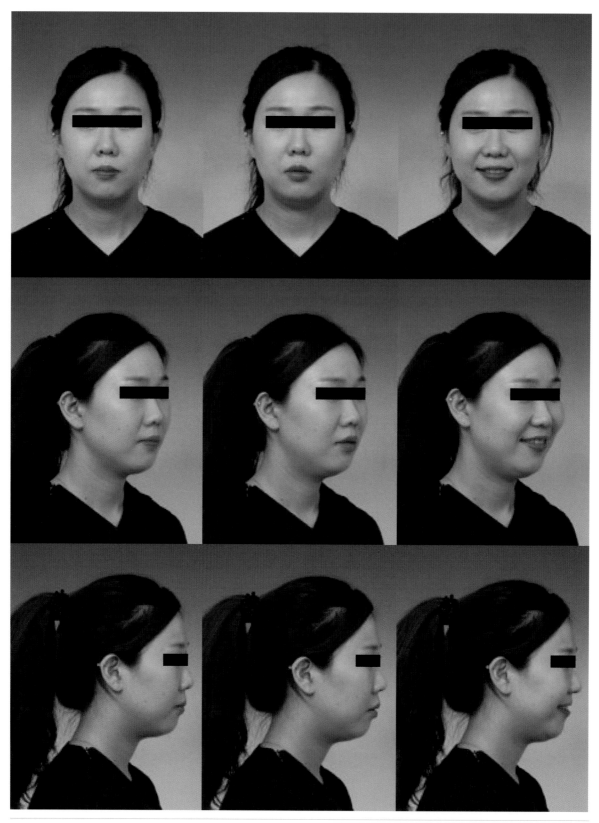

그림 4-5. 구외사진

2 구강모형 제작

1) 석고모형

인상채득을 통해 석고로 구강모형을 제작하고, 교합채득을 통해 구강 내 상황을 구강 외에서 재현할 수 있다. 인상채득 시 필요한 해부학적 구조물들이 충분히 채득되고, 인상체의 변형 없이 모형이 제작되어야 각 부위의 계측 및 분석이 가능하다(그림 4-6).

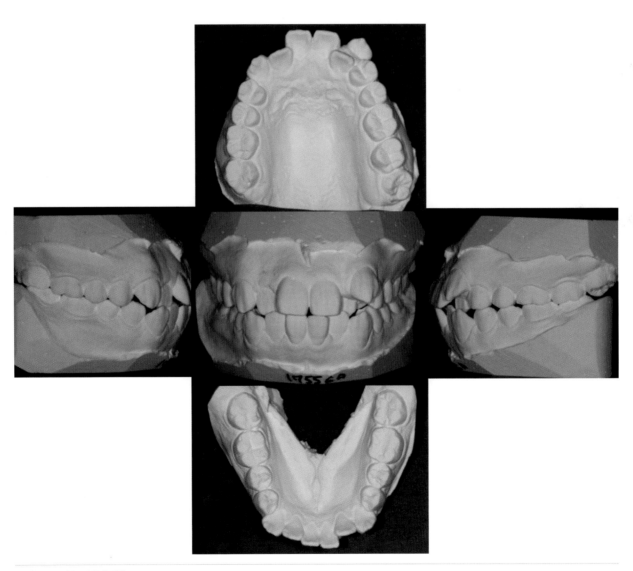

그림 4-6. **석고 구강모형**

2) 구강내 스캐닝

최근에는 디지털 구강 스캐너를 이용하여 구강내에서 바로 구강모형을 채득할 수도 있다 (그림 4-7). 채득된 이미지는 Trios 등의 디지털 셋업 프로그램을 이용하여 각각의 치아의 크기, 치열궁 장경, 악궁의 폭과 길이 등을 계측하여 치료목표 설정에 참고한다(그림 4-8). 시중에는 iTero, 3shape, Cerec 등의 구강 스캐너가 있다.

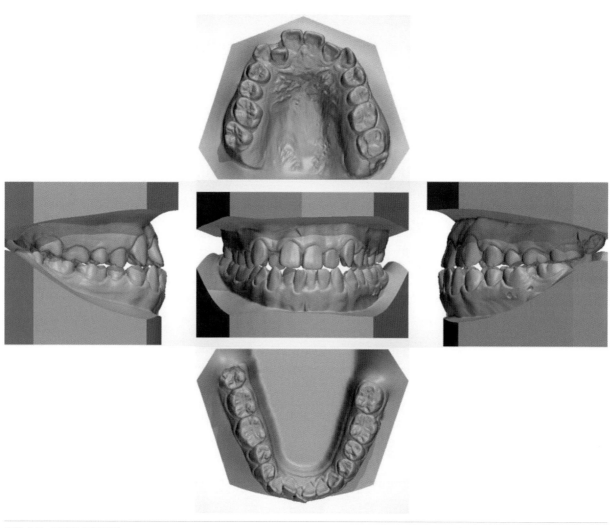

그림 4-7. **디지털 구강모형**

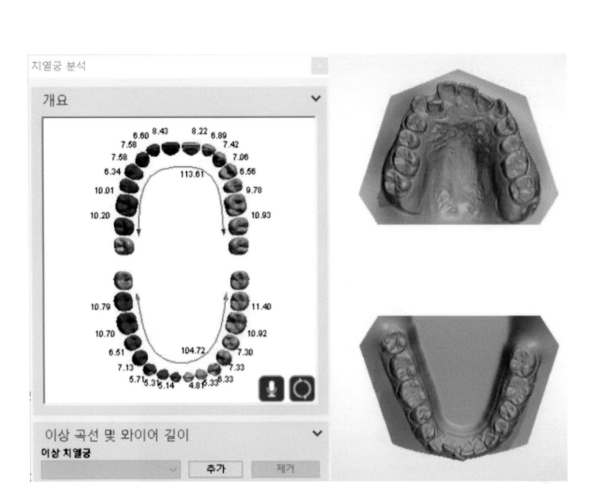

그림 4-8. **디지털 셋업 프로그램을 이용한 치아 길이 및 치열궁 장경 계측**

3 방사선 사진

기본적으로 파노라마 방사선사진(그림 4-9)과, 측모두부규격방사선사진, 정모두부규격방사선사진을 촬영하여 환자의 골격관계와 치아 및 치주조직의 상태를 평가한다. 파노라마 방사선사진으로는 전치부의 상이 뚜렷하지 않으므로 치근 형태, 치근흡수 가능성 등을 평가하기 위해 상하악 전치부의 치근단 방사선사진을 추가로 촬영할 수도 있다(그림 4-10).

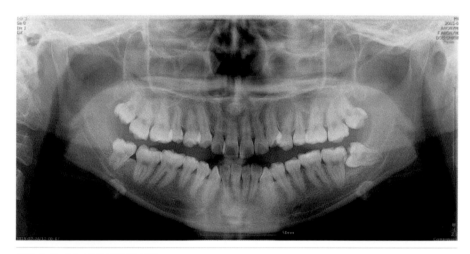

그림 4-9. **파노라마 방사선 사진**

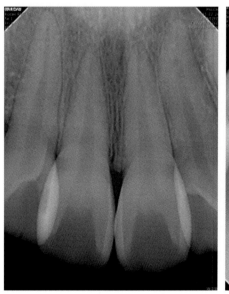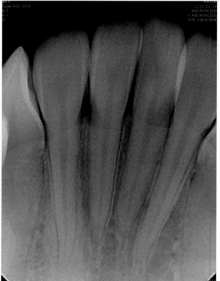

그림 4-10. **상하악 전치부의 치근단 방사선 사진**

측모두부규격방사선사진의 분석을 통해 두개저에 대한 상하악골의 전후방적 관계 및 각 악골에 대한 치아와 치조골의 위치를 확인할 수 있다. 정모두부규격 방사선 사진을 통해서는 악골의 비대칭 정도를 분석할 수 있다(그림 4-11). 측모두부규격방사선사진과 정모두부규격 방사선 사진은 이차원적인 분석만이 가능하기 때문에 3차원적인 분석을 위해서는 CBCT (cone-beam computed tomography)를 촬영하여 분석할 수 있다(그림 4-12). 이러한 방사선 사진을 촬영시에는 치아는 최대감합 상태에서, 입술은 편한 상태에서 촬영하도록 해야 한다. 간혹 환자가 입술을 불편하게 다문 상태에서 촬영하는 경우, 치아 노출도, 입술/연조직의 돌출 정도를 파악하기가 힘들 수도 있기 때문이다. 또한 하악의 습관성 편위가 존재하는 환자의 경우, 하악을 안정위 상태로 위치시켜 방사선 사진을 채득해야 한다. 특히 골격적 하악 후퇴를 보이거나 비대칭이 존재하는 경우, 환자는 무의식적으로 하악을 전방위/자세를 비트는 경향이 있으므로, 이를 환자에게 인지시키고 환자를 교육한후 방사선 사진을 촬영한다.

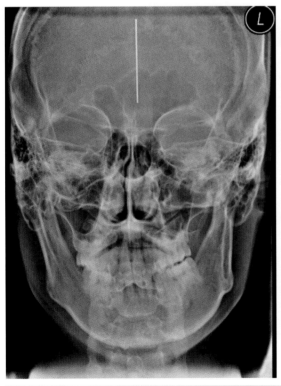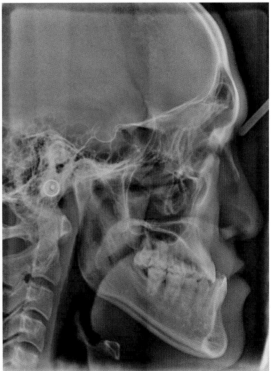

그림 4-11. **정모두부규격 방사선 사진과 측모두부규격 방사선 사진**

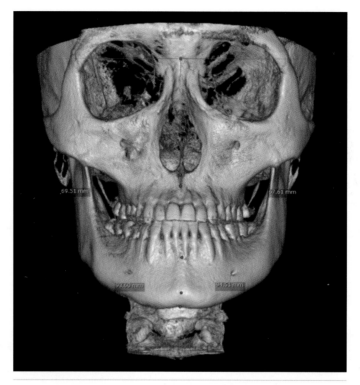

그림 4-12. CBCT

 예제

앞 단원의 임상 검사 예제와 같은 환자의 자료채득 자료이다(그림 4-13).

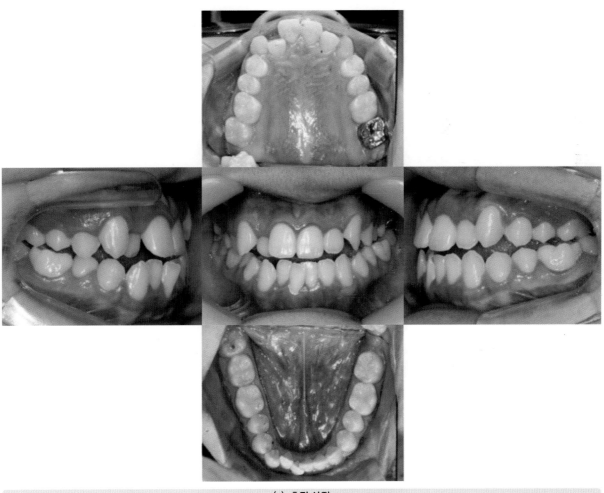

(a) 초진 사진

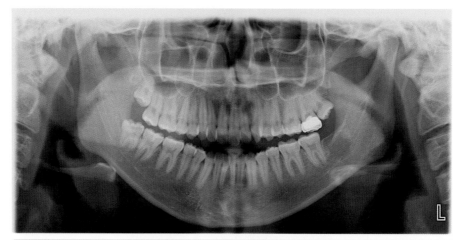

(b) 파노라마 사진

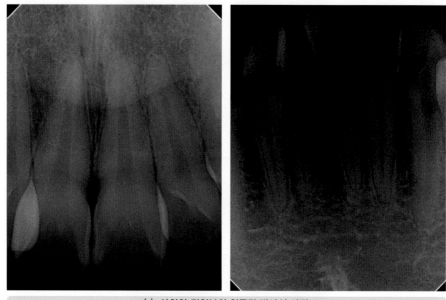

(c) 상하악 전치부의 치근단 방사선 사진

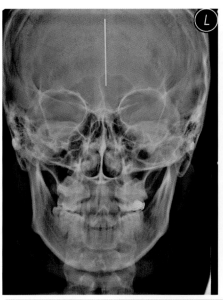
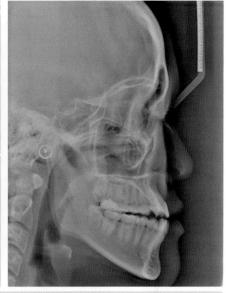

(d) 측모두부규격 방사선 사진과 정모두부규격 방사선 사진

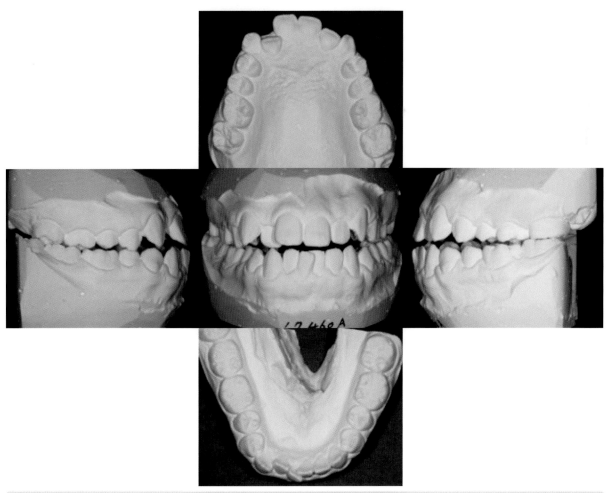

(e) 석고 구강모형

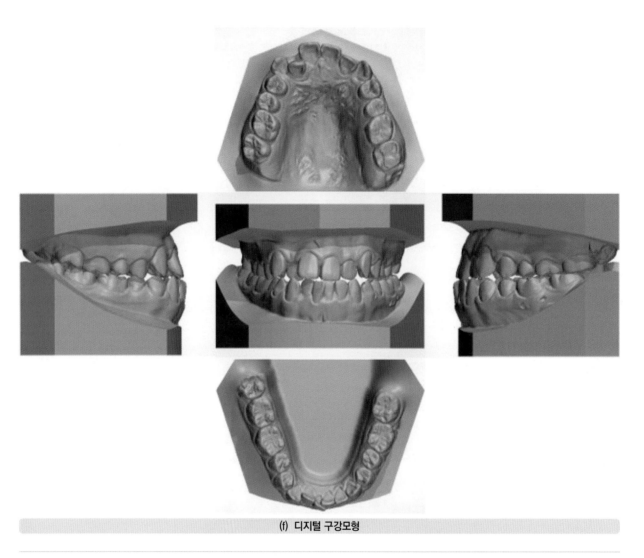

(f) 디지털 구강모형

그림 4-13. **진단 기록 채득의 실제 예제**

진단 자료의 분석 및 치료계획 수립

진단 자료의 분석 및 치료계획 수립

1 Model 분석

구강 모델은 증례분석, 치료방법의 결정, 치료경과 및 예후의 판정에 중요한 자료로 이용되므로 정확하게 제작되어야 한다. 구강 모델로부터는 치아의 수, 치아의 크기, 치아 형태 이상, 치아의 회전, 상하악 교합 관계, 설측에서의 교합 관계 등의 정보를 얻을 수 있다. 필요하면 모형을 중심위 상태로 교합기에 mounting한다면 하악의 위치 및 조기 접촉, 기능 운동시의 교합 관계 등도 관찰할 수 있다. 모형 분석의 종류로는 대칭 분석(symmetry analysis), 공간 분석(space analysis), 치아 크기 분석(tooth size analysis), 악궁 형태(arch form) 분석, 기저골과 치조골 관계 분석(relationship of tooth material to supporting bone), 악궁내 관계 분석(intra-arch relationship), 악궁간 관계 분석(interarch relationship) 등이 있다.

1) 대칭 분석(symmetry analysis)

좌우 치열궁 형태의 대칭성 및 치아의 변위를 알아보는 과정이다. 투명한 격자판(transparent ruled grid)을 grid axis가 중앙선에 오도록 올려두면 좌우 치열궁 형태 및 치아 위치의 대칭성을 한 눈에 알아볼 수 있다(그림 5-1).

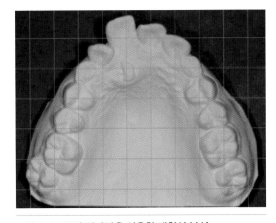

그림 5-1. **투명 격자판을 이용한 대칭성 분석**

2) 공간 분석(space analysis)

치아배열을 위해 이용 가능한 공간(available space)과 이들 치아를 적절히 배열하기 위해서 요구되는 공간(required space)을 비교하여 총생 및 공간여부를 분석한다. 이를 위해 치아 악궁 길이 부조화(arch length discrepancy)를 이용한다.

Arch length discrepancy = Available space - Required space

(+ : Spacing, - : Crowding)

(1) 이용 가능한 공간(available space) 측정하는 법

한쪽 제1대구치의 근심면에서 반대쪽 제1대구치의 근심면까지의 각 치아의 contact point를 연결한 치열궁의 길이를 계측하며 2가지 방법이 이용된다. 첫째, 치열궁을 부위별로 나누어 직선으로 계측하는 방법(그림 5-2)과 둘째, brass wire를 line of occlusion에 따라 구부린 후에 곧게 펴서 계측하는 방법이 있다(그림 5-3).

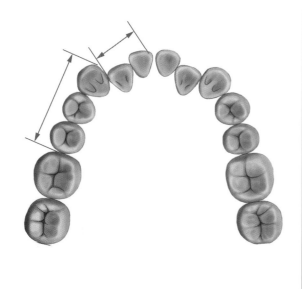

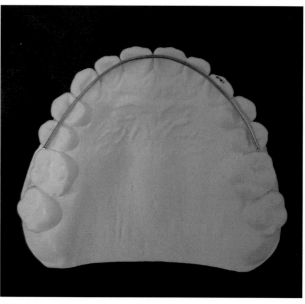

그림 5-2. **치열궁을 부위별로 나누어 직선으로 계측하는 방법**

그림 5-3. **Brass wire를 line of occlusion에 따라 구부린 후에 곧게 펴서 계측하는 방법**

① 요구되는 공간(required space)을 측정하는 법

한쪽 제2소구치에서 반대쪽 제2소구치까지의 각 치아의 근원심 폭경을 계측하여 합한다(그림 5-4).

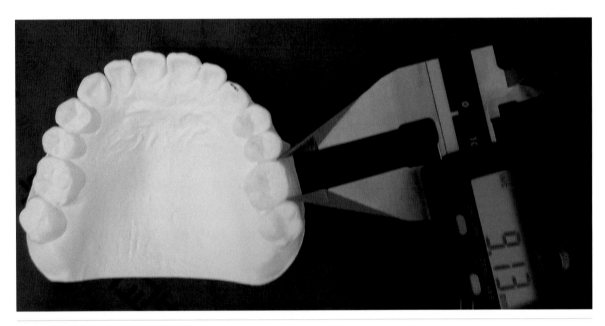

그림 5-4. Digital caliper를 이용한 치아 크기 측정

3) 치아 크기 분석(tooth size analysis)

정상교합을 이루기 위해서는 상하악간의 치아 크기의 비율이 적절해야 한다. 치아의 크기는 최종적으로 overbite, overjet 및 구치부의 교합관계에 영향을 미치게 된다. 가장 대표적인 분석 법은 Bolton tooth ratio analysis다. Bolton은 치아 크기의 부조화가 치열궁간의 관계에 미치는 영향에 대해 연구하기 위하여, 하악 전체치아(M1-M1)의 근원심 폭경의 합 대 상악 전체치아 (M1-M1)의 근원심 폭경의 합의 비율(overall ratio) 및 하악 6전치의 근원심 폭경의 합 대 상악 6전치의 근원심 폭경의 합의 비율(anterior ratio)을 보았다. 이러한 비율을 연구함으로써 치료 가 끝났을 때의 overbite와 overjet 관계를 예측하고, 어떤 치아의 발거시 구치부의 교합관계 및 전치 관계에 미치는 영향을 알아내며, 악골간의 치아 크기의 부조화로 인한 부적절한 교합상 태를 규명하는데 도움이 된다. 그런데, Alamir 등의 연구에 의하면 Bolton tooth ratio는 치아의 두께, 근원심 경사(tip), 순설측 경사(torque)에 의해 달라질 수 있으므로 주의해야 한다.

(1) Overall ratio

Overall ratio는 평균 91.3%이며, 이때 구치부의 교합과 overbite 및 overjet이 이상적으로 이루어질 수 있다(그림 5-5). 91.3%를 초과하면 부조화의 원인은 하악 치아가 상악 치아에 비해 크기 때문이고, 91.3%보다 작을 때는 상악 치아 크기가 하악 치아에 비해 크기 때문이다.

Overall ratio가 91.3%를 초과한다면,
Actual Md. 12 - Correct Md. 12 = Excess Md. 12
Overall ratio가 91.3% 미만이라면,
Actual Mx. 12 - Correct Mx. 12 = Excess Mx. 12

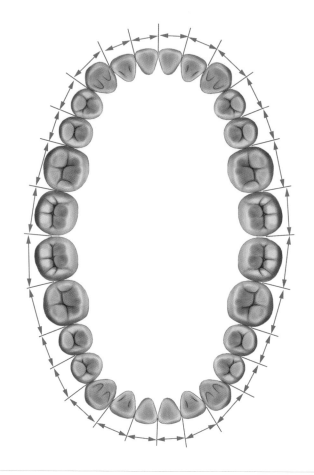

그림 5-5. **Overall Bolton ratio**

(2) Anterior ratio

Anterior ratio는 평균 77.2%이며, 이때 전치의 치축경사가 정상이고, overbite 및 overjet이 이상적으로 이루어질 수 있다. 77.2%를 초과한다면 하악 6전치가 상대적으로 큰 것이고, 77.2% 보다 작다면 상악 6전치가 상대적으로 큰 것이다(그림 5-6).

Ant. ratio가 77.2%를 초과한다면,

Actual Md. 6 - Correct Md. 6 = Excess Md. 6

Ant. ratio가 77.2% 미만이라면,

Actual Mx. 6 - Correct Mx. 6 = Excess Mx. 6

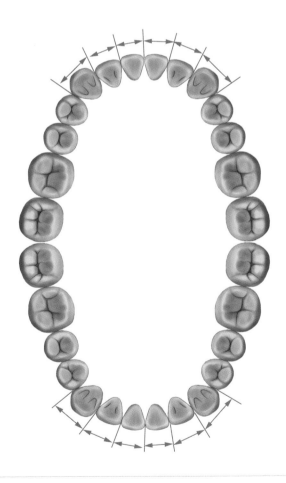

그림 5-6. **Anterior Bolton ratio**

예를 들어, 하악 3전치인 경우 Bolton tooth ratio는 정상값보다 작은 값이 되고(그림 5-7),
상악 peg lateralis인 경우 정상값보다 큰 값이 된다(그림 5-8).

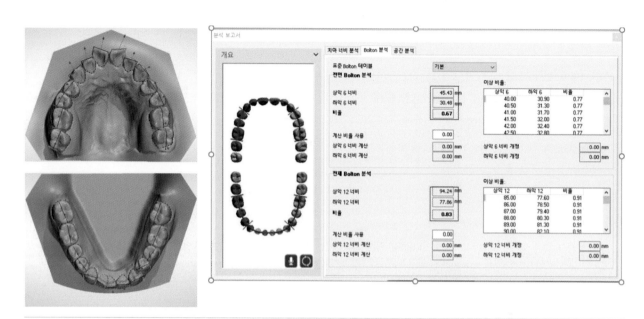

그림 5-7. 하악 3전치인 경우의 Bolton tooth ratio

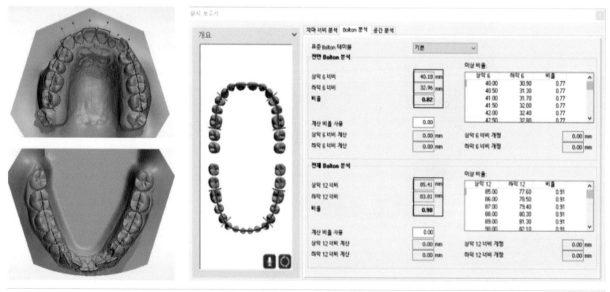

그림 5-8. 상악 peg lateralis인 경우의 Bolton tooth ratio

4) 악궁 형태 (arch form) 분석

악궁 형태는 안정(stability), 교합, 심미에 있어서 중요한 요소이며 square, taper, ovoid, paraboid 등의 형태로 나눌 수 있다(그림 5-9). 특히, 교정치료 후의 재발의 원인 중에 견치 간의 폭경 변화, buccinator mechanism과 tongue에 의한 평형 등은 치열궁의 형태와도 밀접한 관련성을 가지므로 치료 전의 치열궁 형태에 관한 분석과 이에 따른 치료는 치료 후의 안정성에도 기여할 것으로 보인다.

교정 치료 시에는 환자 개개인의 치열궁 형태는 몇 가지의 preformed arch로 모두 표현될 수 없으므로 환자의 치열궁 형태를 관찰하고 기록하여 교정 치료 시 개개인의 치열궁 형태에 적합하도록 호선의 형태를 적절히 변형하는 것이 필요하다. 장갑수 등의 연구에 의하면 한국인에서는 square한 arch form이 46.7%로 가장 많으며 taper한 arch form이 18.8%로 가장 적은 것으로 나타났다.

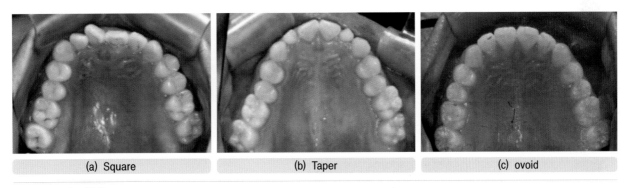

| (a) Square | (b) Taper | (c) ovoid |

그림 5-9. **악궁 형태**

5) 횡적 관계 분석

상하악 폭경 부조화를 파악하기 위해 상하악 제1소구치 협측 교두정 사이의 거리, 상악 제1대구치 중심와(central fossa) 사이의 거리, 하악 제1대구치의 근심협측 교두정 사이의 거리 등을 이용한다(그림 5-10). 그런데, 치아의 협설 경사가 심한 경우 부조화의 정도가 왜곡되기 쉬우므로 정확한 분석을 위해서는 CBCT 등의 자료가 필요하다(그림 5-11).

PMD (Premolar Diameter):

제1소구치 협측 교두정 사이 거리

IMW (Intermolar Width):

제1대구치 근심협측 교두정 또는 중앙와(central fossa)
사이 거리

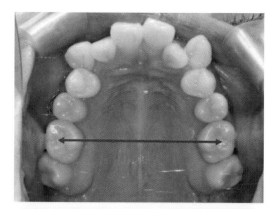

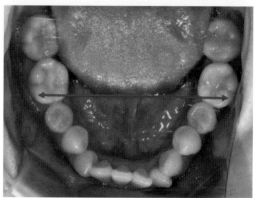

그림 5-10. **악궁의 폭경 측정**

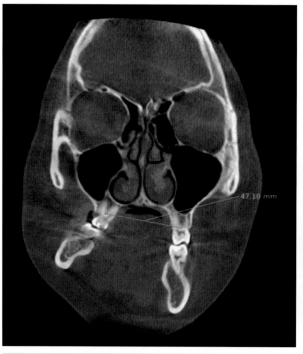

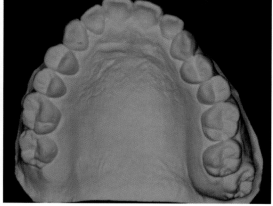

그림 5-11. **협측 경사가 심한 경우의 CBCT를 이용한 폭경 측정**

2 측모두부규격방사선사진 분석

Cephalometrics (두부방사선 규격사진 계측법)은 Broadbent가 1930년에 교정학 분야에 도입한 이래 악안면 형태의 묘사, 부정교합의 원인 분석, 성장량과 성장방향, 치료 혹은 성장 전후의 비교 등을 위하여 광범위하게 사용되고 있으며, 사용자에 따라서 계측점이나 계측평면이 매우 다양하다. Ricketts가 "Cephalometics is truly a language"라고 말할 정도로 cephalometrics는 임상교정에서 매우 중요하며, 특히 악교정수술의 진단과 계획에 가장 중요한 부분이다. 이 분석을 통해 skeletal pattern, denture pattern, soft tissue analysis에 관한 정보를 얻기 위해서는 재현 가능하고 규격화된 위치에서 촬영이 이루도록 하고, 적절한 전방의 X-ray source (90KVp 전후)를 사용함으로써 골격뿐만 아니라 연조직의 윤곽도 확인할 수 있도록 해야 한다.

측모두부규격방사선사진 분석은 경조직과 연조직의 계측점과 이를 이용한 각종 선(line or plane)과 각도, 거리, 비율로 이루어진다.

1) Reference points

계측점은 경조직과 연조직으로 나누어 생각할 수 있다.

(1) 경조직 계측점(그림 5-12)

S (sella): hypophyseal fossa의 중심점을 취한다.

Na (Nasion): Internasal suture와 nasofrontal suture의 intersection point

Ar (articulare): 하악과두 후면과 측두골 하연의 intersection point

A (subspinale): ANS와 상악전치 치조골 사이에서 가장 깊은 점

B (supramentale): Pog과 하악 전치 치조골 사이에서 가장 깊은 점

Go (gonion): ramal plane과 mandibular plane이 이루는 각도를 양분하는 선이 하악과 만나는 점

Me (menton): symphysial outline의 최하방점

Gn (gnathion): mandibular plane과 facial plane이 이루는 각도를 반분하는 선이 symphysis와 만나는 점

Pog (pogonion): symphysis의 최전방 point

ANS: anterior nasal spine의 tip

PNS: hard palate에 있는 palatal bone의 posterior spine의 tip

P (porion): external auditory meatus 상연의 point

Or (orbitale): bony orbit의 최하방점

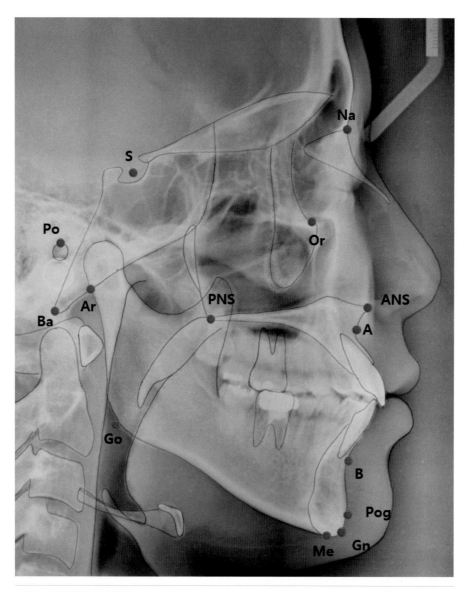

그림 5-12. **경조직 계측점**

(2) 연조직 계측점(그림 5-13)

N' (Soft tissue Nasion): S-N을 연결한 연장선이 측모와 만나는 점

Pn (Pronasale): 코의 최전방점, 코끝점

Cm (Columella): 비주의 최전방점

Sn (Subnasale): 비주가 상순과 교차되는 점

A' (상순의 변곡점과 subnasale 사이에서 가장 깊은 부분)

Ls (Labiale superius): 상순의 변곡점

ULP (Upper lip point): FH plane의 수직선상에서 계측했을 때 상순의 최전방점

Stm (Stomion superius): 상순의 최하방점

Stm (Stomion inferius): 하순의 최상방점

LLP (Lower lip point): FH plane의 수직선상에서 계측했을 때 하순의 최전방점

Li (Labiale inferius): 하순의 변곡점

B': 하순과 턱사이에서 가장 깊은 부분

Pm': 턱 전방부 연조직의 외형이 볼록한 모양에서 오목한 모양으로 바뀌는 부분

Pog': 연조직 pogonion

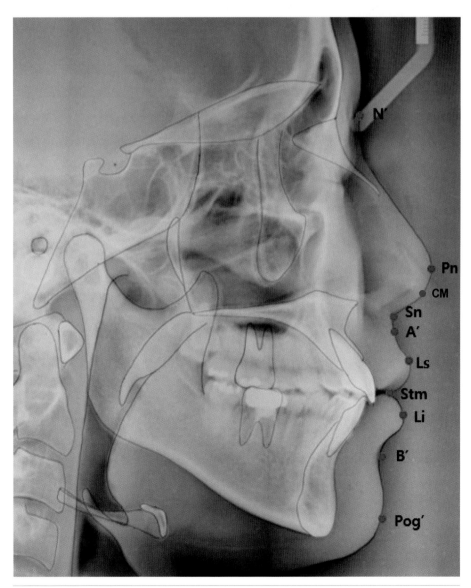

그림 5-13. **연조직 계측점**

2) Reference planes (그림 5-14)

SN plane (S-Na): sella에서 nasion까지의 평면

FH plane (Po-Or): 해부학적 porion에서 orbitale까지의 평면

Palatal plane (ANS-PNS): PNA와 ANS를 연결한 선으로 구개평면을 표시한다.

Occlusal plane:

① Downs의 교합평면: 상하악 제1대구치의 교합면과 절치 수직피개의 중간을 연결한 평면

② 기능적 교합평면: 상하악 제1대구치간의 중점과 상하악 제1소구치간의 중점을 연결한 평면

Mn·plane (Go-Me): 하악골 하악지의 최하방점(gonion)과 menton까지의 평면

Facial plane (Na-Pog): Nasion에서 pogonion까지의 평면

Ramal plane: articulare에서 하악지 후연을 지나는 접선

AB plane (A pont-B point): A점과 B점을 연결한 선

Upper incisor axis: 상악 전치의 치근첨과 치관정점을 연결한 선

Lower incisor axis: 하악 전치의 치근첨과 치관정점을 연결한 선

Esthetic plane: 코끝에서 연조직 pogonion까지의 평면

TVL (True vertical line): subnasale를 지나는 수직기준선

Y axis (S-Gn): sella turcica에서 gnathion까지 연결한 선

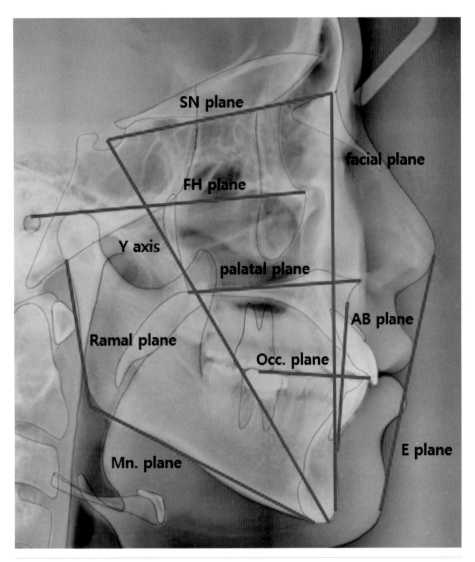

그림 5-14. Reference planes

3) Reference angles(그림 5-15)

SNA: SN선과 NA선 사이의 각

SNB: SN선과 NB선 사이의 각

ANB (A and B difference): SNA각과 SNB각 사이의 차

Facial plane angle (S-Na-Pog): 하악골 전후방 관계를 의미

Saddle angle (Na-S-Ar): condyle의 전후방 관계를 의미

Articular angle (S-Ar-Go)

Gonial angle (Ar-Go-Me)

Facial angle (FH-NPo)

Facial convexity (N-A-Pog)

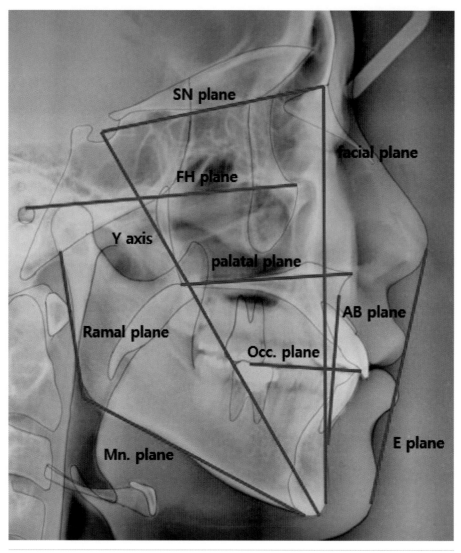

그림 5-15. Reference angles

4) Reference lengths(그림 5-16)

Anterior cranial base length (S-N)

Posterior cranial base length (S-Ar)

Ramus height (Ar-Go)

Mandibular body length (Go-Me)

Posterior facial height (S-Go)

Anterior facial height (N-Me)

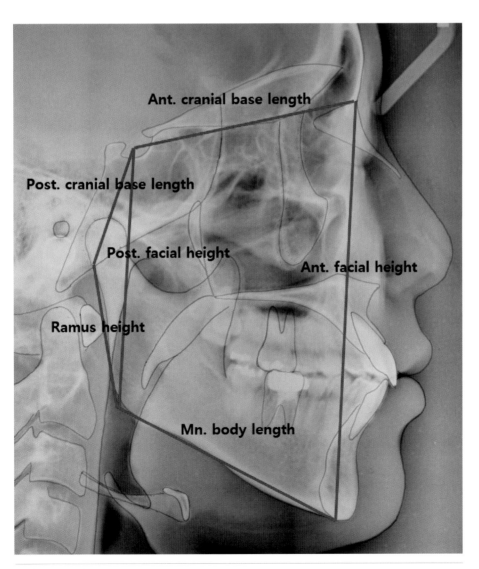

그림 5-16. **Reference lengths**

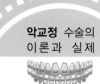
5) 분석

측모두부규격방사선사진 분석은 크게 안모의 특성 파악, 성장 방향의 파악, 악골 전후 관계의 파악, 악골 수직 관계의 파악, 치아의 위치 파악으로 나눌 수 있다.

(1) 안모의 특성 파악

안모의 특성을 결정하는 골격과 악골의 상태를 파악한다. 안모의 골격과 상하악골은 수평 및 수직적으로 평가되어야 한다. 상하악에 대한 수직, 수평 관계의 파악은 다음에 나오는 수치로 좀 더 세밀하게 이루어질 수 있으나 골격은 안모를 수용하고 있는 그릇으로 교정 치료에 의하여 변화시키기가 어려우면서도 안모의 특성을 결정짓는 요인이 되어 치료에 의하여 변화시키기가 용이한 악골과는 다른 관점에서 평가되어야 한다. 여기에서 주의하여야 할 점은 각각의 계측치가 단독으로 지니는 의미도 그 나름대로 중요하나 다른 부위에 의하여 보상될 수 있으므로 이러한 보상이 충분히 일어났는가의 여부를 알아내어야 한다.

① Saddle Angle (N-S-Ar)

Saddle angle은 8세 이후에는 연령에 따라서 크게 변화하지 않는다. 임상적으로는 남녀 구분 없이 125° ± 5가 기준이 될 수 있다. 이 각이 크면 하악이 두개저와 상악에 비하여 후방에 위치하여 II급 부정교합의 안모를 보이고 작으면 전방에 위치하여 III급 부정교합의 안모를 나타낸다.

② Articular Angle (S-Ar-Go)

나이에 따라 심하지 않고 148° ± 6 정도로 고정되어 있다. 안모 골격 후방 상하간의 관계를 나타낸다. 이 각의 크기는 하악의 위치에 의하여 좌우되는데 하악이 후퇴되면 크게 되고 전돌되면 작게 된다. 교정 치료에 의하여 하악이 후방으로 회전되거나 교합이 열리고 구치의 후방 이동이 일어나면 각도가 증가된다.

③ Gonial Angle (Ar-Go-Me)

하악의 형태를 나타낼 뿐 아니라 하악의 성장 방향을 암시하기도 한다. 특히 이 각의 하반부가 작으면 성장 방향은 수평적이다. 이러한 경우 하악의 전방 성장을 기대하는 장치에 의한 치료는 좋은 결과를 초래할 수 있다.

④ Anterior Cranial Base Length (S-N)

전두개저 길이는 교정 치료에 의하여 변경시킬 수 없는 영역이며 두부의 크기에 의하여 좌우되므로 절대치가 중요한 것은 아니다. 다만 하악이나 상악의 크기를 산정하는 비교 기준으로 유용하다.

⑤ Posterior Cranial Base Length (S-Ar)

수직 성장자나 골격성 개교의 경우 짧은 수치를 보인다. 이것이 짧으면 기능성 장치에 의한 예후는 불량하다. 하악의 위치에 큰 영향을 미치나 교정력에 의하여 큰 변화를 기대할 수 없는 부위이다.

⑥ Ramus Height (Ar-Go)

길이는 SN의 길이와 비교되어 파악한다. 만약 하악지가 너무 짧으면 다수의 성장량을 기대할 수 있다.

⑦ Mandibular Body Length (Go-Me)

하악체의 실제 길이이다. 전두개저에 대한 비가 적당하면 가장 적절하고 정상적인 성장량을 기대할 수 있다. 만약 하악체가 짧으면 성장량이 많을 것이고 길면 작을 것이다.

⑧ Maxillary Base Length

PNS에서 구개 평면에 투영된 가상의 A점까지의 거리이다. 상악 기저골의 크기를 대변하고 전두개저 길이나 하악체의 길이와 비교되어 상악의 성장을 파악하는데 이용된다. 수평 성장자와 수직 성장자 사이의 성장량 차이는 심하지 않고 성장량도 크지 않다. 하악의 성장이 후기에는 상악의 성장을 앞지른다.

(2) 성장 방향의 파악

각 개인은 고유의 성장 양상을 갖고 있고 이를 파악하는 것은 성장 중의 개체 변화를 추정할 수 있게 해준다. 성장 방향은 보통 Y-axis의 방향과 일치한다고 알려져 있으나 수직 방향 혹은 수평 방향을 향하는 수도 있다. 성장 방향은 수시로 바뀔 수 있으나 크게 바뀌지는 않는다. 성장 방향의 파악에 가장 유용한 정보는 후안면 고경의 전안면 고경에 대한 백분율로 결정한다.

① Anterior Facial Height (N-Me)

전안면 고경으로 안면 전방 부위의 높이 즉 얼굴의 상하 길이를 나타낸다.

② Posterior Facial Height (S-Go)

수평 성장자의 후안면 고경은 수직 성장자의 후안면 고경보다 크다.

③ Y Axis to SN

하악의 공간적 위치를 나타내며 성장 방향을 암시한다.

(3) 악골 전후 관계의 파악

악골의 전후 관계는 상악과 하악의 절대적 크기 및 공간적 크기에 의하여 결정된다. 공간적 현상의 파악에는 A점과 B점의 위치가 중요하나 차후의 성장 변화를 알고자 할 때는 상하악의 절대적 크기를 고려하여야 한다.

① SNA

상악 기저골의 전두개저에 대한 상대적 전후방 위치를 표시한다. 성장에 따른 변화는 크지 않고 성장 방향에 따른 수치 차이도 없다. 전돌된 상악에서는 크고 후퇴되면 작아진다.

② SNB

전두개저에 대한 하악의 전후방 관계를 나타낸다. 연령에 따라서 약간의 증가를 보인다.

③ ANB

SNA와 SNB의 차이로 상악과 하악의 기저골 전방 한계가 이루는 조화를 나타낸다. 연령의 증가에 따라 감소되는데 이는 하악의 전방 성장이 상악의 전방 성장을 능가하기 때문이다.

④ APDI (Anterior Posterior Dysplasia Indicator) (그림 5-17)

Facial plane to FH + AB plane to facial plane + Palatal plane to FH로 계산한다. B점이 A점 보다 후방에 위치하면 (-)로 간주하고 구개평면이 전상방으로 기울면 (-)로 간주한다. 골격적 전후방 성장 양상을 평가하는 지표이다. 정상보다 작으면 골격성 II급, 정상보다 크면 골격성 III급 특성을 보인다.

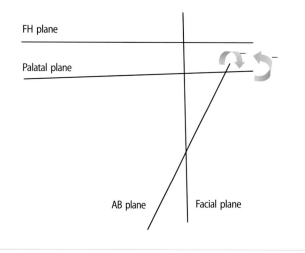

FH plane

Palatal plane

AB plane   Facial plane

그림 5-17. APDI

⑤ Wits appraisal (그림 5-18)

Point A와 Point B로부터 기능적 교합 평면에 선을 내려 그 만나는 점을 각각 AO, BO라고 하고 그 사이 거리를 의미한다. ANB가 nasion의 위치에 따라 변화가 심하므로 nasion의 위치와 무관하게 악골의 전후방적 부조화를 측정하기 위해 사용된다.

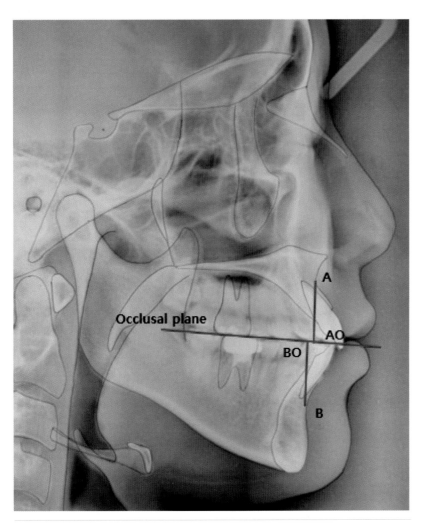

그림 5-18. **Wits appraisal**

(4) 악골 수직 관계 파악

수직 관계는 안모의 수직적 특성뿐 아니라 성장 방향을 대변하며 악골의 전후방 위치에도 영향을 미친다. 악골의 수직적 검사에 따라서 공간적으로 전후방 위치를 변화시킨다. 만약 하악이 회전을 보이면 같은 길이의 하악체라도 B점이 후방에 위치하는 효과를 나타낸다. 상악의 경우도 마찬가지로 상악이 전상방 회전되면 전치 경사도를 심화시키고 A점이 전방에 위치하게 된다. 그러므로 치료에 의하여 각 평면의 회전이 유리한 쪽으로 일어나도록 유도하여야 한다.

① SN-Mn

안모의 수직 관계를 포괄적으로 나타내며 하악의 회전 정도를 보여 준다.

② Pal-Mn

이 각이 크면 하악이 후방으로 회전되고 수직 성장을 보인다. 작으면 하악이 전방으로 회전되고 수평 성장을 나타낸다.

③ Occ-Mn

교합 평면의 경사도를 나타낸다.

④ SN-Pal

구개 평면의 경사를 파악할 수 있다. 구개 즉 상악의 두개저에 대한 경사 정도를 나타낸다. 수직 성장자는 연령에 따라 안정된 수치를 보이나 수평 성장자는 성장 종료 말기에 크게 성장한다.

⑤ ODI (Overbite Depth Indicator) (그림 5-19)

수직 피개의 골격적 특성을 파악하기 위하여 사용된다. 이는 A-B to Mn 각과 FH-Pal 각을 합한 수치로 정상보다 작으면 골격성 개교의 특성을 보이고 크면 골격성 과교의 특성을 보인다.

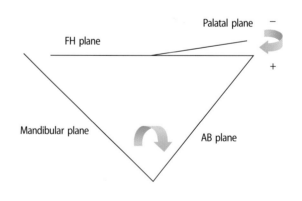

그림 5-19. **ODI**

(5) 치아의 위치 파악

치아의 위치는 크게 각도적 관계와 위치적 관계로 파악된다. 상악 중절치의 경사는 upper 1 to SN으로 대변되고 하악 중절치는 IMPA로 대변되어 전돌 혹은 후퇴된 양상을 나타낸다. 상하악 중절치의 치축이 이루는 각도는 심미성뿐 아니라 차후의 치료 결과가 안정적으로 유지될 것인가 아닌가를 결정하는 요인이 된다. 전치의 위치적 관계는 facial plane에 대한 거리로 나타낸다. 이 평면에서 어느 정도 벗어나 있는가를 파악하여 전방 혹은 후방으로 어느 정도의 거리에 위치하는가를 파악할 수 있다. 이 거리에 의하여 상하악 전치의 전돌 혹은 후퇴 정도를 파악할 수 있어서 치료에 의해 이동시켜야 할 정도를 결정할 수 있으며 또한 발치 여부를 고려하는데 중요한 관건이 되고 고정원의 정도를 결정하는데도 중요하다. 주의할 사항은 하악의 성장과 Pog의 성장에 의하여 facial plane이 변화되므로 예상되는 최종 facial plane에 기초하여 파악하여야 한다.

① Upper 1 to SN

상악 중절치의 두개저에 대한 경사도를 나타낸다. 성인의 경우 평균 109°다.

② IMPA

하악 중절치의 경사 정도를 나타낸다. 성인의 경우 평균 96.5°다.

③ Upper 1 to Facial Plane

Facial plane에 대한 상악 중절치의 거리로 나타내고 상악 중절치의 전후방적 위치를 표시한다. 성인의 경우 평균 8.8 mm다.

④ Lower 1 to Facial Plane

Facial plane에 대한 하악 중절치의 거리로 나타내고 하악 중절치의 전후방적 위치를 표시한다. 성인의 경우 평균 5.0 mm다.

6) 분석 프로그램

트레이싱 자체보다 트레이싱을 통해서 얻어진 값을 해석하여 활용하는 것이 더 중요하다. 분석을 위해 트레이싱만 하면 자동으로 측정값들이 계측되는 V-ceph 등의 프로그램을 많이 이용되며(그림 5-20), 최근에는 5초만에 자동으로 트레이싱해주는 audaxceph 등의 프로그램도 출시되었다(그림 5-21).

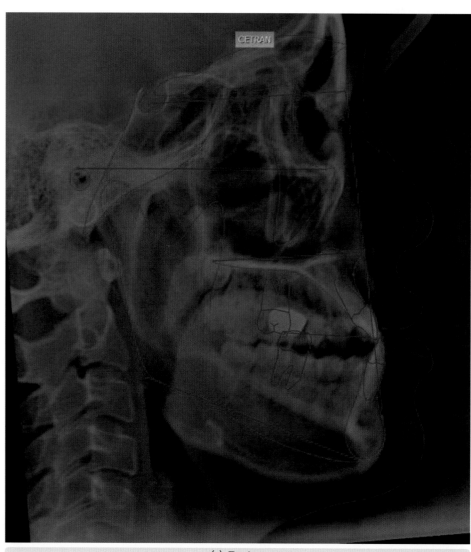

(a) Tracing

Measurement	Mean	S.D.	2018.08.06	(−)	(+)
Saddle angle (deg)	125.90	4.40	117.63*		
Articular angle (deg)	147.68	5.25	141.67*		
Gonial angle (deg)	118.60	5.80	125.13*		
Ant. Cranial Base (mm)	69.30	2.70	65.97*		
Post. Cranial Base (mm)	36.70	3.20	40.50*		
Ramus height (mm)	51.60	4.20	54.94		
Body length (mm)	76.00	4.00	78.63		
Maxillary base (mm)	46.90	2.19	47.94		
Ramus ratio	74.00	3.00	83.28***		
Mn. body ratio	108.00	5.00	119.19**		
Maxillary ratio	68.07	3.00	72.67*		
Ant. Facial Height (AFH) (mm)	127.40	5.60	122.41		
Post. Facial Height (PFH) (mm)	85.00	5.50	90.27		
PFH/AFH	66.80	4.20	73.74*		
Y-axis to SN (deg)	71.92	3.71	60.14***		
SNA (deg)	81.60	3.10	88.92**		
SNB (deg)	79.10	3.00	92.42⟩⟩		
ANB difference	2.40	1.80	−3.50***		
APDI	85.70	4.00	97.79***		
SN-FH (deg)	7.00	2.00	3.88*		
SN-GoMe (deg)	36.00	4.00	24.33*		
palatal to GoMe (deg)	26.20	4.40	24.19		
FH-occusal (deg)	13.00	2.00	3.65⟨⟨		
Occlusal plane to GoMe (deg)	19.09	4.74	16.89		
SN-palatal (deg)	8.40	3.00	−0.24		
ODI	72.10	5.50	54.38***		
U1-SN (deg)	107.00	6.00	120.67**		
FH-Mandibular plane (FMA) (deg)	25.00	2.00	20.54**		
L1-FH (FMIA) (deg)	67.00	2.00	75.56⟩⟩		
L1-Mandibular plane (IMPA) (deg)	95.90	6.30	83.91*		
Interincisal angle (deg)	124.00	8.30	131.00		
U1-FH (deg)	119.90	2.00	124.56**		
L1, Inclination (deg)	25.00	2.00	26.09		
U1 to facial plane (mm)	9.90	3.04	0.84**		
L1 to facial plane (mm)	5.87	2.93	3.09		
A point-N Perpend (mm)	0.40	2.30	3.01*		
Pog-N Perpend (mm)	−1.80	4.50	13.93***		
U1 to MxOP (deg)	55.16	3.48	52.44		
L1 to MnOP (deg)	65.90	3.80	78.53***		
U1 to A vert.	0.85	3.09	7.32**		
L1 to A-Pog (mm)	4.55	2.10	5.70		

(b) 측모두부방사선사진의 분석

그림 5-20. V-ceph 프로그램

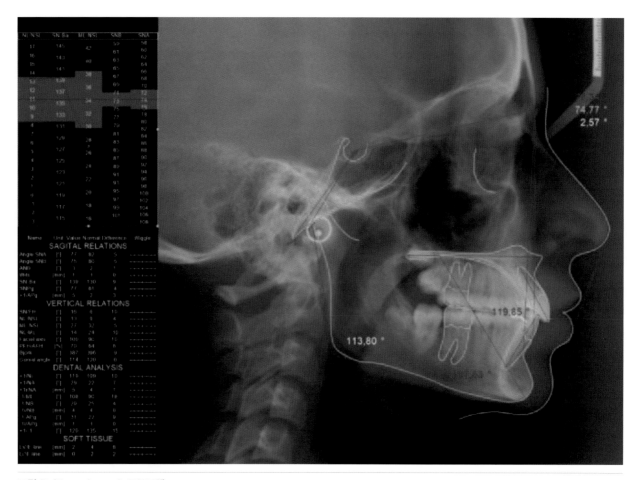

그림 5-21. audaxceph 프로그램

후전방두부규격방사선사진 분석

후전방두부규격방사선사진에서는 치열궁 및 골격의 폭경과 골격 비대칭 여부 등에 관한 정보를 얻을 수 있다.

1) Reference landmarks

Ag (Antegonial notch): 악각전절흔(Antegonial notch)의 가장 깊은 점

ANS (Anterior Nasal Spine): 코 기저부의 중심점

Cg (Crista Galli): 사골의 사골판으로부터 투영된 정중 능선

J (Jugal process): zygomatic buttress의 근심 최상방점

Me (Menton): 하악 정중부의 최하방점

Z (Zygomatic frontal suture)

2) Reference planes

Midsagittal plane(MSR): Cg에서부터 ANS를 지나 턱 끝으로 연결되는 수직선

Z plane: 좌우 zygomatic frontal suture의 내측을 연결한 선

Cg 지나면서 MSR에 수직인 평면(그림 5-22의 ①)

J Plane: Jugal process의 내측을 연결한 평면(그림 5-22의 ②)

Antegonial notch의 내측을 연결한 평면(그림 5-22의 ③)

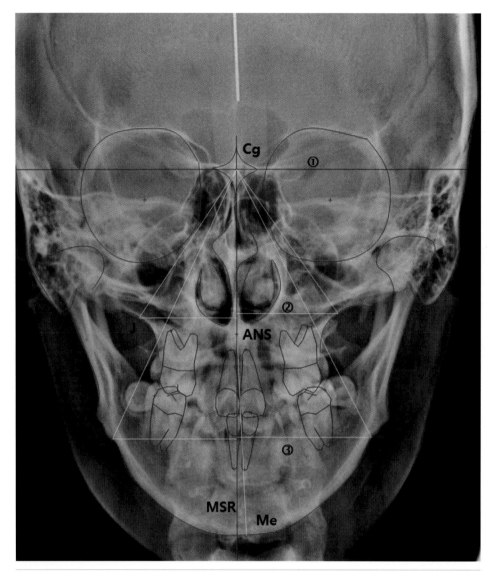

그림 5-22. **후전방두부규격방사선사진 분석**

3) 상하악 비대칭 분석

J와 Ag에서 MSR에 수선을 긋고 Cg로부터 J와 Ag에 선을 그어 잇는다. 그 결과 두 쌍의 삼각형이 생겨나는데 MSR에 의해 각각 나누어진다. 완전한 대칭이 이루어진다면 4개의 삼각형은 2개의 삼각형 즉, J-Cg-J와 Ag-Cg-Ag가 된다. 이 방법은 상하악골의 대칭을 평가하는 쉽고 빠른 방법이다. 또한, MSR과 Me 사이의 거리차로 하악골 이부의 편위를 평가한다.

(1) Mx. Height Diff.: 좌우측 Jugal process에서 MSR에 수선을 그었을 때 Cg에서의 높이 차이

(2) Mn. Height Diff.: 좌우측 Ag에서 MSR에 수선을 그었을 때 Cg에서의 높이 차이

(3) ANS-Me angle: MSR과 ANS-Me line이 이루는 각

4 CBCT 분석

Cone beam computed tomography (CBCT)는 1998년 유럽에서 치의학 영역에 처음 소개된 이래로 진단, 치료 계획 수립, 연구 등에 이용되고 있다. 특히 CBCT는 교정학에 있어서 다른 방사선 사진이 제공해 줄 수 없는 2가지 독보적인 장점이 있는데, 1) CBCT 스캔 한번으로 다양한 기준면에서의 이미지를 볼 수 있고, 2) 이미지 재건을 통해 보고자 하는 부위(예를 들어, 하악 과두, 안면 연조직, 상기도 등)를 추출해서 관찰이 가능하다.

1) Ondemand 3D program을 이용한 분석

DICOM file로 된 CBCT data를 loading한 후, 수평기준평면으로 FH plane (기준점: 좌우측 orbitale & Rt. porion)을, 수직기준평면으로 FH plane에 수직이면서 Nasion과 Basion을 지나는 midsagittal reference plane 각각을 기준으로 Orientation한 후 MPR (multiplanar reconstruction) mode에서 분석을 시행한다. 두개저에 가까운 구조물일수록 대칭적이고 크기 안정성이 커서 기준 평면을 구성하는 계측점으로 이용할 수 있으며 Katsumata 등의 연구에서 3D CT 분석시 수평기준평면으로 FH plane, 수직 기준평면으로 FH plane에 수직이면서 Nasion-Basion을 지나는 선을 midsagittal reference plane을 사용했다.

(1) 상악 분석

Axial view에서 yawing과 치열정중선 편위를 평가하며 coronal view에서 FH plane에 대한 좌우측의 수직적인 차이를 계측하여 canting을 평가한다(그림 5-23).

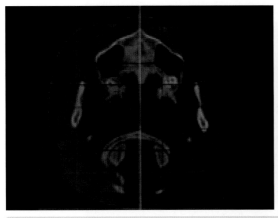
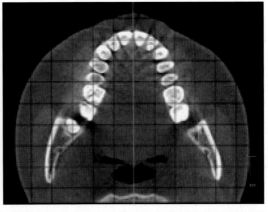

(a) CBCT의 axial view

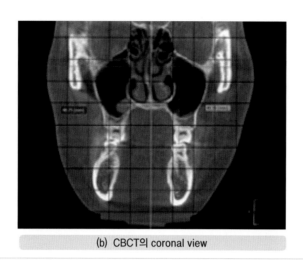

(b) CBCT의 coronal view

그림 5-23. **CBCT 분석**

(2) 하악 분석

좌우측 하악지와 하악체 길이를 계측(기준점: condylion, antegonial notch, menton)하여 하악 비대칭을 평가한다. 또한 치열 정중선 편위와 이부의 편위도 평가한다(그림 5-24).

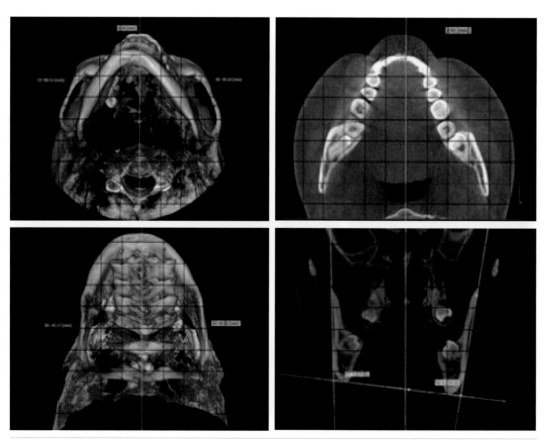

그림 5-24. **CBCT의 하악 분석**

(3) 상하악 치축 경사 계측

상하악의 치축 경사를 계측하여 치아의 탈보상 정도를 파악한다(그림 5-25).

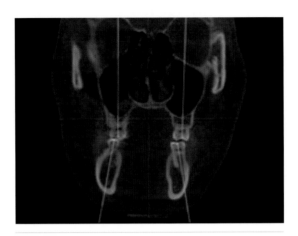

그림 5-25. **상하악 치아의 치축경사 계측**

(4) 폭경 부조화 평가

상하악치아의 저항중심(center of resistance, COR)을 중심으로 상하악 폭경 부조화를 평가한다(그림 5-26).

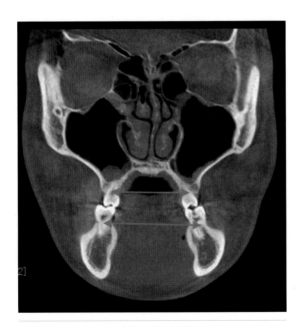

그림 5-26. **COR을 이용한 폭경 부조화 평가**

5 진단

환자에 대한 전반적인 평가를 통해 얻은 정보를 이용하여 술자는 환자의 악안면 기형에 대한 간단한 문제목록을 작성함으로써 1차 진단을 위한 데이터베이스를 구성할 수 있다. 이때 연조직, 두개골 및 치아 위치에 대하여 주의깊게 평가함으로써 비슷한 패턴을 가지는 다양한 악안면 기형 형태를 감별진단 할 수 있다. 진단은 크게 골격, 연조직, 치아, 기타 진단으로 분류할 수 있다.

1) 예제

앞 단원의 임상 검사, 진단 자료 채득 예제와 같은 환자의 진단 자료이다(그림 5-27).

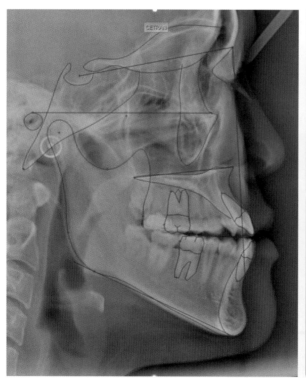
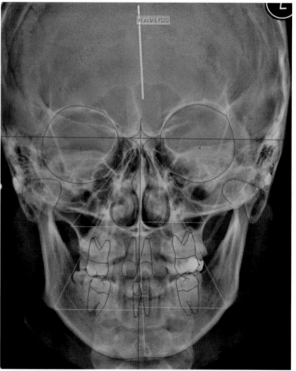

(a) cephaometric tracing

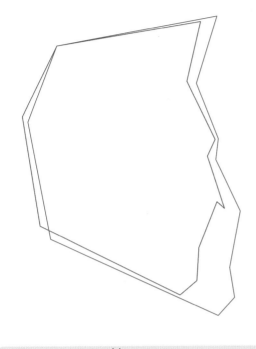

(b) profilograhy

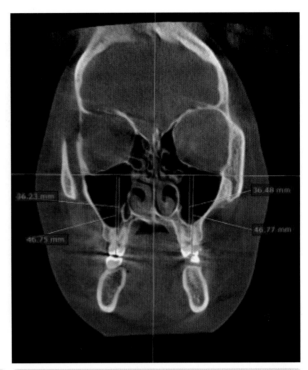

(c) 상악골 canting 평가

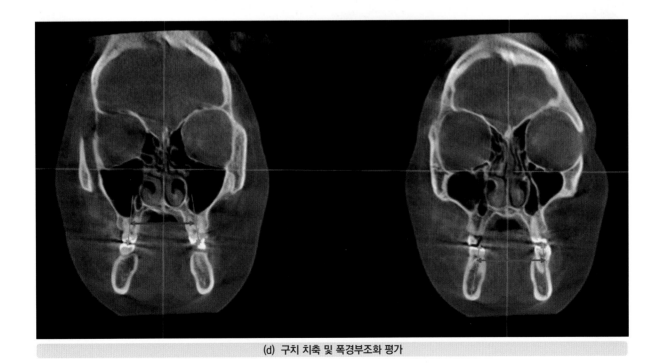

(d) 구치 치축 및 폭경부조화 평가

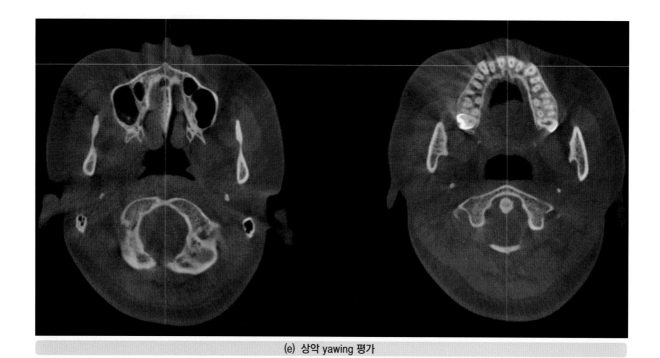

(e) 상악 yawing 평가

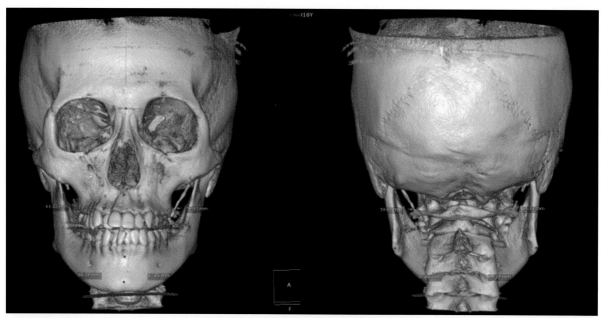

(f) 하악체 및 하악지 길이 계측

Measurement	Mean	S.D.	2018.02.26	(−)	(+)
Saddle angle (deg)	125.90	4.40	121.97		
Articular angle (deg)	147.68	5.25	147.18		
Gonial angle (deg)	118.60	5.80	125.28*		
Ant. Cranial Base (mm)	69.30	2.70	75.79*		
Post. Cranial Base (mm)	36.70	3.20	36.14		
Ramus height (mm)	51.60	4.20	54.32		
Body length (mm)	76.00	4.00	84.81**		
Maxillary base (mm)	45.98	2.34	46.59		
Ramus ratio	74.00	3.00	71.68		
Mn. body ratio	108.00	5.00	111.90		
Maxillary ratio	66.13	3.00	61.48*		
Ant. Facial Height (AFH) (mm)	127.40	5.60	135.11*		
Post. Facial Height (PFH) (mm)	85.00	5.50	86.93		
PFH/AFH	66.80	4.20	64.34		
Y-axis to SN (deg)	71.92	3.71	67.03*		
SNA (deg)	81.60	3.10	78.30*		
SNB (deg)	79.10	3.00	81.96		
ANB difference	2.40	1.80	−3.66***		
APDI	85.70	4.00	91.35*		
SN-FH (deg)	7.00	2.00	10.45*		
SN-GoMe (deg)	36.00	4.00	34.14		
palatal to GoMe (deg)	26.20	4.40	29.90		
FH-occusal (deg)	13.00	2.00	3.01⟨⟨		
Occlusal plane to GoMe (deg)	19.09	4.74	20.97		
SN-palatal (deg)	8.40	3.00	4.53*		
ODI	72.10	5.50	52.83***		
U1-SN (deg)	107.00	6.00	117.60**		
FH-Mandibular plane (FMA) (deg)	25.00	2.00	23.99		
L1-FH (FMIA) (deg)	67.00	2.00	67.25		
L1-Mandibular plane (IMPA) (deg)	95.90	6.30	88.79*		
Interincisal angle (deg)	124.00	8.30	119.20		
U1-FH (deg)	25.00	2.00	128.05⟩⟩		
L1, Inclination (deg)	25.00	2.00	30.56**		
U1 to facial plane (mm)	9.90	3.04	5.09*		
L1 to facial plane (mm)	5.87	2.93	4.96		
A point-N Perpend (mm)	0.40	2.30	−1.39		
Pog-N Perpend (mm)	−1.80	4.50	7.12*		
U1 to MxOP (deg)	55.16	3.48	51.24*		
L1 to MnOP (deg)	65.90	3.80	71.79*		
U1 to A vert.	0.85	3.09	10.38***		
L1 to A-Pog (mm)	4.55	2.10	7.81*		

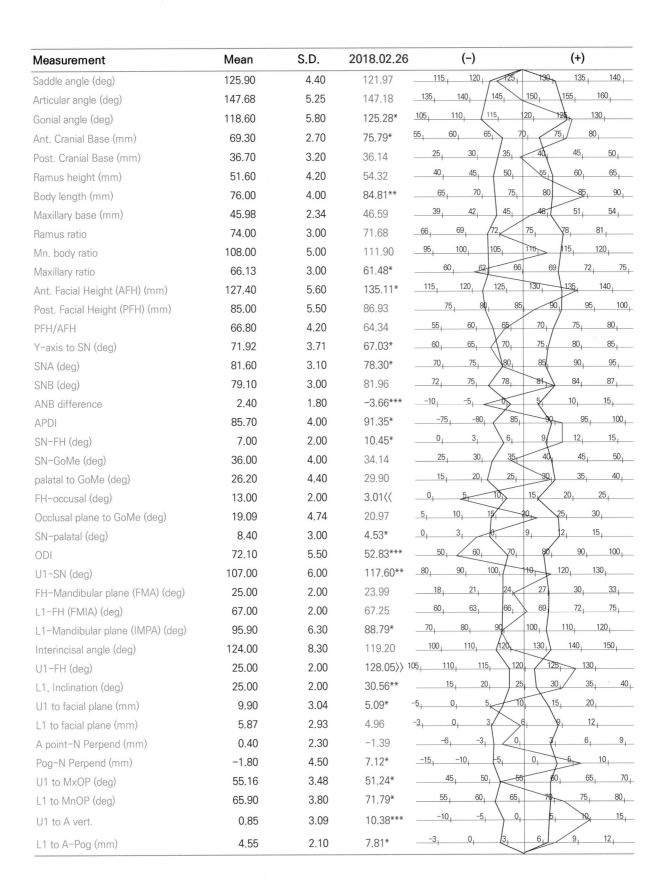

Measurement	Mean	S.D.	2018.02.26	(−)	(+)
Vertical Skeletal Pattern					
Bjork Sum	393.30	5.20	394.44		
Saddle angle (de g)	125.90	4.40	121.97		
Articular angle (de g)	148.70	5.70	147.18		
Gonial angle (de g)	126.00	2.00	125.28		
Antero −Post. FHRI	65.00	9.00	64.34		
Lower Ant. FHR	55.40	1.70	58.37 *		
Palatal Plane Angle (de g)	1.20	4.72	− 5.92 *		
AB to Mand. Plane (deg)	69.30	2.54	58.77 ⟨⟨		
OD	72.10	5.50	52.85 ***		
FMA (deg)	24.20	4.60	23.96		
Mn. Plane angle (to SN) (deg)	33.30	5.00	34.44		

Measurement	Mean	S.D.	2018.02.26	(−)	(+)
Horizontal Skeletal Pattern					
A to N−perp (mm)	0.00	1.00	− 1.39 *		
Pog to N−Perp. (mm)	−5.00	1.00	7.12 ⟩⟩		
SNA (deg)	81.60	3.10	78.30 *		
SNB (deg)	79.10	3.00	81.96		
ANB	2.40	1.80	− 3.66 ***		
APDI	85.70	4.00	91.35 *		
CF	157.90	6.52	32.61 ⟨⟨		
Wits	− 2.70	2.40	− 8.72 **		
Facial convexity (deg)	3.60	4.60	− 9.06 **		
Ramus height (mm)	51.60	4.20	54.32		
Mn. Body length (mm)	78.00	4.30	84.81 *		
Body to ant.cranial base ratio	1.08	0.03	1.12 *		

Measurement	Mean	S.D.	2018.02.26	(−)	(+)
Denture Pattern					
UOcc. plane to U1 (deg)	58.00	2.00	51.24 ***	45 50 55 60	65 70
LOcc. plane to L1 (deg)	66.10	5.20	71.79 *	55 60 65 70	75 80
U1−SN (deg)	107.00	6.00	117.60 *	80 90 100 110	120 130
U1 to FH (deg)	116.00	5.70	128.05**	90 100 110 120	130 140
U1 to A-Pog (mm)	7.80	2.20	8.17	0 3 6 9	12 15
Ui to Stm (mm)	2.73	1.17	1.02 *	−6 −3 0 3	6 9
L1−Mandibular plane(IMPA) (deg)	95.90	6.30	88.79 *	70 80 90 100	110 120
L1 to A- pog (mm)	3.00	2.00	7.81 **	−6 −3 0 3 6	9 12
Interincisal angle (de g)	124.00	8.30	119.20	100 110 120 130	140 150
Upper Occl plane to FH (de g)	14.00	5.00	0. 71 **	−10 0 10 20	30 40
Bisecting Occl plane to FH (de g)	14.00	5.00	3.01 **	−10 0 10 20	30 40
Occ. Plane to SN (Steiner) (de g)	17.90	3.80	13.46 *	5 10 15 20	25 30
AB to Occ plane (de g)	97.80	10.30	− 82.02 ≪	70 80 90 100	110 120

Measurement	Mean	S.D.	2018.02.26	(−)	(+)
Soft Tissue Profile					
Upper Lip EL (mm)	−1.00	2.00	− 3.54 *	−9 −6 −3 0	3 6
Lower Lip EL (mm)	2.00	3.00	−0.49	−6 −3 0 3	6 9
Sn-Stms (mm)	22.60	2.10	24.36	15 18 21 24	27 30
Stmi-Me' (mm)	48.80	3.30	54.42 *	35 40 45 50 55	60
Stmi-Me'/ Sn-Stms	2.00	0.20	2.23 *	0 1 2 3	4 5
Interlabial gap (mm)	0.10	0.50	1.84 ***	−6 −3 0 3	6 9
Nasolabial angle (de g)	100.00	2.00	93.69 ***	90 95 100 105	110 115
U-nasolabial angle (deg)	20.00	2.00	26.10 ***	10 15 20 25	30 35
L-nasolabial angle (deg)	80.00	2.00	67.60 ≪	60 70 80 90	100 110
FA'B'A (deg)	81.00	2.78	98.98 ≫	60 70 80 90	100 110
U-lip to A'B' (mm)	6.00	2.00	5.97	0 3 6 9	12 15
L-lip to A'B' (mm)	6.00	2.00	4.83	0 3 6 9	12 15
Pog' to A'B' (mm)	3.00	2.00	0.46 *	−6 −3 0 3	6 9 12

(g) 측모두부방사선사진의 분석

MODEL ANALYSIS

		8		
	10.5	7	10.9	
	10.3	6	10.1	gold crown
6.9		5/E		6.7
7.9		4/D		7.8
7.9		3/C		8.1
7.2		2/B		7.5
9.0		I/A		8.7
5.3		I/A		5.5
5.5		2/B		5.8
6.9		3/C		6.7
7.4		4/D		7.3
7.2		5/E		7.2
	11.8	6	12.2	
	11.4	7	11.6	
Caries		8		

Relationship of tooth material to supporting bone

	Upper		Lower	
Tooth material	95.3 ± 4.0	98.1 mm	87.2 ± 4.1	88.6 mm
Dental arch width	44.4 ± 1.2	44.1 mm	35.7 ± 2.0	35.2 mm
Basal arch width	48.0 ± 2.5	44.6 mm	41.9 ± 2.0	41.1 mm
Dental arch length	35.7 ± 1.5	43.0 mm	31.4 ± 1.7	32.0 mm
Basal arch length	31.7 ± 1.6	36.0 mm	29.3 ± 1.4	30.0 mm

Bolton tooth ratio analysis

Overall　　　excess in　　MX　:　1.1 mm

Anterior　　excess in　　MX　:　2.4 mm

Mixed dentition analysis

Upper ＿＿.＿ mm　　Lower ＿＿.＿ mm

Arch length discrepancy

Upper ＿-5.5＿ mm　　Lower ＿-4.1＿ mm

Angle's Classificaiton

Class Ⅲ malocehsocn

Overbite ＿-1＿ mm　　**Overjet** ＿O＿ mm

(h) 모델분석

TOCA-
0 0 0

18. 02. 26
여　　성

18세　11개월

주　소	주걱턱이에요.
증례분석	전두개저에 대해 하악이 전방에 위치하는 악골의 전후방적 골격 부조화 존재한다. 좌우측 Ⅲ급 견치 및 구치 관계이며, 상악전치 순측경사, 하악전치 설측경사 관찰된다. 전치부 절단교합 및 전치부와 소구치부의 골격성 개방 교합 관찰된다. 교합평면 평탄하다. 이부가 미약하게 좌측으로 편위된 안연비대칭 존재한다. 상악 치열정중선이 우측으로, 하악 치열정중선이 좌측으로 편위되었다. 상하악골의 폭경 부조화 존재하며, 상하악 전치부에 총생 관찰된다. #48 교합면 우식 관찰된다. 4년 전 좌우측 턱관절 통증으로 물리치료 및 장치 치료 받았으며, 환자진술상 장치치료 후 개방교합 발생하였다고 한다. 현재 턱관절 증상 없으나, CBCT 소견상 과두의 흡수소견 관찰된다. 이약물기 습관있다. 하악전치부 설면 치석 침착되어 미약한 치은염 관찰된다.
진단명	Skeletodental dysplasia, Class Ⅲ malocclusion (Mn. prognathism) Facial asymmetry Skeletal anterior openbite
문제점	1. 하악골 전방위(SN-FH 보정시, SNA: 81.8˚, SNB: 85.5˚, ANB:-3.7˚, APDI: 91.4˚, Wit's appraisal: -8.7mm) 　- 좌우측 Ⅲ급 견치 및 구치관계 　- 상악전치 순측경사 & 하악전치 설측경사 (U1-SN: 117.6˚, U1-MxOP: 51.2˚, IMPA: 88.8˚, L1-MnOP: 71.8˚) 　- Flat occlusal plane (FH-occlusal: 3.0˚) 　- Thin symphysis 2. Facial asymmetry 　- Chin dev. to Lt. (3.0 mm) 　- Mx. dental midline dev. to Rt. (1.0 mm) 　- Mn. dental midline dev. to Lt. (1.0 mm) 3. Skeletal openbite (overbite: - 1.0 mm, overjet: 0 mm) 　- ODI: 52.8˚ (AB to mandibular plane: 58.8˚, Palatal plane to FH: -5.9˚) 4. Arch width discrepancy (Mx. < Mn., U6 central groove 46.7mm, L6 distobuccal cusp 52.1 mm) 5. Arch length discrepancy (Mx.: -5.5 mm, Mn.: -4.1 mm) 　- 상하악 전치부 총생 6. Dental problem 　- #27 Gold Cr.: 1~2년전 우식으로 수복 　- #18 맹출중 & #28,48 맹출 　- Occlusal caries on #48 (#17과 교합뇌는 상태) 7. TMD 　- 관절잡음 및 통증으로 물리 치료 및 장치치료 (중2~중3) 　- (환자진술상) 장치치료 후 개방교합 발생 　- 현재 증상없으나, CBCT 소견상 Rt. condyle flattening, erosion, Lt. condyle flattening, osteophyte 관찰 8. Habit: Bruxism 9. 하악전치 설면 calculus deposit → mild gingivitis

(ⅰ) 진단

그림 5-27. **진단의 실제 예제**

6 치료계획 수립: STO (surgical treatment objective)

1) 목적

STO는 안면골격의 부조화를 가진 악교정 수술환자의 측모두부규격방사선사진을 이용하여 2차원상에서 가상의 악교정 수술을 시행하는 과정이다. STO는 악교정수술 환자의 진단 및 치료계획 수립시 기본이 되며, 초진시의 측모두부규격방사선사진을 이용한 술전 교정치료 예측과 이를 바탕으로 한 STO는 악교정 수술 치료의 첫 번째 단계로서 매우 중요하다. 즉 건축물의 재건축 시의 설계도 작성에 비유할 수 있다. 외과의와 교정의는 측모두부규격방사선사진을 활용한 STO를 통해 치료후 안정성과 심미성에 대한 치료효과를 술전에 예측하고 평가해 볼 수 있다. 또한 환자에게는 술후에 예측될 결과를 알려주며 술전 계획 단계에서 환자와 치료팀 간에 대화 매개체로서의 역할을 한다. 즉 STO를 통해 술전 교정치료의 방향 및 목표를 설정하고, 악교정수술을 통한 치아 및 골격의 이동에 따른 안모의 변화를 예상하여 기능적으로나 심미적으로 우수한 악교정수술을 계획할 수 있다. 따라서 정확한 STO의 작성이 중요하다. STO의 목적은 다음과 같다.

(1) 술전 교정치료의 방향과 목표 설정
(2) 최선의 기능적, 심미적 결과를 얻기 위한 정확한 외과적 수술 목표의 수립
(3) 목표로 하는 양호한 안모의 획득

증례의 분석과 함께 상악골과 하악골의 새로운 위치와 이에 따른 상하악 치아의 올바른 위치로의 이동을 위해, 상악과 하악의 수술이 필요한지 아니면 하악 수술만 필요한지, 이에 따라 치아의 발치가 필요한지 여부를 판단하고 각 경우에 따른 치료의 결과에 대한 예측을 할 수 있다. STO를 작성함에 있어 어떤 분석법과 기준을 사용하는가 하는 것은 술자의 판단에 따를 일이지만 반드시 지켜져야 할 사항 중의 하나는 상악골과 하악골의 전후방적인 위치관계에 따라 교합평면의 기울기가 조화를 이루도록 치료가 계획되어야 하며, 향후 교정치료도 양악수술이든 편악수술이든, 수술에 의해 변화된 상하악골의 위치관계와 부응하는 교합평면의 기울기를 형성해주는 것이 매우 중요하다.

2) 종류
(1) Initial STO
　① 초진시의 측모 두부 방사선 규격 사진을 이용

② 교정적 & 외과적 목표를 결정하기 위해 치료 전에 준비

③ 이를 바탕으로 술전 교정치료를 진행

(2) Final STO

① 악교정 수술전 상하악에 수술용 와이어가 들어간 상태에서 다시 측모 두부 방사선 규격 사진을 채득하여 작성

② 정확한 수직적, 전후방적 골격 변화와 연조직 변화를 결정하기 위해 수술 전에 준비

③ 최종적인 외과적 수술 범위 결정에 이용

3) 방법

(1) 상하악골 내에서 배열될 전치의 경사도 결정

이 단계에서 발치의 여부와 치료역학을 결정한다.

① 상악전치의 조절

초진 시 상악 전치의 각도, 비순각의 크기와 상악의 크라우딩 양을 고려하여 소구치 발치여부를 결정하고 고정원의 양 및 치아이동 양상을 조절한다. 상악 교합평면에 대해 상악 전치는 53~55°를 이루어야 기능적인 교합을 달성할 수 있다. 악교정 수술에서 외모를 결정하는 것은 상악 전치의 위치이다.

② 하악전치의 조절

크라우딩의 양을 고려하여 이동량을 결정하고 치아이동양상을 결정한다. 골격성 Ⅲ급 환자의 경우, 하악전치부는 설측경사되었으며 총생을 동반한다. 이러한 하악전치의 탈보상은 총생 해소에 의해 통상적으로 이루어진다. 총생이 경미하거나 치간공극이 존재하는 경우 하악 전치열 전방이동 또는 하악 제3소구치를 고려할 수 있고, 이를 통해 하악전치를 조절한다.

하악 교합평면에 대한 하악 전치의 각도는 66~68°를 이루도록 한다. 주의할 점은 항상 이상적인 각도를 얻을 수는 없다는 것이다. 크라우딩의 양과 하악 전치부 순측 치조골의 두께 등을 고려하여 실현가능한 목표를 설정해야 한다.

(2) 상악골의 전후방적/수직적 위치 설정

① 전후방

중안모 돌출도의 임상적 평가와 경조직 A 점의 전후방적 위치 평가가 함께 이루어져야 한다. 기준은 아래와 같다.

- Maxillary depth: FH plane과 Na-A를 이은 선의 각도; 정상 90±3°

- McNamara's nasion perpendicular: N에서 FH에 대한 수선에서 A까지의 거리; 정상 0±3 mm (대한치과교정학회의 부정교합백서에 의하면 한국인 평균치는 남성 0.0±3 mm, 여성 0.8±3 mm이다.)

② 수직적

안정 시 상순 아래로 보이는 상악 전치의 노출 정도를 기준으로 상악골의 수직적 위치를 결정한다. 기준은 아래와 같다.

- 안정 시 upper stomium으로부터 약 2~3 mm 노출
- 상순 길이를 변형시키기는 어렵고 또한 이상적인 upper lip esthetics을 유지하는 것 또한 힘들다. 그러므로 상순길이가 정상적이지 않다면, 상악전치에 대한 입술관계를 변형시켜 심미를 향상시킨다. 만약 상순이 과도하게 길다면, 보통 상순에 대한 전치의 노출정도를 0~2 mm로 최소화한다. 만약 상순이 짧다면, 상순에 대한 전치의 노출정도를 3~5 mm 정도까지 수용한다.

(3) 상하악골의 관계 설정

AB to Maxillary occlusal plane 각을 94°가 되도록 하고 수평피개, 수직피개, 절치간 각도를 고려하여 하악골을 이동시켜 상악교합면에 맞춘다. 이를 통해 I급 교합과 정상적인 수평피개, 수직피개를 얻을 수 있다. 이때 수평피개와 수직피개가 정상이 아니라면 치료역학을 바꾸거나 Bolton ratio에 변화를 주는 것 등을 고려한다.

술전교정 단계에서 상하악 전치의 탈보상이 불충분하게 시행된다면, AB to Maxillary occlusal plane angle이 정상보다 커질 수밖에 없어 턱끝의 돌출감이 남게 된다. 이 문제는 교합평면의 결정 단계에서 극복 가능하다.

(4) 교합평면의 결정

상악 교합평면의 전하방 경사도 및 측면 얼굴을 고려하여 상하악 복합체의 회전의 유무를 결정한다. 기준은 아래와 같다.

① FH to Maxillary occlusal plane angle: 12~14°
② FH to AB plane angle: 81~83°

상하악 복합체 회전의 필요 유무에 따라 하악 단독수술과 양악수술을 결정한다. 만약 회전이 필요없다면 하악 단독수술만으로 증례를 해결할 수 있다. 회전이 필요하다고 판단되면 상악골의 회전중심을 설정하고 상하악 복합체를 회전시킨다. 상악 교합평면 경사도 증가는 턱끝의 위치를 감소시킨다.

(5) 턱끝의 위치 결정 (그림 5-28)

전후방 및 수직적인 턱끝의 위치는 경조직과 연조직을 함께 평가하여 결정한다. 턱끝 위치의 결정은 기능, 심미적인 면에서 중요하다.

전후방적 위치 결정의 기준은 아래와 같다.

① soft tissue A-B line을 기준으로 상순, 하순, 턱의 수직거리 비율이 2 : 2 : 1을 기준

② Pogonion: N-perpendicular line에서 후방으로 4 mm에 위치

③ Soft tissue pogonion은 soft tissue B-point보다 1.5~2 mm 전방에 위치

수직적 위치 결정의 기준은 아래와 같다.

① Sn-Stms: Stmi-Me 비율이 1 : 1.7 – 1 : 2.1 정도가 심미적

상순, 하순, 턱의 돌출 정도를 조절하고, 필요하면 genioplasty와 심미적인 부가적 술식(cosmetic surgery)을 계획할 수 있다. 그러나 chin의 돌출도의 경우 구강외과의사가 수술 중 평가하여 계획을 변경하는 경우도 있으므로 구강외과의사와 부가적인 수술에 대해서는 논의가 필요하다.

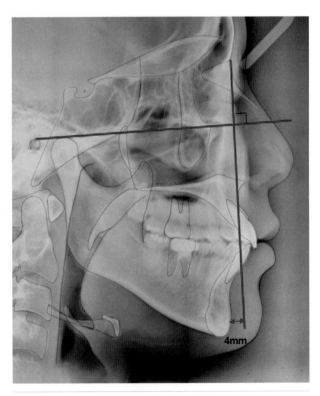

그림 5-28. **턱끝의 위치 결정**

4) 순서

(1) FH 평면을 이용하여 Na-perpendicular line을
그리고 교합평면과 교합평면에 대한 상하악 치
축을 그린다.

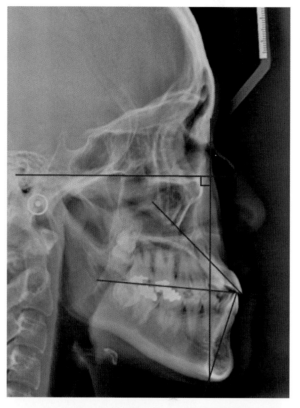

(2) 교합평면에 대해 상악 전치 각도가 55~60°가
되도록 상악 전치를 회전시킨다.

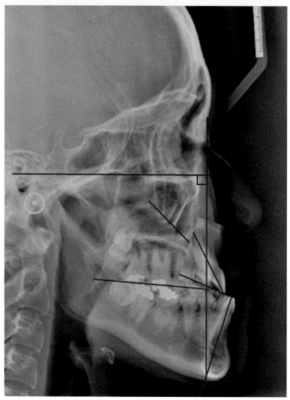

(3) 교합평면에 대해 하악 전치 각도가 66~70°가
되도록 하악 전치를 회전시킨다.

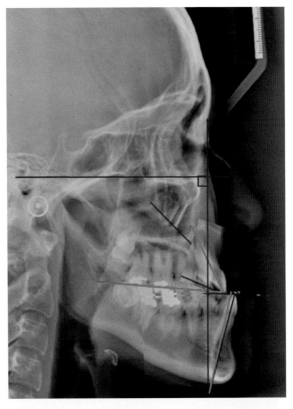

(4) 상악 전치 위치를 Na-perpendicular에서 +3
mm가 되도록 위치시키고 FH평면에 대한 교
합평면의 각도를 12~14°가 되도록 상악을 이
동시킨다.

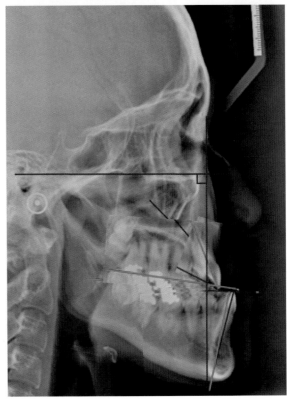

(5) 하악을 수평피개 3mm, 수직피개가 3mm가
되도록 이동시킨다.

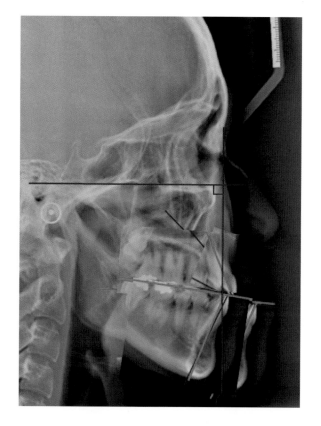

(6) 턱끝의 돌출도와 높이를 평가하여 genioplasty
등을 고려한다(그림 5-29).

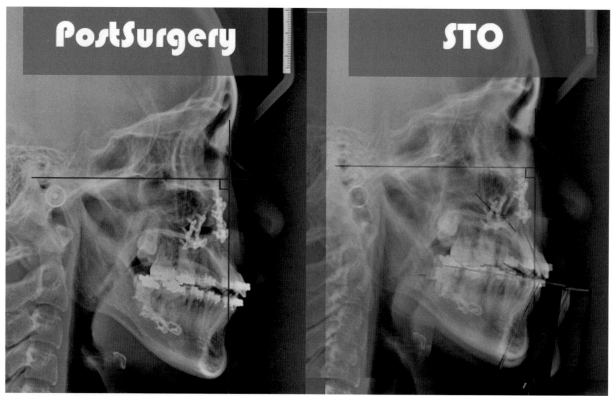

그림 5-29. **STO와 실제 술후 결과**

최근에는 CBCT를 이용한 3차원 STO를 하기도 한다(그림 5-30).

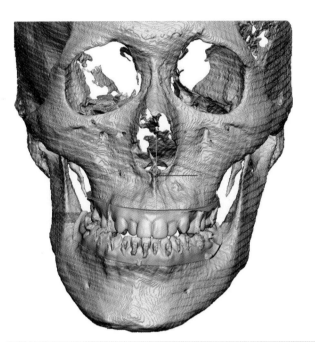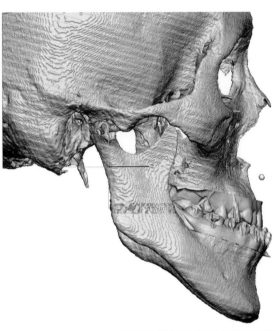

(a) 초진

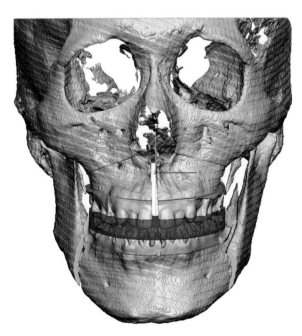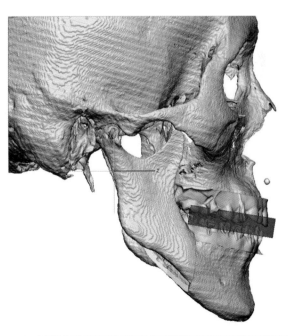

(b) STO

그림 5-30. CBCT를 이용한 STO simulation

5) 한계

(1) 상하악궁의 폭경에 대해서는 알 수 없다. 이는 모형을 통해 확인하고, 폭경 확장이 계획
된다면, 폭경 확장과 이에 따른 치열궁 변화로 인한 전치 치축 개선을 반영할 수 있다.

(2) 정출 또는 협측 경사된 상악 제2대구치에 대해서 알 수 없다. 통상적으로 STO는 상하악
전치 및 제1대구치를 이용하여 작성된다. 따라서 정확한 상악 교합평면에 대한 판단을
위해서는 정출 또는 협측 경사된 상악 제2대구치를 압하할 것인지 혹은 과도하게 정출된
경우 발치할 것인지에 대한 부분이 고려되어야 할 것이다.

(3) 환자 개개인마다 다른 연조직 반응에 의하여 예상과 다른 결과가 나올 수 있다. 특히 하
악 전돌 환자에서 과도한 하순의 압력은 하악 전치의 탈보상(순측경사)를 제한하기도 한
다. 이와 같이 연조직에 의한 탈보상이 원하는 만큼 이루어지지 않고 제한될 수 있다. 따
라서 수술 직전에 final STO를 통해 술전교정의 예측치와 실제이동량의 차이를 알고, 최
종 외과적 수술 범위를 결정해야 할 것이다.

6) 예제

앞 단원의 임상 검사, 진단 자료 채득, 진단 예제와 같은 환자의 STO이다(그림 5-31).

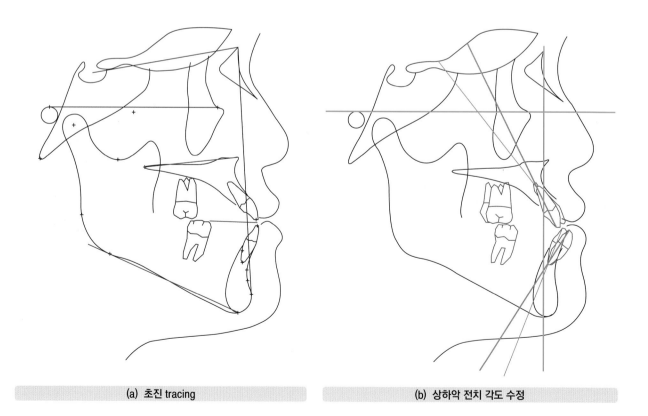

| (a) 초진 tracing | (b) 상하악 전치 각도 수정 |

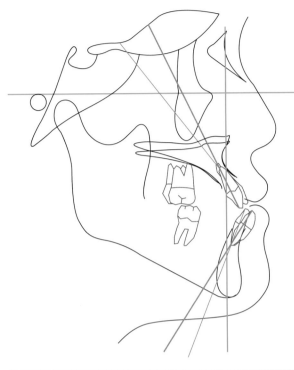

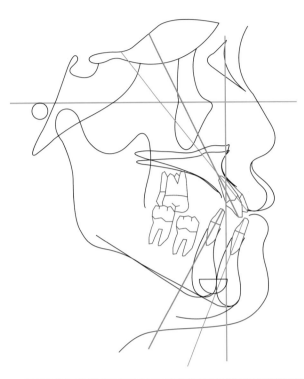

| (c) 상악 전치 위치 설정 | (d) 하악 및 턱끝 위치 설정 |

치료계획 및 과정

10. – 구강위생관리 교육, **치은염**, 치은퇴축(black triangle), 치아탈회, 치근흡수, **TMD** 발생 가능성 설명
 – 하악 전돌 재발가능성 설명
 – 좌우측 턱관절 골관절염에 의한 전치부 개방교합 재발 가능성 설명
 – 하악절치 탈보상에 의한 안모 부조화 심화 및 필 요시 치은이식술 시행 가능성 설명
 – 보철물 재제작 가능성 설명
 – **구강내과: TMJ 평가 및 처치 의뢰** → 턱관절 안정화 후 교정치료 시작 & 교정치료 중 필요시 턱관절 치료 가능성 설명
 – 구강악안면외과: #48 ext. 및 악교정수술 평가 의뢰
20. 술전교정
 – Mx. & Mn. bonding & leveling (#27 band, #16,26 double buccal tube)
 – **#14.24 ext.**
 – 하악전치부 decrowding & decompensation /c .012 AEL NiTi (activated extra-length NiTi)
   1) #44-46, 33-36 lace-back
   2) .012 NiTi를 arch 길이보다 2~3 mm 길게 하여 #36, 46 근심에 crimpable stop → P2, M1 사이 bulge 형성
 – Space closure: Mx. en-mass retraction /c active tie back(좌우즉 중등도고정원 개념)
30. Arch coordination
40. 악교정수술
 – Mx. post. impac. (U6: 5 mm, rotation point: A-point) Le Fort I osteotomy
 – Mn. diff. setback BSSRO (Rt.: 11 mm, Lt.: 8 mm)
50. 술후교정
 – 교합면 조절 및 마무리
 – 좌우측 II급 구치 관계
60. 주기적 점검
 – 상하악 FR 부착 및 상악 C-retainer

| (e) 치료 계획 |

그림 5-31. **STO의 실제 예제**

술전 교정

악교정 수술의 기법이 급속도로 발전하고 있지만, 환자의 수술은 가능한 단순하게 수행하는 것이 추천된다. 수술이 복잡하고, 악골의 분절이 많아질수록 술후 안정성에는 불리하게 작용할 수 있기 때문이다. 수술 후 안정성을 위해 수술 전 교정치료는 check list를 설정하여 이러한 기준들이 최소한 달성되도록 진행되어야 하고, 그 이후에 악교정 수술을 의뢰한다.

통상적인 교정치료의 목적은 치료 후 심미적이고 기능적인 교합을 얻는 것이지만, 술전 교정치료는 수술후에 안정된 교합을 이루게 하는 것이다. 즉 술전 교정치료는 골격적 부조화는 수용하고 치아를 이동시켜 골격적 부조화를 절충(camouflage)하는 교정치료와는 목적 및 치료방향이 반대이므로 치료를 시작하기전에 악교정수술을 목표로 진행할 것인지 아니면 교정치료만 시행할 것인지에 대해 결정해야만 한다. 교정치료를 하다가 안되면 수술을 해야지 혹은 수술을 목표로 진행하다 교정만 해야지라고 생각하는 것은 위험한 계획이다.

1 술전 교정 목표

술전 교정치료의 목표는 수술 시에 상악과 하악의 치열 및 악궁이 조화를 이루게 하기 위하여 상악과 하악 치아들을 각각의 악궁내에 잘 배열하고, 상악과 하악의 전치를 적절한 전후방 및 수직적인 위치로 가능한 이동하며, 상악과 하악의 악궁의 폭경을 조절하여 수술 시에 좋은 교합을 갖도록 만드는 것이다.

골격성 부정교합환자에서 악교정수술 이후 하악골의 위치는 수술시 하악과두의 과도한 위치 변화(sagging), 근육 및 연조직의 당김, 부적절한 splint 착용 등 다양한 요소에 의해 지속적으로 변화할 수 있으며, 그 정도와 방향은 매우 다양하다. 또한 부족한 술전교정으로 야기되는

교합간섭은 하악골의 위치와 술후 안정성에 영향을 끼칠 수 있다. 따라서 수술계획이나 술후 치아이동 계획 시 그 변화를 얼마나 정확히 예측할 수 있는지가 치료 성패의 관건이 되며, 술전 교정 치료는 가능한 예측성을 높이고, 술후 변화의 범위를 좁히는 과정이 되어야 한다. 즉, 악교정수술 전에 달성해야 할 조건들을 목표로 세우고, 최소한 이 목표들이 달성되었을 때 수술을 시행해야 한다.

술후 교정 치료가 전혀 필요하지 않도록 완벽하게 술전에 모든 것을 이루는 것은 필요하지도 않으며 이로 인해 치료기간이 장기화되는 것은 바람직하지도 않다. 모든 환자에서 치아를 최종위치로 가져오기 위해 술후 일정 기간의 교정치료가 필요하다.

2 고려사항

1) 안면의 중심과 치열의 중심

상악중절치 치근 저항중심 사이의 중점과 하악중절치 치근 저항중심 사이의 중점이 치열정 중선으로 얼굴의 중심선 및 악골의 중심선과 일치하는가를 잘 관찰하여야 한다. 치열의 중심선을 맞추기 위하여 얼굴의 중심선이 어긋나게 하는 일이 없도록 해야 하며, 치열의 중심선을 맞추기 위해 악골을 좌우로 이동하는 것은 곤란하므로 가능하면 술전교정 단계에서 치열의 중심선이 각 악골의 중심선과 일치하도록 하는 것이 바람직하다(그림 6-1). 물론 상하악골내에서 상하악 치열의 골격적 변위가 있는 경우는 중심선이 얼굴의 중심선과 일치하지 않더라도 수술로 개선이 가능하므로 이런 경우 또한 고려해야 한다(그림 6-2).

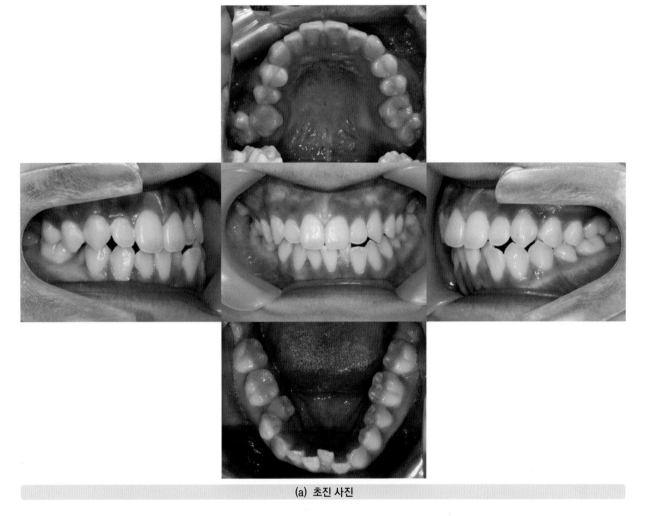

(a) 초진 사진

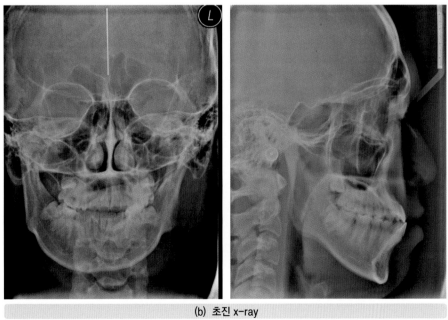

(b) 초진 x-ray

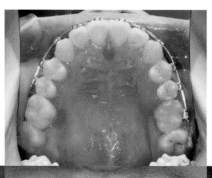

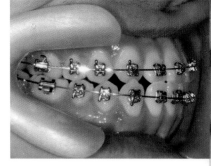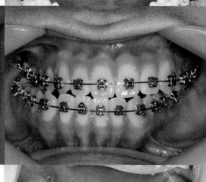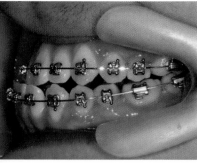

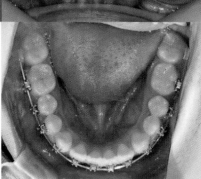

(c) 술전 교정 후 임상사진

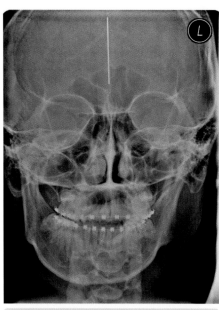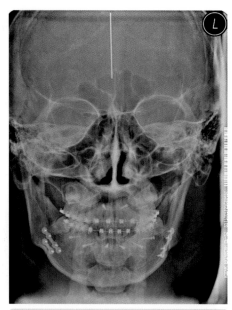

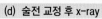

(d) 술전 교정 후 x-ray

(e) 하악만 수술한 후 x-ray

그림 6-1. 안면의 중심과 상악 치열의 중심이 일치하는 경우

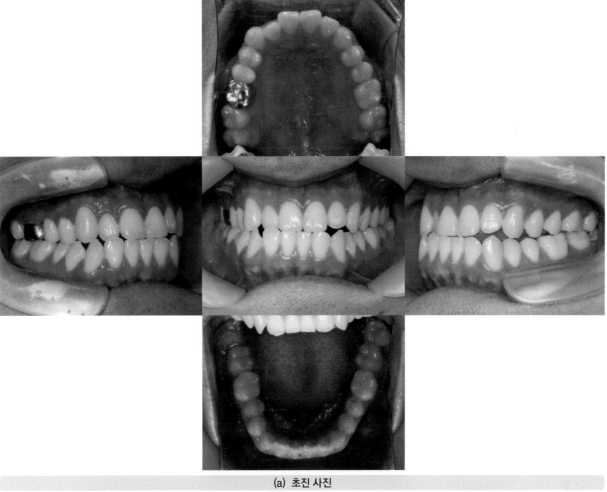

(a) 초진 사진

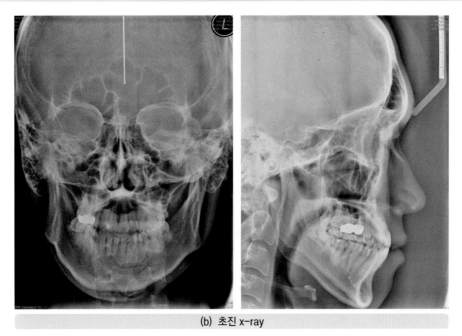

(b) 초진 x-ray

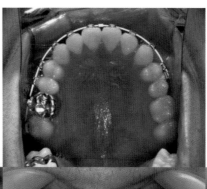
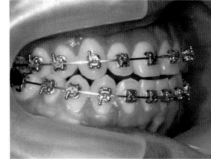
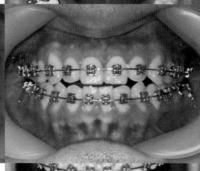
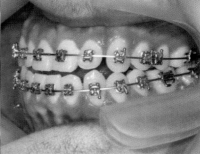
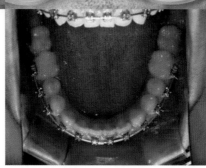

(c) 술전 교정 후

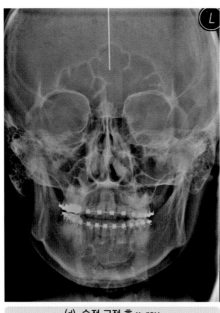
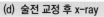
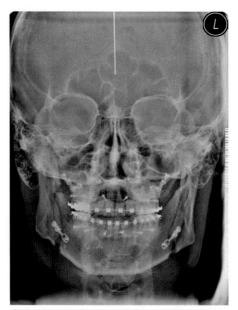

(d) 술전 교정 후 x-ray

(e) 상악 yawing을 수술로 개선 후 x-ray

그림 6-2. 상악의 yawing으로 안면의 중심과 상악 치열의 중심이 일치하지 않는 경우

2) 탈보상(횡적)

상하악골의 arch coordination이 중요한데, 술후 치아가 만족스럽게 적합되도록 적절한 arch compatibility를 만들어 주어야 한다. 유사한 상하악궁의 형태와 적합한 치열궁 폭경이 결정되어야 한다. 악교정 수술에 있어서 치열궁의 불일치는 수술 후 불안정한 교합을 초래하므로 치료계획을 세울 때 충분히 고려해야 한다. 골격성 III급 환자에서는 상하악 치열궁 형태를 같은 형태로 맞추어 주어야 심미적이고 이상적인 I급 견치관계를 얻을 수 있다.

수술 후 상악과 하악의 치열궁의 형태가 서로 조화되도록 하기 위해서는 술전 교정치료시에 악궁의 확장 또는 축소를 하기도 한다(그림 6-3, 6-4). 물론 이때 하악구치부의 탈보상에 따른 치축변화를 고려하여야만 한다. 상하악골의 전후방적 위치가 구치부 반대교합에 영향을 미치기 때문에 이에 대한 판단은 모형상에서 확인해야 한다.

하악 과성장으로 유발된 골격성 III급 환자에 있어 구내에서 협측에 반대교합이 있으면, 하악 모형을 후방 위치시켰을 때 상하악 치열궁이 일치하는 경우가 많고, 구내에서 구치가 협설측으로 정상적인 관계이면 실제 수술 시에는 대부분 하악치열궁에 비하여 상악치열궁이 넓다. 이 경우에는 주로 상악 협측 치아들이 협측 경사진 경우가 많으며, micro-implant나 precisional TPA, Cross elastic 등으로 상악 협측 치아의 치축을 개선시켜 폭경을 축소시켜야 한다.

상악의 열성장으로 야기된 골격성 III급 환자나 비호흡에 문제가 있는 개방교합 환자의 경우 상악궁의 협착을 보인다. 이러한 환자에서는 협착된 상악궁의 확장을 시행한다. 협착된 상악궁의 확장을 위해서 MARPE, RPE 등을 우선적으로 고려할 수 있고, 확장해야 하는 양이 6 mm 이상인 경우에는 SARPE, Segmental osteotomy와 같은 수술적인 방법을 고려해야 한다. 그러나, 수술 전에 상하악 치열궁이 완전히 일치하는 것이 어려운 경우에는 수술로 악골을 이동할 때 반대교합이 발생되지 않을 정도로만 치열궁을 맞추고 수술 직후에는 intermaxillary wafer를 장착하여 교합안정을 도모하다가 수술 후 4~8주 후부터 부드러운 호선으로 교체한 후 반대교합을 정상적으로 해결함으로써 치료기간을 단축할 수 있다(그림 6-5).

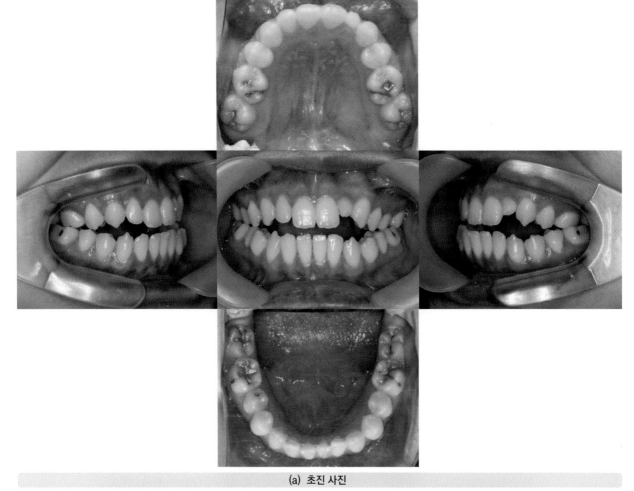

(a) 초진 사진

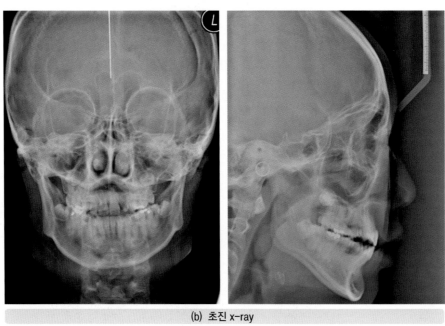

(b) 초진 x-ray

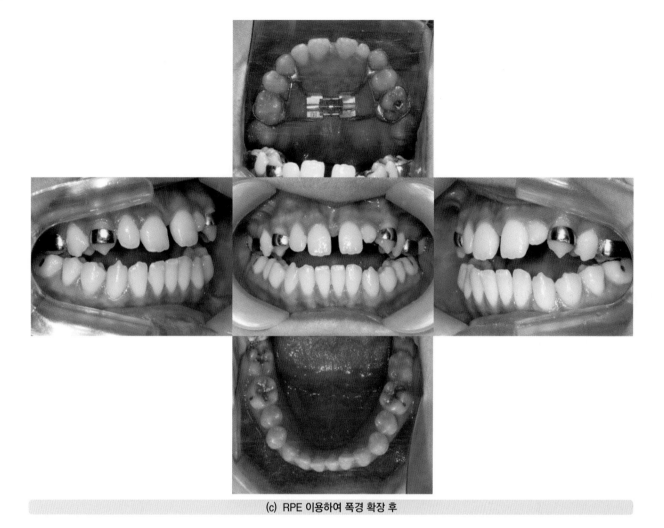

(c) RPE 이용하여 폭경 확장 후

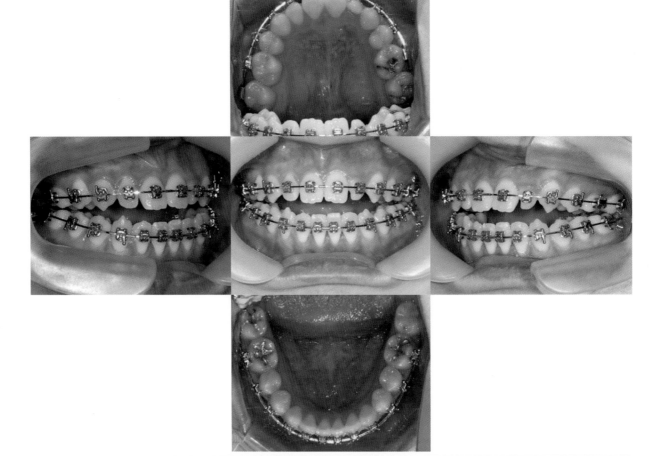

(d) 술전 교정 후 임상사진

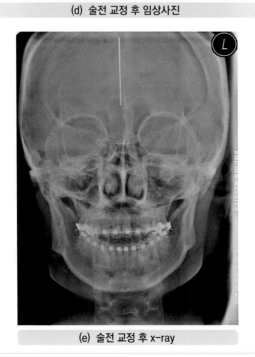

(e) 술전 교정 후 x-ray

그림 6-3. RPE를 이용하여 상악궁 폭경 확장

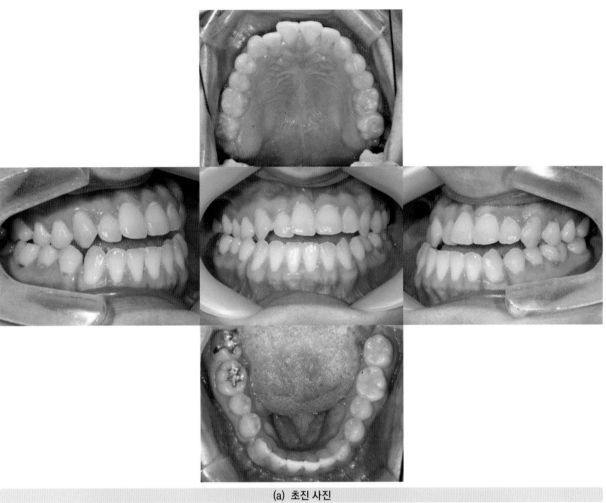

(a) 초진 사진

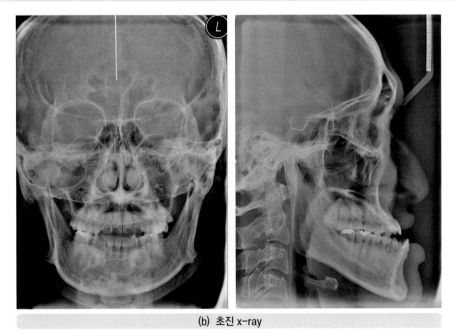

(b) 초진 x-ray

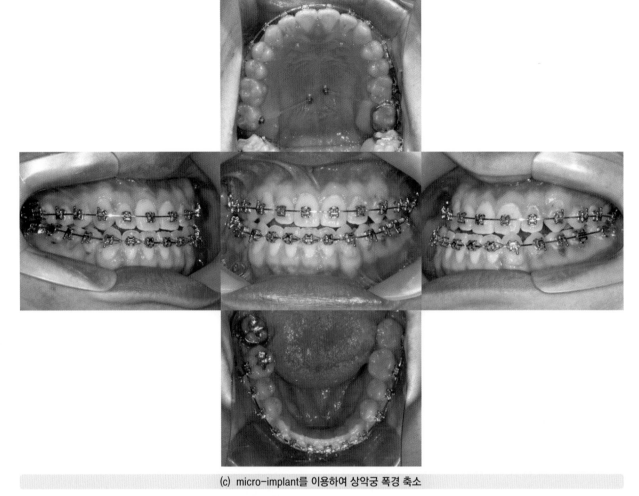

(c) micro-implant를 이용하여 상악궁 폭경 축소

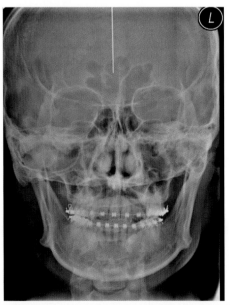

(d) micro-implant를 이용하여 상악궁 폭경 축소 후 x-ray

그림 6-4. micro-implant를 이용하여 상악궁 폭경 축소

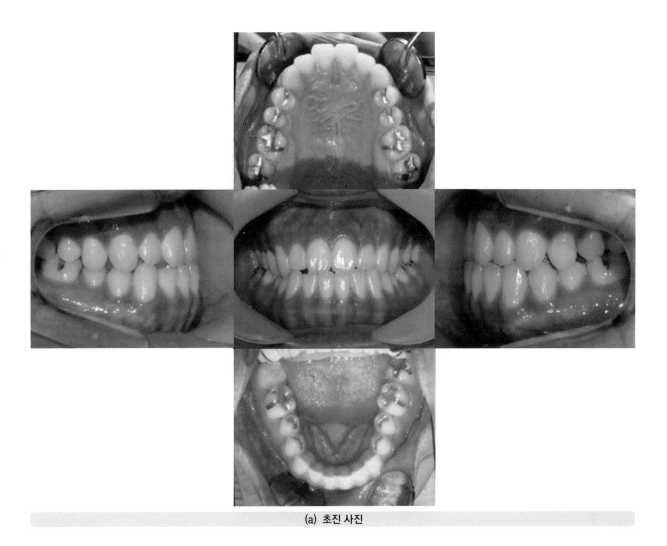

(a) 초진 사진

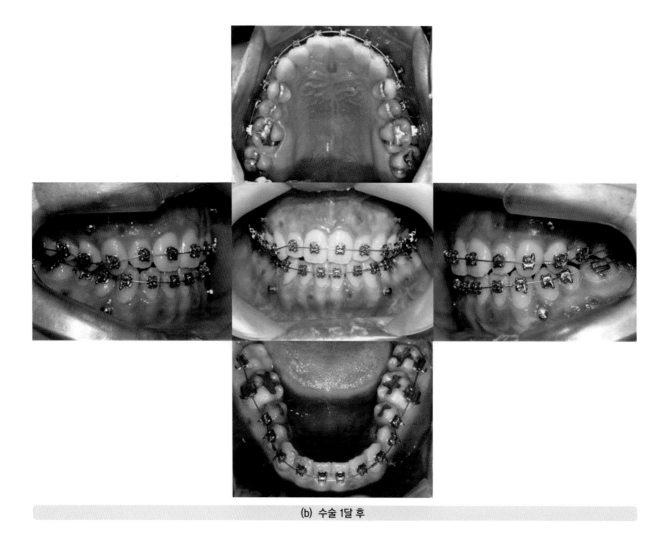

(b) 수술 1달 후

110

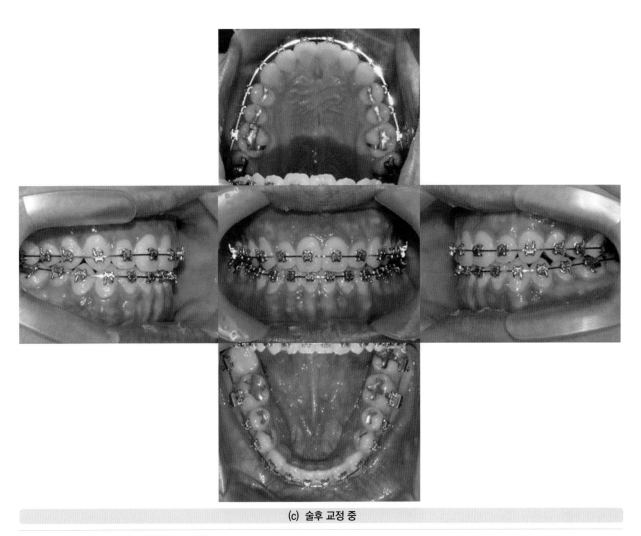

(c) 술후 교정 중

그림 6-5. **수술 후 wire를 이용한 폭경 확장**

3) 탈보상(전후방)

하악전돌증에 동반된 치아 보상을 해소하기 위해 상하악 전치 각도를 개선해야 한다. 순측 경사되어 있는 상악전치는 설측으로, 설측경사되어 있는 하악전치는 순측경사시키는 방향으로 술전교정을 진행하여 상하악 전치각도를 차후 수술을 통해 정상적인 관계로 변화할 골격관계에 맞도록 정상화시킨다. 전치각도 정상화를 위해서 발치/비발치를 고려할 수 있고, 단순히 wire만 순차적으로 교체하는 것이 아니라 micro-implant나 II급 고무줄의 사용을 적극적으로 고려할 수 있다.

이러한 상하악 치열의 정상적인 전치각도는 두개저에 대한 전치각도만으로 평가할 수 있는 것은 아니며, 각 악골 내에서의 전치 각도도 고려되어야 한다. 일반적으로 상악 전치는 상악 교합평면에 대해 58°, 하악 전치는 하악 교합 평면에 대해 66°를 이루는 것이 바람직하다. 각 악골 내에서의 상하악 전치의 위치, 각도가 설정되면 그에 맞는 이상적인 안모를 위한 수술 종류, 수술량이 결정될 수 있다.

(1) 상악 발치

하악전돌증에서 상악전치가 순측으로 경사되어 있어 비순각이 작은데 한국인은 서양인에 비해 코가 낮고 상순이 돌출되어 있는 경향이 있다. 상악전치가 전방위치하거나 순측으로 경사되어 있는 경우에 심미적인 안모를 얻기 위하여 상악소구치를 발치하고 발치공간을 이용하여 상악전치의 치축경사를 정상적인 치축각도로 줄여준다(그림 6-6). 발치를 통한 전치부 후방견인시 편평했던 상악 교합평면 역시 좀더 가파르게 된다. 상악 소구치만 발치시 구치부는 II급 관계가 되기 때문에 좋은 교합을 얻기 위해서는 상악대구치의 0° 회전과, 0° 경사가 추천된다(그림 6-7, 6-8). 일반적인 상악 대구치 브라켓은 10° 회전과 5° 경사가 내장되어 원심면이 구개측으로 회전된다. 또한, 근원심 경사를 고려했을 경우 하악 치아와 더 잘 교합되기 위해서는 상악 대구치를 경사 없이 바로 세우는 것이 필요하다. 이를 만족시킬 수 있는 장치는 반대측 하악 제2대구치의 튜브이다. 예를 들어 16번에는 37번 튜브를 26번에는 47번 튜브를 붙일수도 있겠다. 대부분의 치료기간에는 일반적인 상악 대구치 튜브를 사용하고, 마무리 기간 동안 하악 제2대구치용 튜브로 바꾸는 것이 좋다. 만약 이러한 대구치부의 0° 회전이 폭경부조화를 야기한다면(그림 6-9), offset bend를 부여하여 이를 보완할 수 있다(그림 6-10).

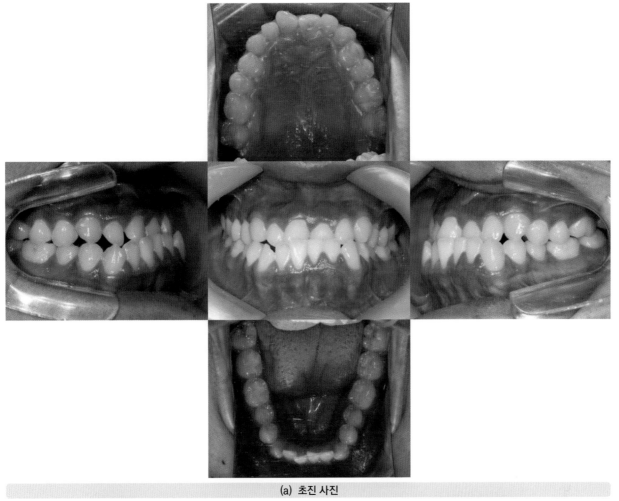

(a) 초진 사진

(b) 초진 x-ray

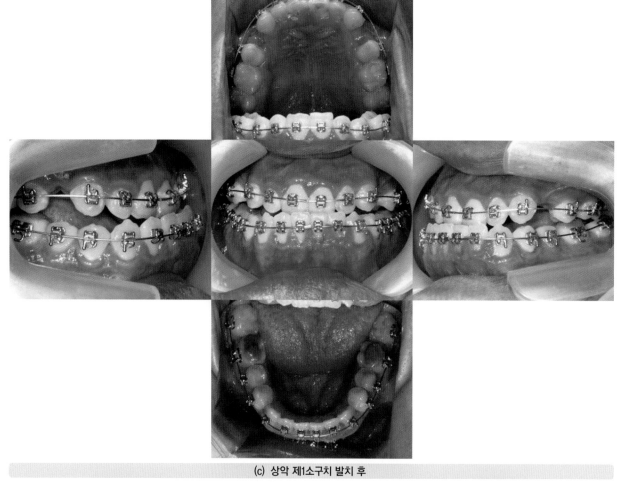

(c) 상악 제1소구치 발치 후

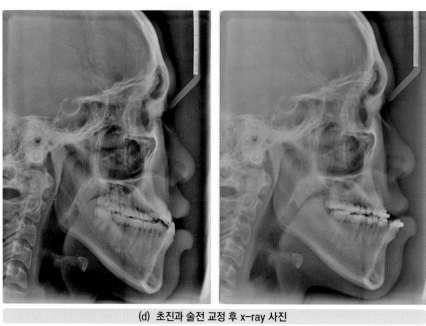

(d) 초진과 술전 교정 후 x-ray 사진

그림 6-6. 상악 전치부 순측경사 개선위해 상악 제1소구치 발치

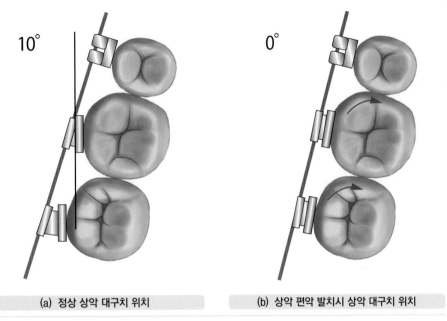

(a) 정상 상악 대구치 위치   (b) 상악 편악 발치시 상악 대구치 위치

그림 6-7. 상악 편악 발치시 상악 대구치 회전

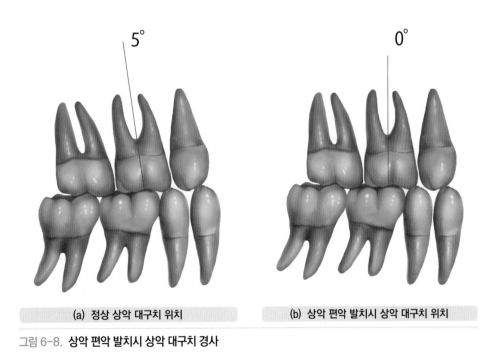

(a) 정상 상악 대구치 위치   (b) 상악 편악 발치시 상악 대구치 위치

그림 6-8. 상악 편악 발치시 상악 대구치 경사

115

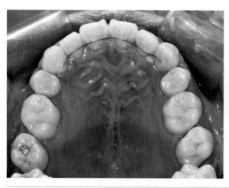
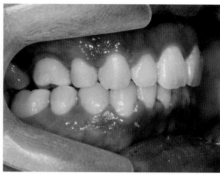

그림 6-9. 상악 대구치의 회전에 의해 폭경부조화가 야기된 채 마무리됨

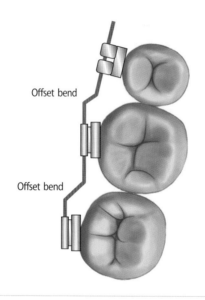

그림 6-10. 상악 편악 발치시 폭경 유지를 위한 offset bend

① 상악 비발치

상악 치열에 총생 및 전치부 각도의 보상이 경미할 경우에는, wire만으로(그림 6-11)혹은 MARPE 등을 이용하여 확장배열하여 총생을 개선할 수 있다. 또는 상악 제2대구치 후방부 공간이 가용하다면, 제3대구치 발치 후 전체치열 후방이동을(그림 6-12) 또는, 제2대구치 발치 후 전체치열 후방 견인 및 제3대구치를 제2대구치로 대체하는 방법도 고려해 볼 수 있다.

비발치로 진행하는 경우, 술전교정 기간이 발치치료에 비해 짧다는 장점이 있다. 상악 전치부 치축의 정상화는 two-jaw rotation surgery를 통해 달성할 수 있다. 다만 two-jaw rotation surgery의 양이 많아지면 정상적인 턱끝의 외형을 위해 advance genioplasty의 가능성이 증가하게 된다(그림 6-13).

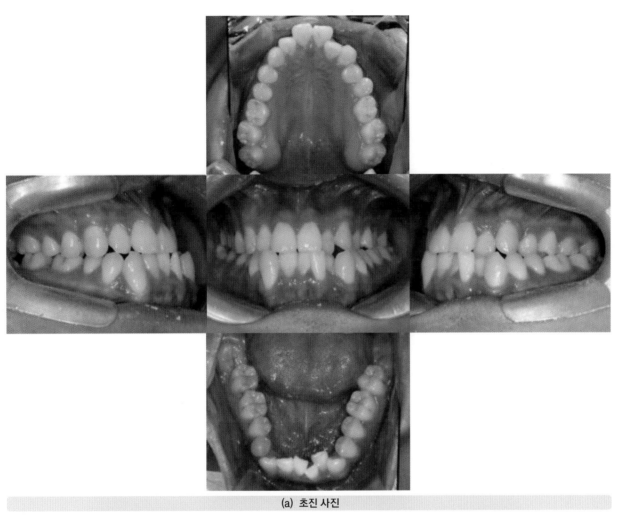

(a) 초진 사진

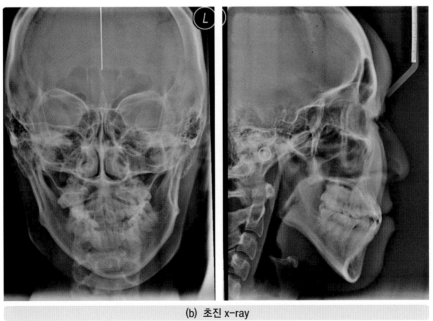

(b) 초진 x-ray

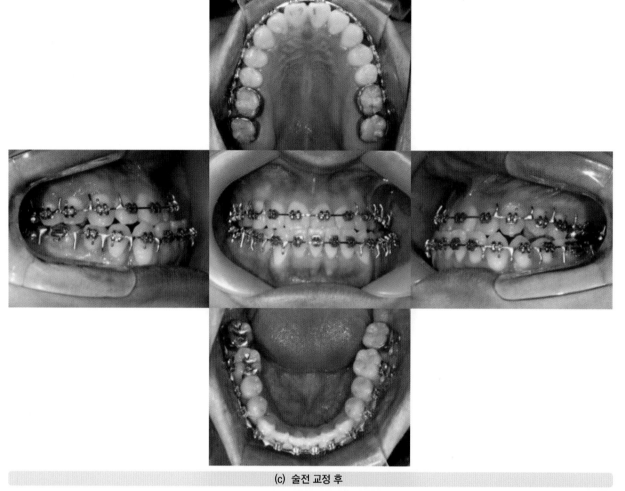

(c) 술전 교정 후

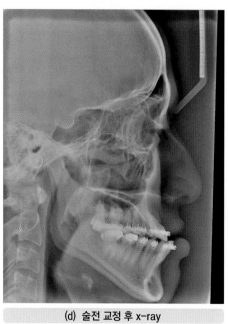

(d) 술전 교정 후 x-ray

그림 6-11. wire를 이용한 확장 배열후 비발치 수술한 증례

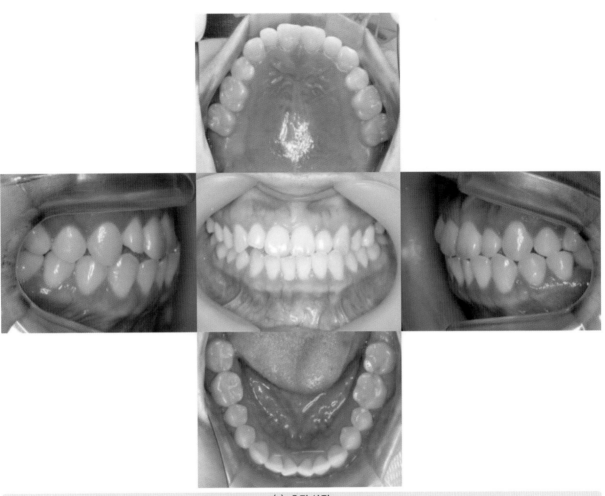

(a) 초진 사진

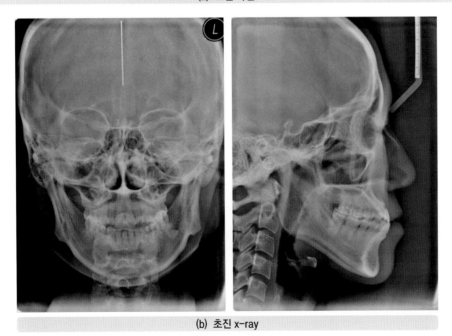

(b) 초진 x-ray

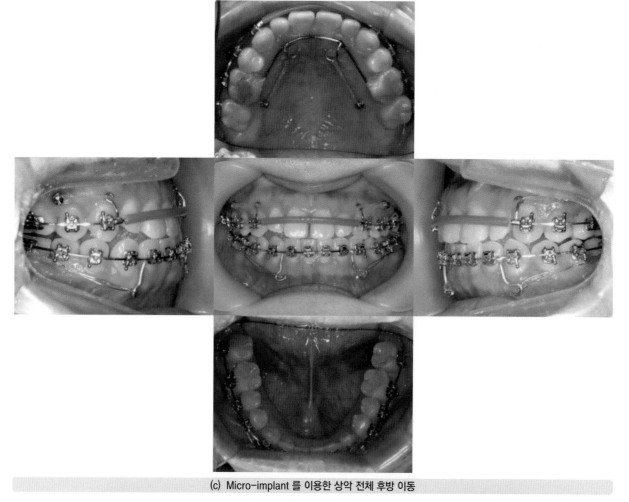

(c) Micro-implant 를 이용한 상악 전체 후방 이동

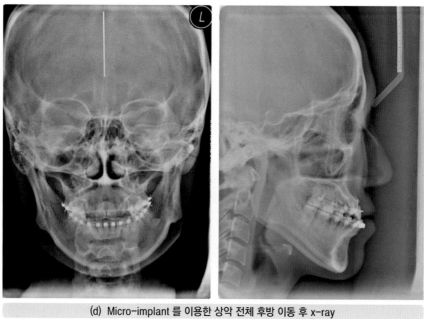

(d) Micro-implant 를 이용한 상악 전체 후방 이동 후 x-ray

그림 6-12. Micro-implant를 이용한 상악 전체 후방 이동

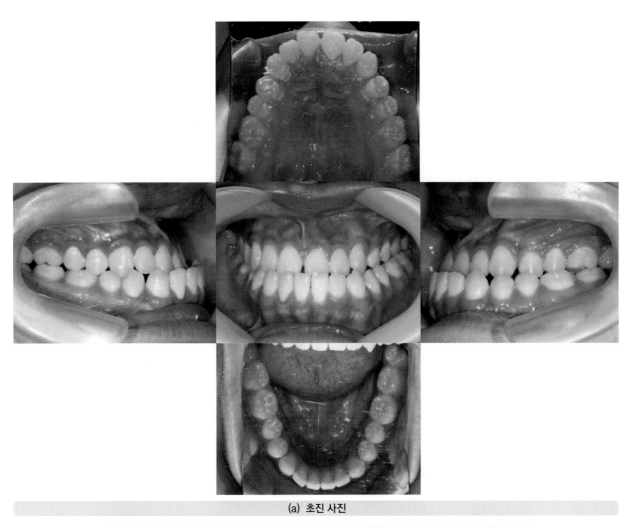

(a) 초진 사진

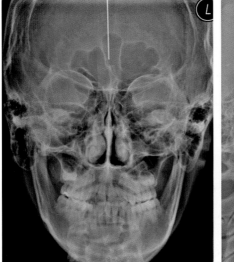 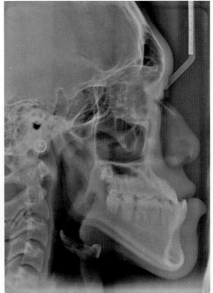

(b) 초진 x-ray

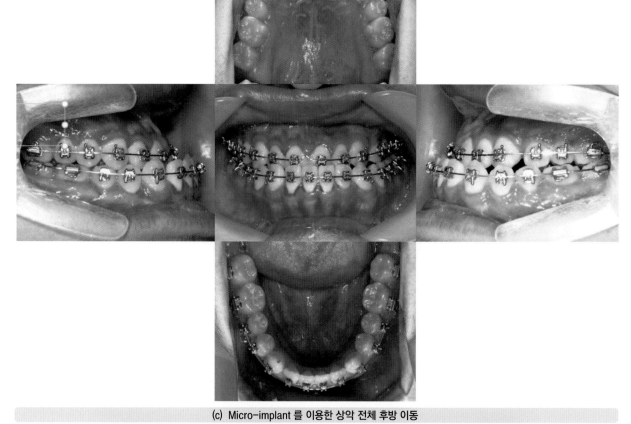

(c) Micro-implant 를 이용한 상악 전체 후방 이동

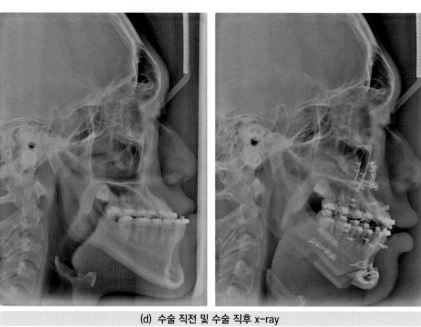

(d) 수술 직전 및 수술 직후 x-ray

그림 6-13. 상악 전치부 치축을 jaw rotation으로 개선한 증례

② 하악 비발치

악골의 부조화에 따른 하악 전치의 보상성 경사로 인해 하악궁에서는 일반적으로 총생이 발생한다. 술전 교정 단계에서 하악에서는 비발치 확장배열을 통해 탈보상을 도모한다. 설측으로 경사된 하악 전치는 가능한 순측 경사시켜야 수술에 의한 이동량이 충분하게 된다. 순측 경사를 시키는 방법은 reverse NiTi wire, one-piece intrusion arch, II급 고무줄(그림 6-14), micro-implant를 동반한 open coil spring(그림 6-15), lip bumper, Forsus 장치 등이 있다.

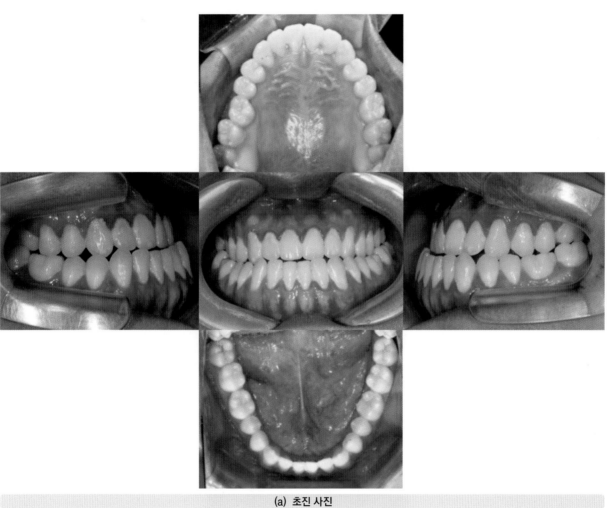

(a) 초진 사진

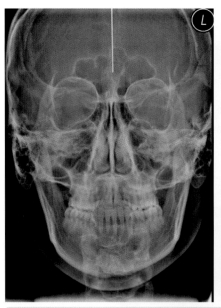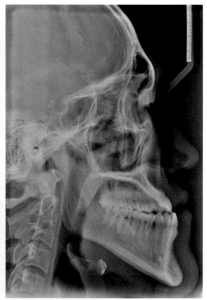

(b) 초진 x-ray

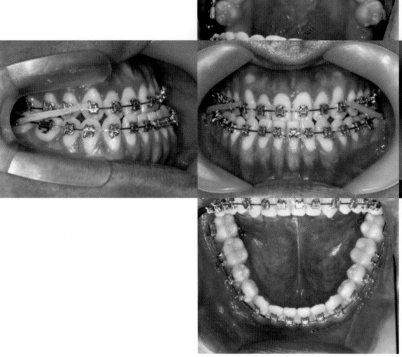

(c) II급 고무줄을 이용한 술전 교정 중

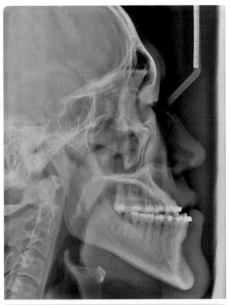

(d) 술전 교정 후 x-ray

그림 6-14. II급 고무줄을 이용한 하악 전치 치축개선

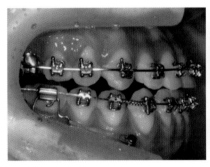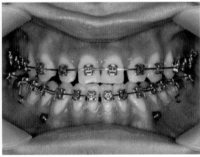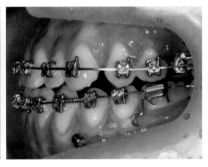

그림 6-15. 하악 전치 순측 경사를 위한 micro-implant를 동반한 open coil spring

일반적이지는 않지만, 하악궁이 폭이 넓고, 전반적인 치간 공극이 존재하는 경우도 있다. 이 경우에는 크게 2가지 치료 옵션으로 구치부 전방이동과 제3소구치를 고려할 수 있다.

• 제3소구치

대개 하악 견치와 하악 제1소구치 사이에 open coil spring을 넣어서 부가적인 제3소구치를 위한 공간을 만들게 된다(그림 6-16, 6-17). 이 방법은 전반적인 치간 공극이 있거나 설측 경사된 하악 전치부 탈보상에 유리하지만, 부가적인 보철비용이 발생하게 되고 상하악 교합을 맞추기가 쉽지 않다는 단점이 있다.

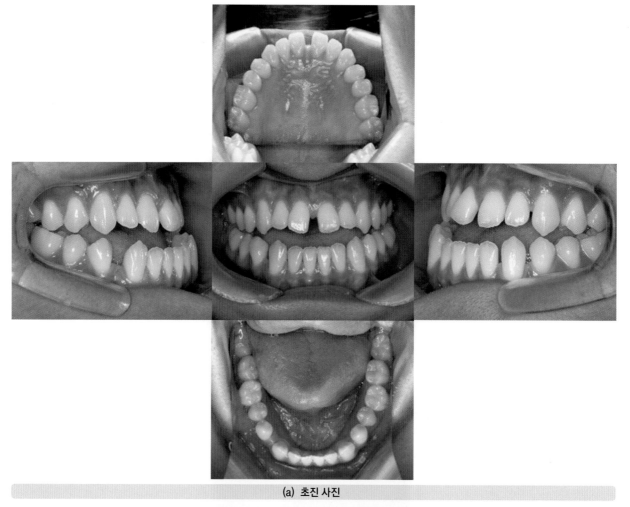

(a) 초진 사진

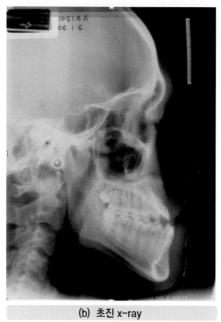

(b) 초진 x-ray

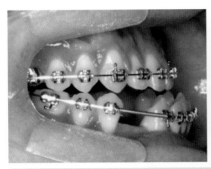
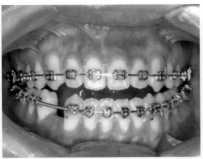
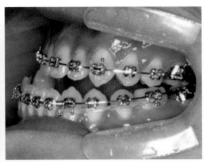

(c) 술전 교정 후

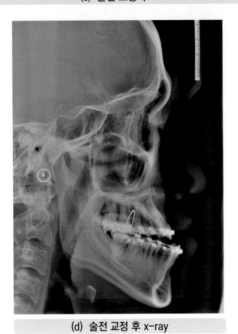

(d) 술전 교정 후 x-ray

그림 6-16. 전반적인 치간 공극을 보이는 하악 치열에서 제3소구치를 위한 공간 확보를 통한 탈보상 I

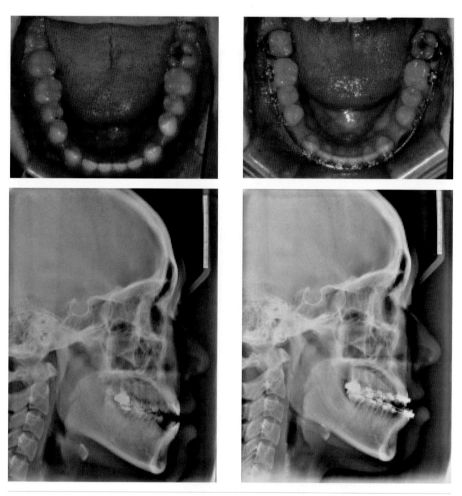

그림 6-17. 전반적인 치간 공극을 보이는 하악 치열에서 제3소구치를 위한 공간 확보를 통한 탈보상 II

③ 하악 발치

하악 전돌을 보이는 환자의 술전 교정에서 하악 발치는 흔한 일은 아니다.

그러나 하악 전치가 이미 과도하게 순측 경사되어 있거나 총생이 심한 경우, 기저골에 대해 하악 전치 각도의 정상화를 위해 하악 소구치 또는 하악 전치 발치를 고려할 수 있다(그림 6-18). 과도하게 순측 경사된 상태로 수술을 진행한다면, 턱끝이 과도하게 후퇴되어 advancing genioplasty를 피할 수 없게 될 것이다.

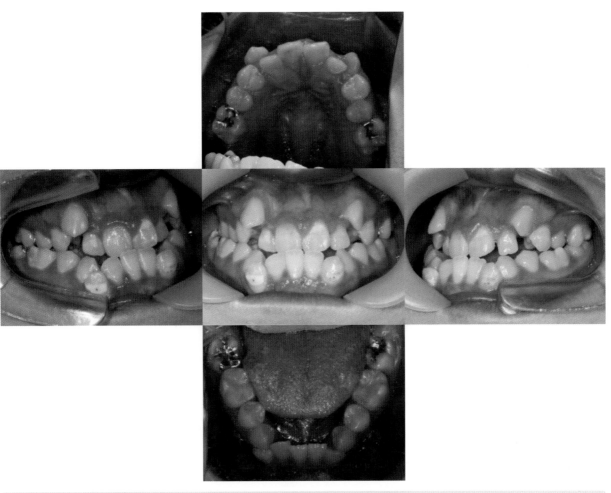

(a) 초진 사진

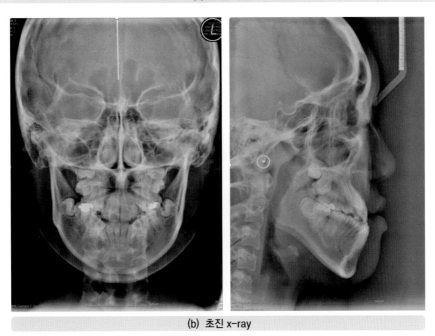

(b) 초진 x-ray

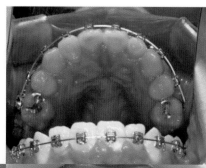
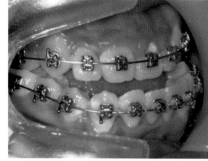
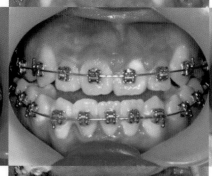
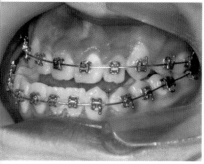
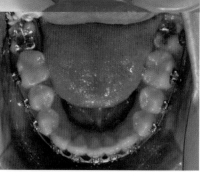

(c) 하악 비발치 배열 후 사진

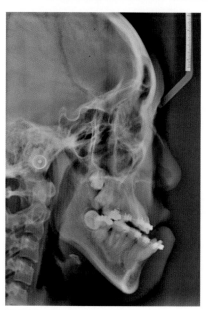

(d) 하악 비발치 배열 후 x-ray

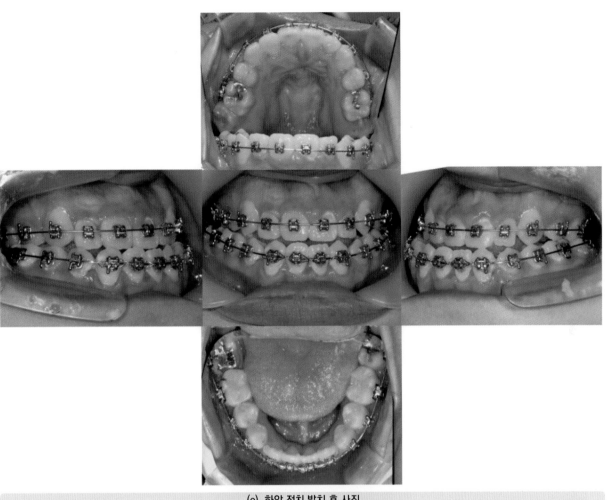

(e) 하악 전치 발치 후 사진

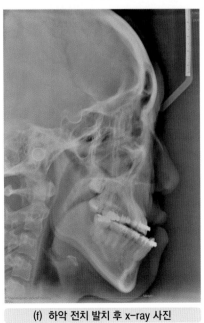

(f) 하악 전치 발치 후 x-ray 사진

그림 6-18. 하악 전치 발치를 통한 하악 전치 각도 개선

4) 탈보상(수직적)

수술교정에서도 일반교정과 마찬가지로 배열을 통한 악궁의 평탄화를 목표로 한다. 그래야만 수술교합 설정시 상하악 교합평면이 평행하여 안정적인 수술교합을 형성할 수 있다. 특히, 골격성 III급 환자에서 상악 제2대구치는 정출 및 협측 경사가 자주 발생한다. 이 경우, 상악 제2대구치의 정출량, 제3대구치의 존재 유무 및 치관형태 등을 고려하여 정출된 상악 제2대구치를 압하할 것인지 또는 발치할 것인지를 결정해야 한다(그림 6-19, 6-20). 상악 제2대구치의 발치는 선수술을 고려 시 다른 조건은 양호하나 상악 제2대구치만 정출되어 수술교합 형성의 어려움이 있을때 시행되는 경우가 있다.

하악에서는 전치부가 정출되어 스피만곡이 깊은 경우가 있는데, 이 경우 안모의 타입에 따라 정도의 차이는 있지만 대개 소구치의 정출을 통해 배열이 이루어지게 된다. 장안모의 경우에는 하악 전치를 압하하기도 한다(그림 6-21).

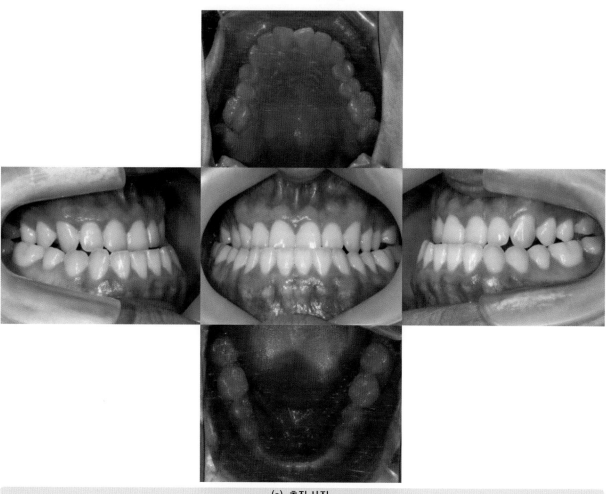

(a) 초진 사진

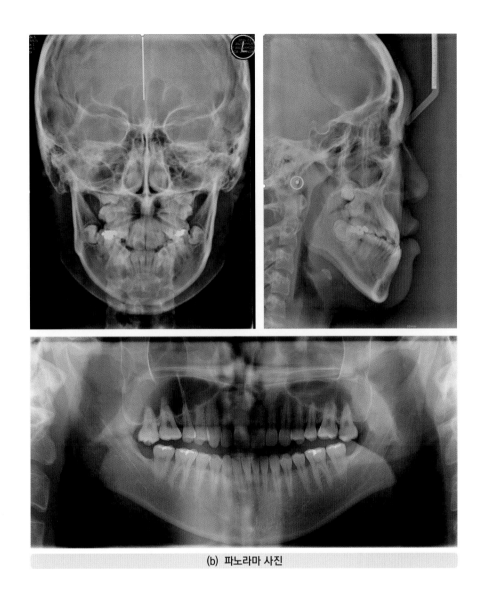

(b) 파노라마 사진

악교정 수술의
이론과 실제

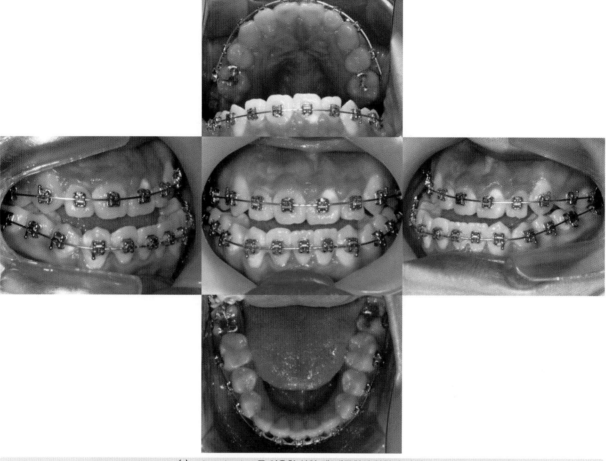

(c) micro-implant를 이용한 상악 제2대구치의 압하시 사진

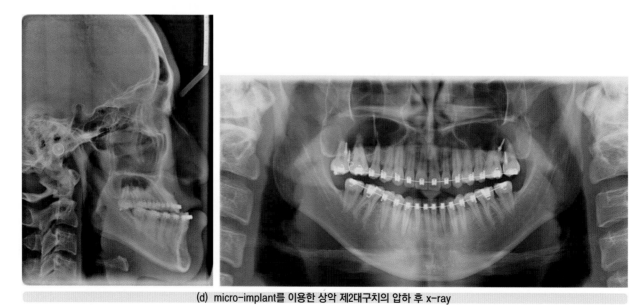

(d) micro-implant를 이용한 상악 제2대구치의 압하 후 x-ray

그림 6-19. micro-implant를 통해 정출된 상악 제2대구치의 압하를 통한 탈보상

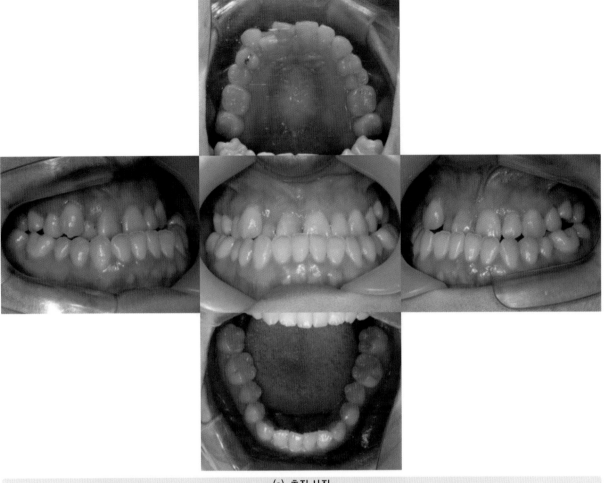

(a) 초진 사진

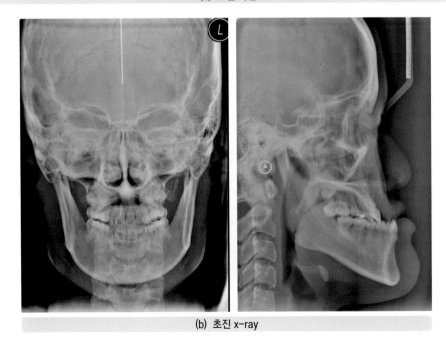

(b) 초진 x-ray

135

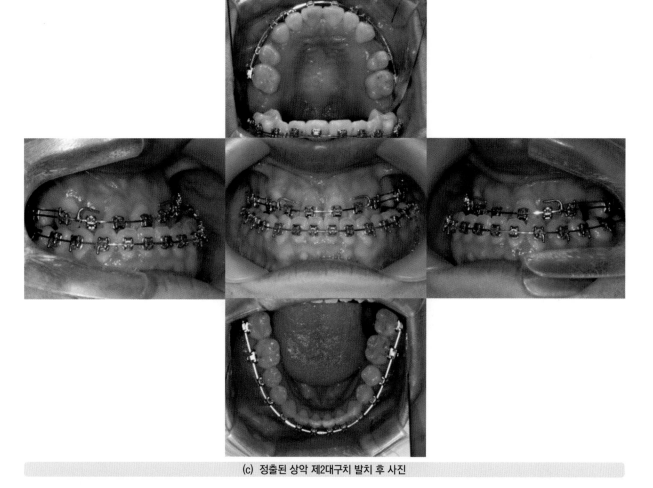

(c) 정출된 상악 제2대구치 발치 후 사진

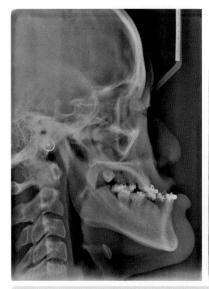
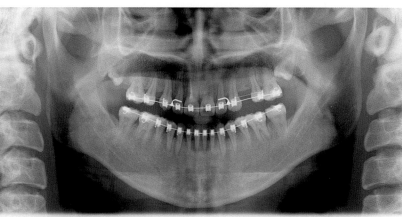

(d) 정출된 상악 제2대구치 발치 후 x-ray

그림 6-20. 정출된 상악 제2대구치의 발치를 통한 탈보상

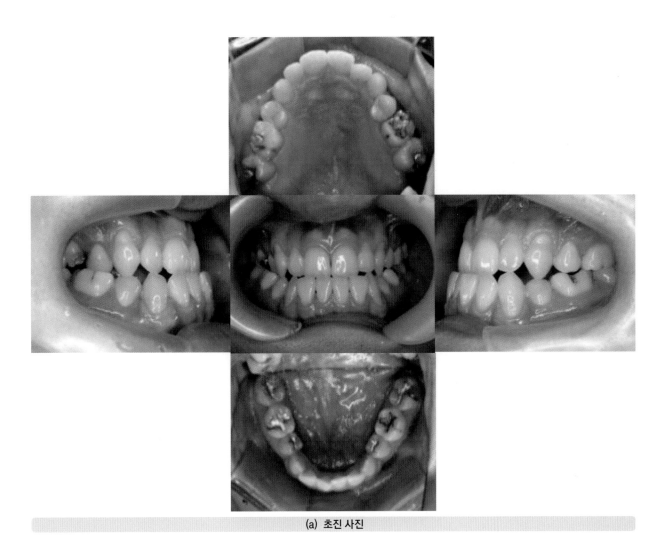

(a) 초진 사진

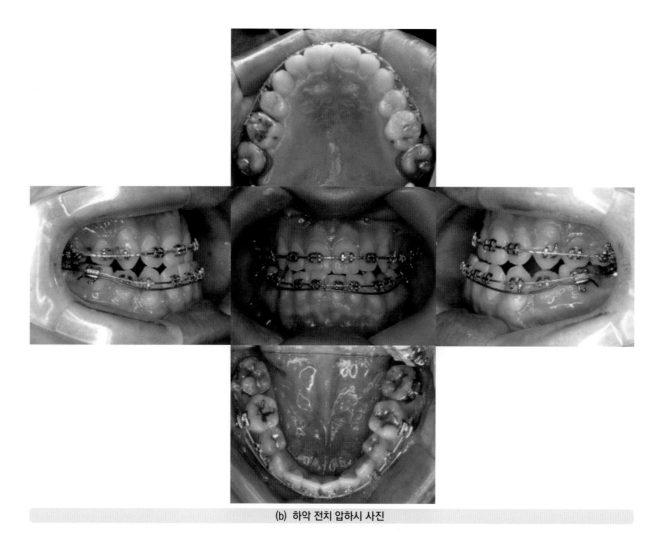

(b) 하악 전치 압하시 사진

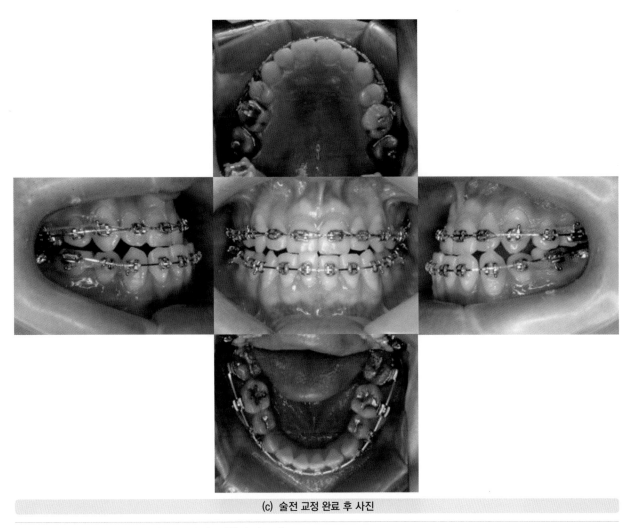

(c) 술전 교정 완료 후 사진

그림 6-21. **하악 전치 압하를 통한 수직적 탈보상한 술전 교정**

5) 교합평면

악교정 수술을 통해 기능교합과 심미적으로 좋은 안모를 얻기 위해서는 정상적인 상하악 전치의 치축과 함께 적절한 상악 교합평면의 경사가 필수적이다(그림 6-22). 정상적인 상악 교합평면의 경사는 FH plane에 대해 13°이다(그림 6-23). 기저골에 대하여 상악 치열을 정상적인 위치에 있도록 하는 것은 상악 교합평면의 전후방적, 수직적 위치뿐만 아니라 기울기도 포함한다. 술전 교정에서는 상하악 개개의 치열에 대해서 상하악 치아가 각각의 치열에 대한 올바른 위치에 있도록 하는 것이 우선되어야 한다. 즉 상악 치아는 상악에 대하여 정상적인 위치에 있도록 하고, 하악 치아는 하악에 대하여 정상적인 위치에 있도록 하여야 한다(그림 6-24).

(1) 교합평면에 대한 상악 전치 각도: 55~60°

(2) 교합평면에 대한 하악 전치 각도: 66~70°

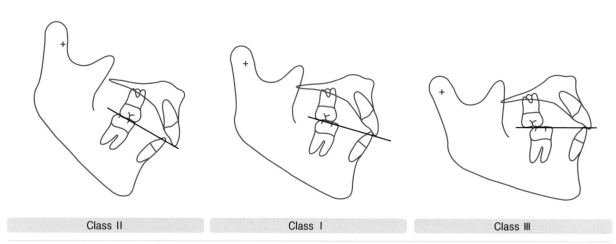

| Class II | Class I | Class III |

그림 6-22. **Class별 전형적인 교합평면 경사**

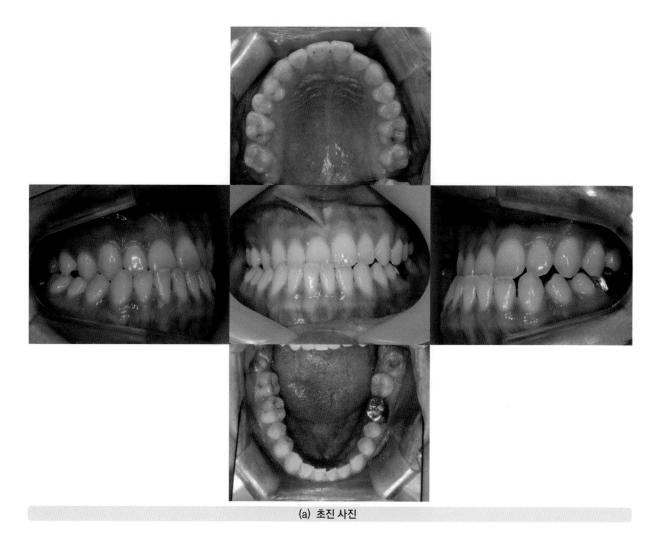

(a) 초진 사진

140

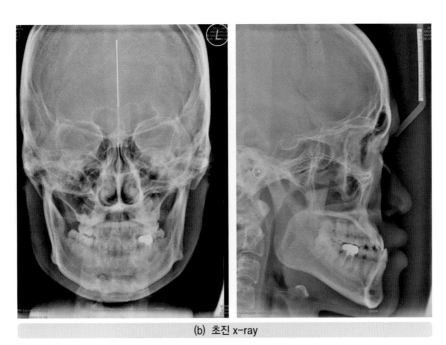

(b) 초진 x-ray

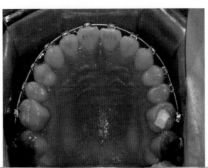

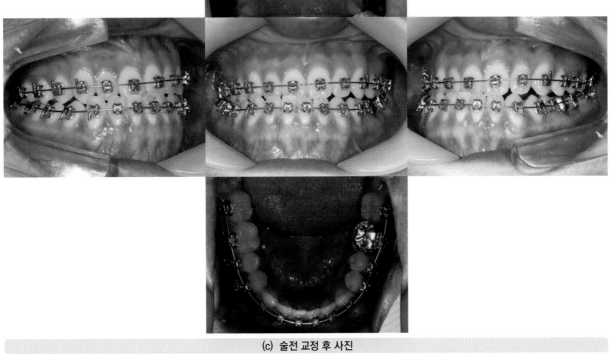

(c) 술전 교정 후 사진

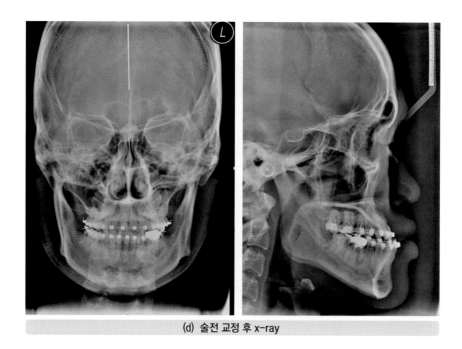

(d) 술전 교정 후 x-ray

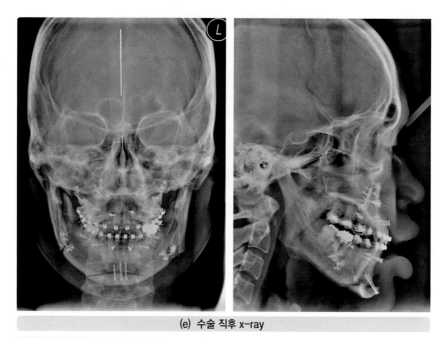

(e) 수술 직후 x-ray

그림 6-23. Flat한 교합평면을 정상 범주로 수술한 증례

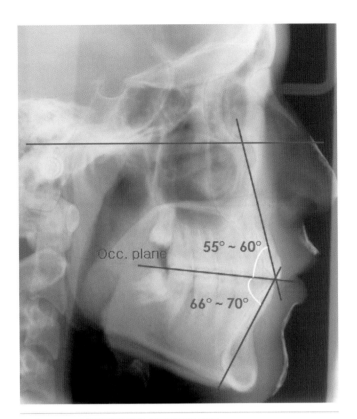

그림 6-24. **교합평면에 대한 상하악전치 각도**

수술 교합

PART VII

수술 교합

1. 수술 교합의 형성과 수술 의뢰 시기

수술 교합 형성을 위한 치아의 움직임은 치료 전 설정한 계획(VTO, STO, model set-up)에 따라 철저히 움직여져야 하며, 통상의 교정치료와는 치아의 움직임이 반대로 진행될 수 있다. 수술 전 교정치료 시, 치아 이동의 목적은 골격 부조화를 보상하기 위하여 나타난 상하악 치아 보상(compensation)을 각각의 골격 구조 안에서 정상적인 위치와 각도로 개선(dental decompensation)시켜, 수술 시 충분한 골격적인 개선을 얻을 수 있도록 하는데 있다. 따라서, 수술 직전의 환자는 상악과 하악이 수술 후 최대한 효율적이고 안정적일 수 있는 조건을 갖추고 있어야 한다. 그러므로 교정의사는 예상되는 수술시기 2~3개월 정도 전에, 과두의 위치, 상하악궁의 조화(arch coordination)/상하악 치아의 교합, 술후 골편 안정을 위한 교정장치 등과 같은 수술 전 평가를 시행하여 만족할 만한 조건을 갖출 경우에 수술일을 결정하고, 수술준비를 진행하여야 한다.

1) 과두의 위치

악교정 수술 중 하악골 수술은 하악 우각부(BSSRO 경우) 혹은 하악골 상행지(IVRO 경우) 부위를 절단하여 하악 골체부를 계획상에 정해진 위치로 재위치를 시키는 술식이다. 이때 하악 과두가 악관절 내부에서 올바른 위치에 놓여 있는 것이 향후 치료의 결과에 큰 영향을 끼친다. 따라서 하악 과두의 위치는 재현 가능한 위치로 안정되어야 하며, 수술 교합 형성시 굉장히 중요한 요소이므로, 반드시 평가되어야 한다. 특히 골격적 하악골 후퇴 혹은 개방교합을 보이는 환자의 경우, 무의식적으로 하악을 내미는 습관이 존재하며, 이런 경우 과두의 위치를 안정화시키지 않고 수술 계획을 수립할 경우, 하악골의 수술량을 잘못 설정할 수도 있으므로 유의해야 한다. 또한 하악 과두가 장기간 과두와 내에서 부적절한 위치에 놓였을 경우, 주변 조직들이 이에 적응되게 되므로, 악교정 수술 이후에도 주변 조직들에 의해 과두 위치의 회귀현상을 보일 수 있다. 이는 수술 후 개선 불가능한 재발로 이어져 교정의사와 구강악안면외과 의사를 어려움에 처하게 할 수 있으므로 수술 전 반드시 평가되어 개선하여야 한다.

진단 검사 시에 이런 경향이 예상되는 환자의 경우 하악골 repositioning splint 등을 사용해볼 수 있다. 악교정 수술 직전 임상 검사 시에, 하악을 내미는 등의 안정화되지 못한 모습이 관찰될 경우, 진료실에서 간단히 cotton roll을 상하악 치아 사이에 10분 정도 물려 교합을 이개시킨 후, 하악골을 중심위로 유도하여 평가해볼 수 있다(그림 7-1). 이는 하악 과두 주변 인대의 고유 감각 수용기의 위치 기억을 해제시켜, 무의식적인 하악골의 잘못된 위치로의 운동을 차단시키는 원리이며, 이후 올바른 위치에서 방사선 검사, 악간 관계 채득 등을 통한 하악골의 위치를 기록하는 과정이 필요하다.

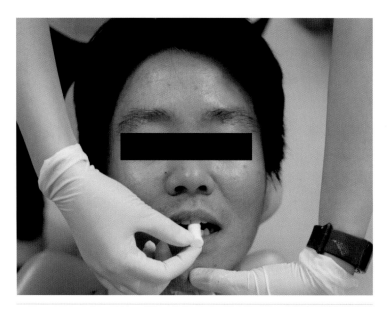

그림 7-1. cotton roll을 이용한 중심위 유도

2) 상하악궁의 조화(Arch coordination)/상하악 치아의 교합 평가

상하악궁의 조화와 치아의 교합 평가를 위해서는 임상 모형 채득과 방사선 사진이 필요하다. 이는 수술 후의 교합을 예측하여 평가하여야 하므로 진료실에서 단순히 구내만을 검진하여 판단할 수는 없다. 악교정 수술 이후 교합상(surgical splint)을 제거하였을 때, 교합간섭이 과도하게 되면, 상하악 치아들이 서로 간섭을 일으켜 골편에 측방압을 가하거나 하악 과두의 변위를 야기할 수 있으므로 반드시 평가되어야 한다(그림 7-2).

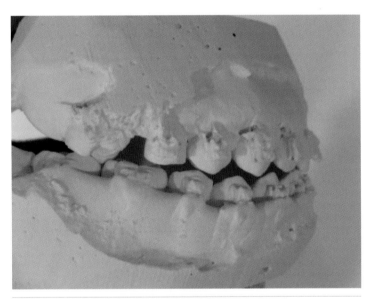

그림 7-2. 치료 중간 과정에서 채득한 모형으로 교합 형성 평가
#17 구개측 교두의 정출로 설정 교합이 안정적이지 못 하다. #17 구개측 교두의 압하가 필요하다.

• **상하악궁의 조화**

수술 이후, 교합의 안정성을 얻기 위해서는 상하악궁간의 조화를 이루는 것이 무엇보다 중요하다. 특히 악골의 폭경(transverse width)의 차이에 기인한 부조화는 수술 전에 반드시 평가되어야 한다. 이는 구강내에서 임상적으로 확인할 수도 있으나, 정확한 평가를 위해서는 모형을 이용하는 것을 추천한다. 초진 시 수립된 치료 계획에 따른 구치 관계로 모형을 위치시켰을 때 교합관계를 관찰할 수 있다. Ⅲ급 부정교합자에서 상악 소구치를 발치했다면 Ⅱ급 구치 관계로(그림 7-3), Ⅱ급 부정교합자에서 하악 소구치를 발치했다면 Ⅲ급 구치 관계로 교합을 설정하여 폭경을 관찰한다(그림 7-4).

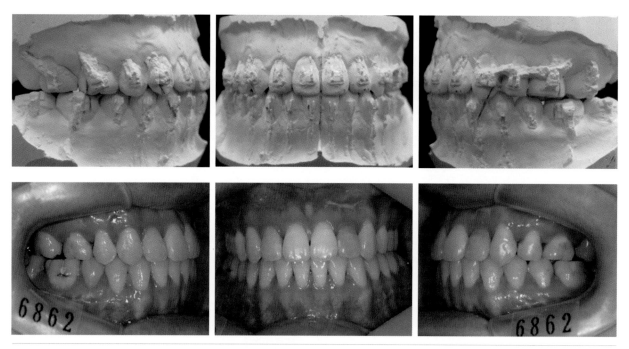

그림 7-3. III급 부정교합자에서 상악 소구치를 발치시 II급 구치 관계

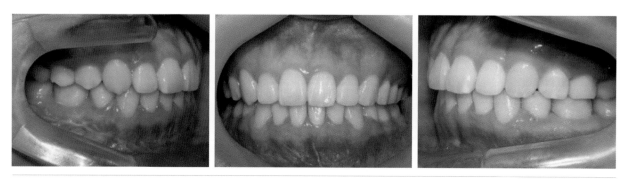

그림 7-4. II급 부정교합자에서 하악 소구치를 발치시 III급 구치 관계

골격 부조화에 대한 보상으로 치아의 치축 경사에 따른 미약한 폭경 이것이 부조화가 나타날 경우, 치아의 탈보상으로 이를 개선할 수 있다. 그러나 치아의 탈보상만으로 개선될 수 없는 경우, 부조화의 정도, 연령, 향후 치료 계획 등에 따라 추가적인 치료 계획이 수립되어야 한다.

일반적으로 5 mm 이하의 폭경 부조화는 급속구개확장(rapid palatal expansion)을 시행해볼 수 있다고 하나, 이때는 치아의 협측 이동으로 인한 협측 치은 퇴축이 나타날 수 있으므로 이에 대한 사전 평가가 필요하다(그림 7-5). 이를 방지하며 골격적인 확장 효과를 최대한 얻기 위해, 최근에는 골성 고정원을 이용한 급속구개확장 방법이 시행되고 있다(그림 7-6). 5 mm 이상의 폭경 부조화를 보이거나 이미 치은 퇴축이 과도하게 진행된 경우 등은 수술적인 방법을 동원해야 한다. 이러한 방법으로는 악교정 수술 시 동시에 상악골을 분절시키고 확장시켜 위치시키는 segmental osteotomy(그림 7-7)과 미리 1단계 수술을 별도로 진행하여 폭경을 확장시키는 SARPE (surgically assisted rapid palatal expansion)가 있다(그림 7-8). 골편의 안정성, 확장의 유지 등을 고려하였을 때는 별도로 수술을 진행하는 SARPE가 추천되나 추가적인 수술이 요구되는 만큼, 확장의 정도, 비용에 대한 환자의 경제적 상황 등을 고려하여 알맞은 방법을 선택해야 한다.

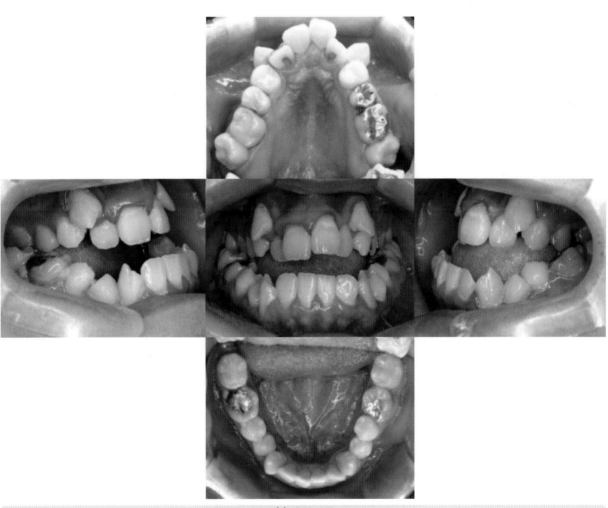

(a) 초진 사진

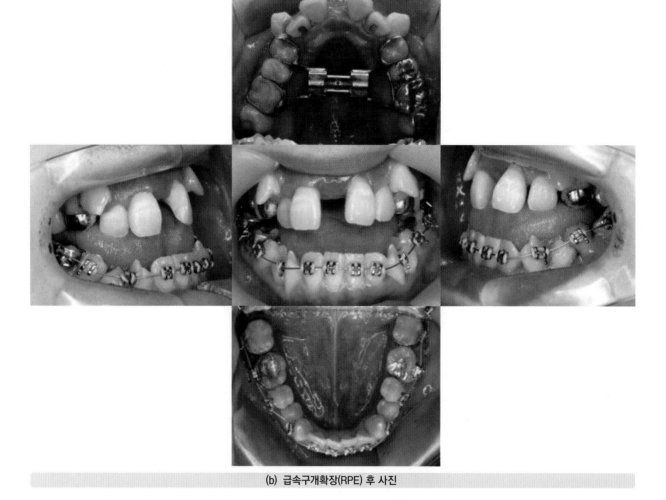

(b) 급속구개확장(RPE) 후 사진

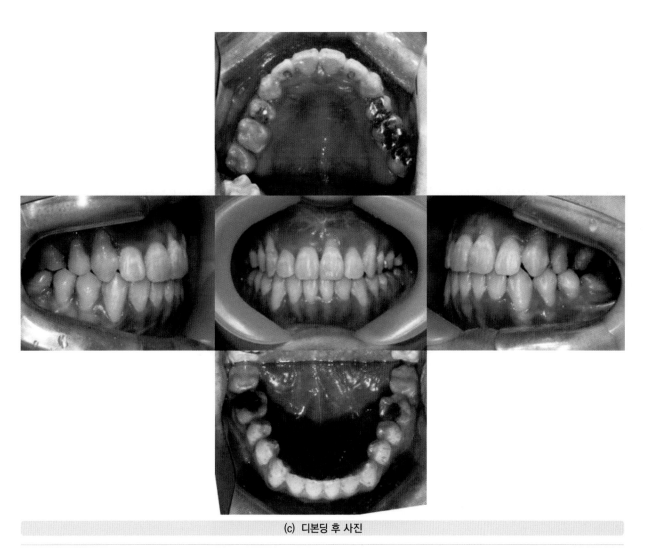

(c) 디본딩 후 사진

그림 7-5. **급속구개확장(RPE) 후 발생한 협측 치은 퇴축**

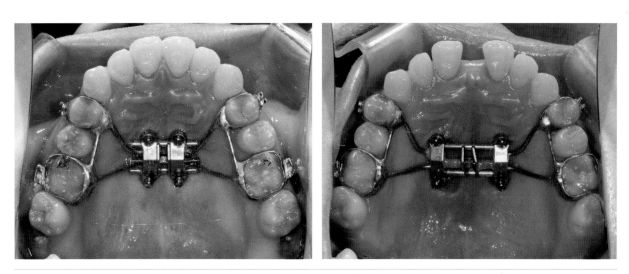

그림 7-6. **성인에서 골성 고정원을 보강한 급속구개확장을 시행**

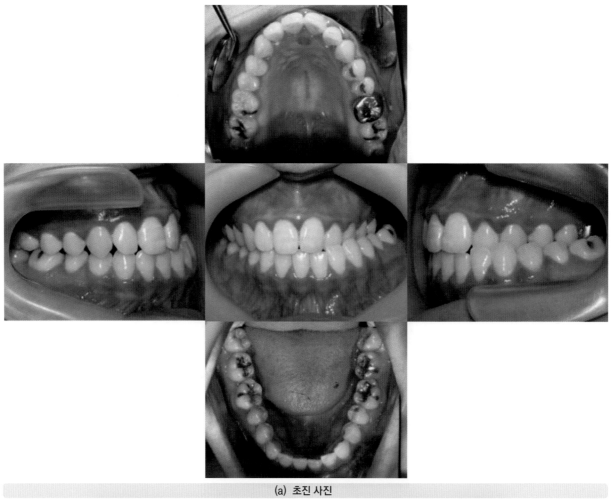

(a) 초진 사진

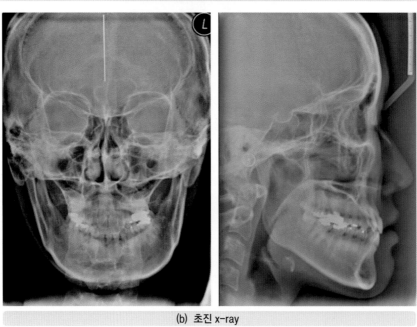

(b) 초진 x-ray

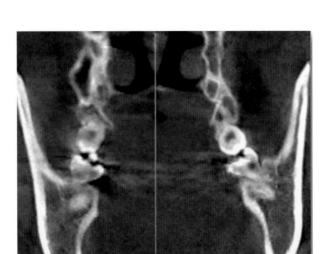

(c) 폭경 부조화를 보여주는 제1대구치의 단면 CBCT cut

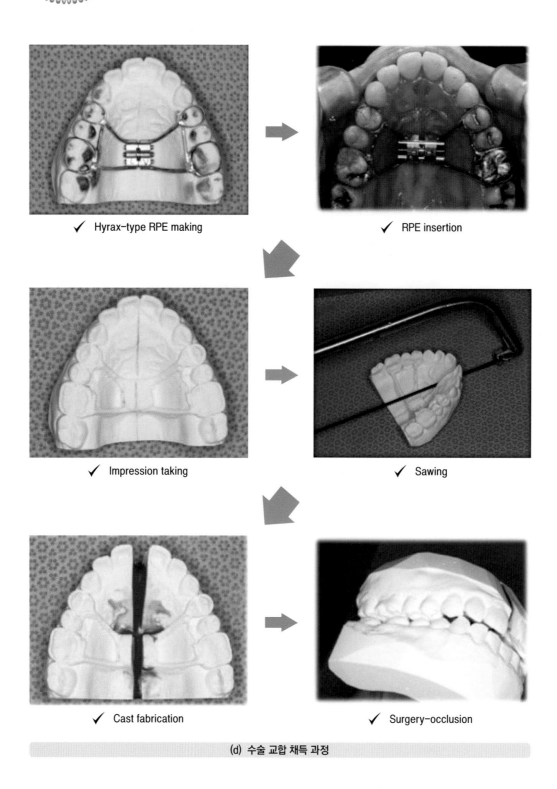

✓ Hyrax-type RPE making

✓ RPE insertion

✓ Impression taking

✓ Sawing

✓ Cast fabrication

✓ Surgery-occlusion

(d) 수술 교합 채득 과정

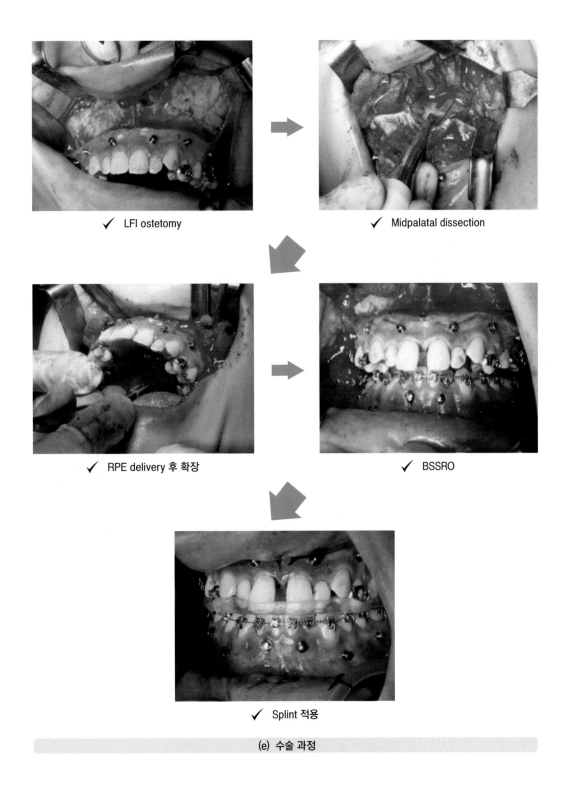

✓ LFI ostetomy

✓ Midpalatal dissection

✓ RPE delivery 후 확장

✓ BSSRO

✓ Splint 적용

(e) 수술 과정

157

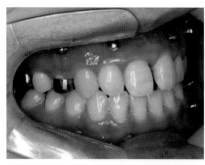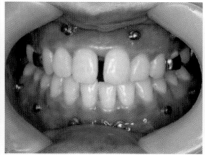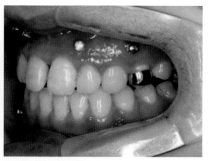

（f）수술 1달 후 사진

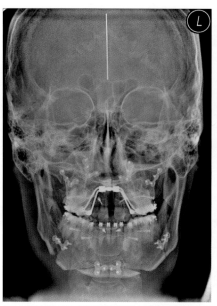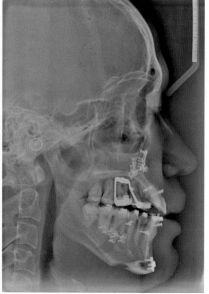

(g) 수술 1달 후 x-ray

그림 7-7. **폭경 부조화를 개선하기 위한 상악 확장을 동반한 segmental osteotomy**

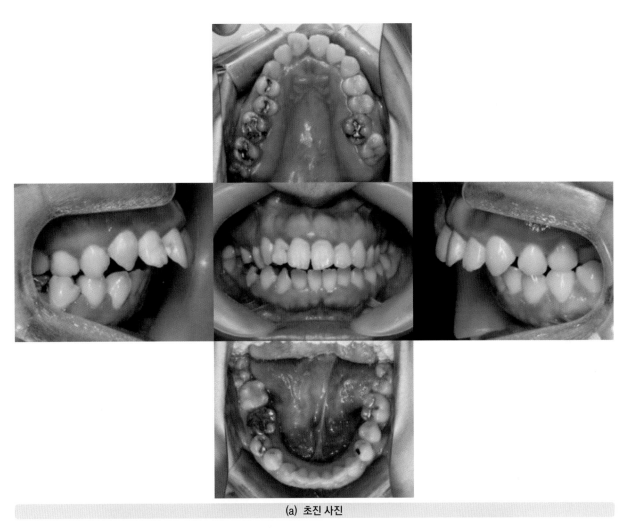

(a) 초진 사진

(b) 초진 x-ray

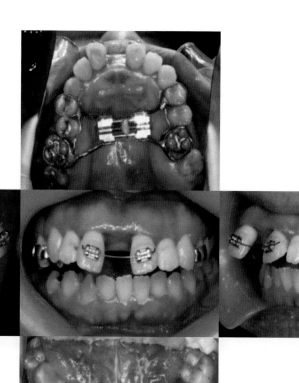

(c) SARPE 후 사진

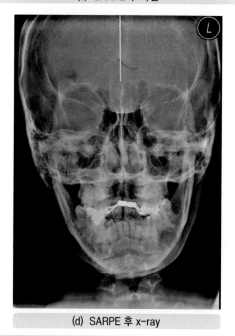

(d) SARPE 후 x-ray

그림 7-8. **폭경 부조화를 개선하기 위한 SARPE**

하악골 폭경이 골격적으로 과도하게 좁은 경우는 흔하지 않으며, Brody Disease, 하악골 symphysis cleft 혹은 어렸을 때의 외상 등으로 인한 경우가 있다. 이러한 경우를 제외하고는 대부분의 경우 치축의 보상성 설측 경사로 폭경이 협착된 상황이 흔하며, 교정치료에 의한 치아 이동으로 개선 가능하다(그림 7-9). 이는 임상 모형, 정모두부규격방사선 사진, 치과용 CT 등에서 확인할 수 있다.

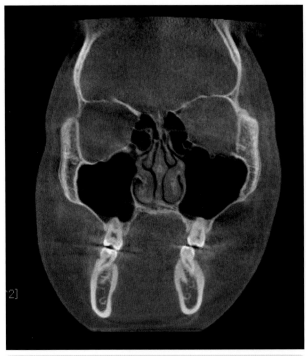

(a) 초진 x-ray

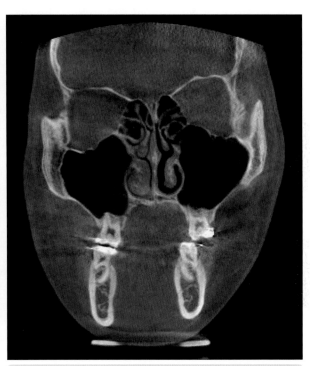

(c) 구치부 치축 개선후 x-ray

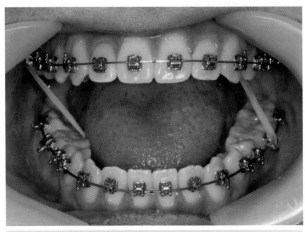

(b) 치축 개선을 위한 악간 교차 고무줄 사용

그림 7-9. 악간 교차 고무줄을 이용한 구치부 치축 개선

• 치아의 교합 평가

치아의 교합 평가 시에 수술 후 골편의 불안정성을 야기할 수 있는 과도한 교합 간섭이 나타나는지를 평가하는 것이 최우선적으로 필요하다. 앞서 설명한대로, 초진 시 수립된 치료 계획에 따른, 구치 관계로 모형을 위치시켰을 때 교합관계를 관찰할 수 있다. III급 부정교합자에서 상악 소구치를 발치했다면 II급 구치 관계로, II급 부정교합자에서 하악 소구치를 발치했다면 III급 구치 관계로 교합을 설정하였을 때 안정적인 3점 접촉이 나타나는 것이 가장 좋다. 이를 위해서는 치아의 총생 개선(특히 상악 전치부), 치축 개선 등의 탈보상 정도와 최후방 대구치의 정출 개선 등을 확인해야 한다.

치아의 총생, 특히 상악 전치부의 총생이 개선되지 않았을 경우에 교합간섭이 발생하여 악교정 수술로 하악골이 적절한 수평/수직피개 관계로 재위치되기가 어렵다. 또한 구치부 총생으로 인한 치열의 불규칙함이 상호감입교합에 영향을 끼쳐 교합간섭이 발생할 수 있으므로 이의 평가가 필요하다(그림 7-10).

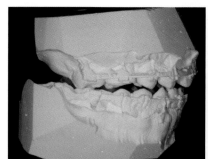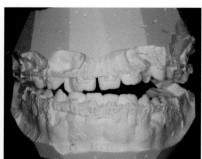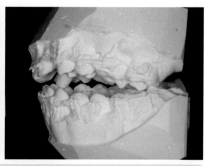

(a) 전치부 총생으로 인한 교합 간섭

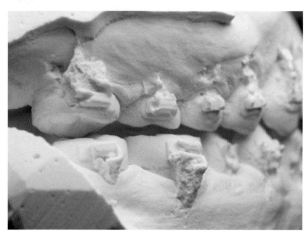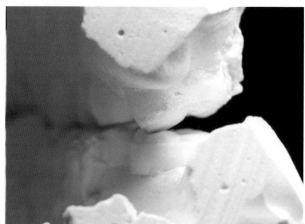

(b) 구치부 정출로 인한 교합 간섭

그림 7-10. **교합 간섭**

치축 개선의 탈보상 정도는 구내외 검사, 임상 모형, 방사선 사진, 치과용 CT 등을 통해 확인할 수 있다(그림 7-11). 이는 단순히 치아의 전후방적인 탈보상을 의미하는 것이 아니며, 탈보상의 목표는 상하악 치아를 각각의 치조골내에 3차원적인 대칭성을 확보하여 가지런히 배열하는 것이므로 3차원적인 평가가 필요하다. 치료 계획상에 설정된 목표, 치료 방법에 따라 치아 보상 혹은 탈보상이 달라질 수 있으므로 개개인에 맞는 목표 설정이 필요하다. 안면비대칭 환자에서 상악골의 경사를 악교정 수술(2-jaw surgery)을 통해서 개선시킬 경우, 수술 전 상하악 구치부의 정출된 부위의 압하, 상악 전치부 치축 개선 등은 요구되지 않는 경우도 있다. 그러나 편측 수술(1-jaw surgery)가 계획된 경우, 상악골의 경사는 수술 전 골성 고정원 등을 이용하여 정출된 부위를 충분히 압하시키고, 전치부 치축 개선과 치열 정중선을 맞추는 등의 작업이 반드시 선행되어야 한다(그림 7-12). 이처럼 치료 계획에 따라 각기 다양한 치아 보상/탈보상이 요구된다.

전치부의 부족한 탈보상은 충분한 전후방적 골격 개선을 이루기가 어렵기 때문에 치료 효과를 반감시키게 된다. 안면 비대칭 환자에서는 구치부의 탈보상 역시 중요하며, 전치부와 마찬가지로 탈보상이 계획대로 진행되지 않을 경우 골격 개선이 계획대로 시행되지 않기 때문에, 보상성 치아의 쓰러짐이 술후 교합 간섭을 유발할 수 있다.

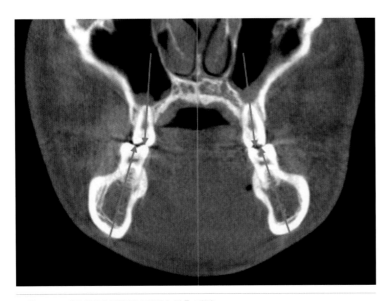

그림 7-11. **CBCT를 이용한 구치부 치축 평가**

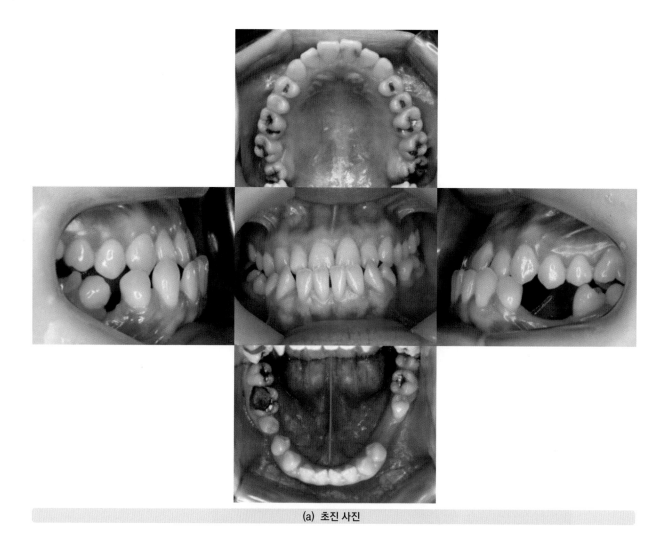

(a) 초진 사진

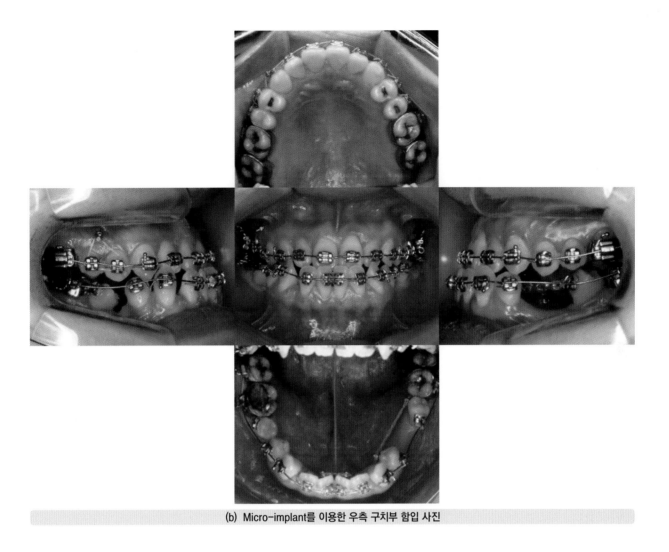

(b) Micro-implant를 이용한 우측 구치부 함입 사진

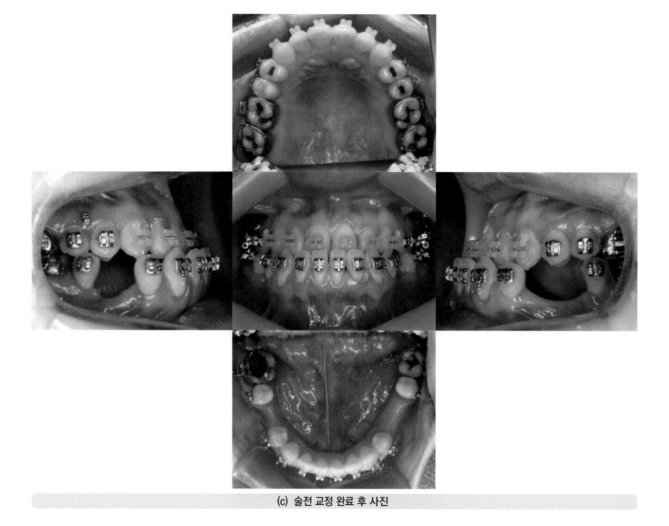

(c) 술전 교정 완료 후 사진

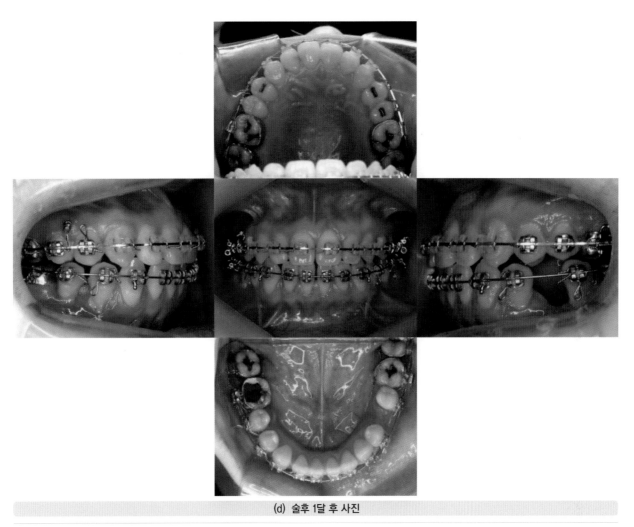

(d) 술후 1달 후 사진

그림 7-12. **상악골의 canting을 micro-implant이용하여 개선후 하악만 수술**

악교정 수술 전에 탈보상이 계획대로 진행되는 것이 가장 추천되나, 환자의 상황상 조기 수술이 필요한 경우에는(선수술, 최소 술전 교정 등) 부족한 탈보상을 악교정 수술 이후에 진행할 것인지, 진행한다면 이 과정에서 탈보상시 치아 이동 방향(압하, 정출, 수술용 splint의 디자인과 술후 조정 등)은 어떻게 할 것인지에 대한 STO, model set-up 등의 과정이 다시 필요하게 되고, 이를 수술의사와 반드시 상의해야 한다. 하악 전돌 환자에서 하순의 과도한 힘으로 인하여 때때로 수술 전 하악 전치부를 충분히 순측 경사시키지 못하는 경우가 있다. 이런 경우에는 수술 후, 탈보상을 진행하는 것이 유리하다. 이때에는 교합 설정 시 예상되는 탈보상 만큼의 추가적인 전치부 수평피개를 부여해야 하며 수술 후 수술용 스플린트의 조정을 통해 교합간섭을 차단하면서 원하는 치아 이동을 유도하는 과정이 필요하다(그림 7-13).

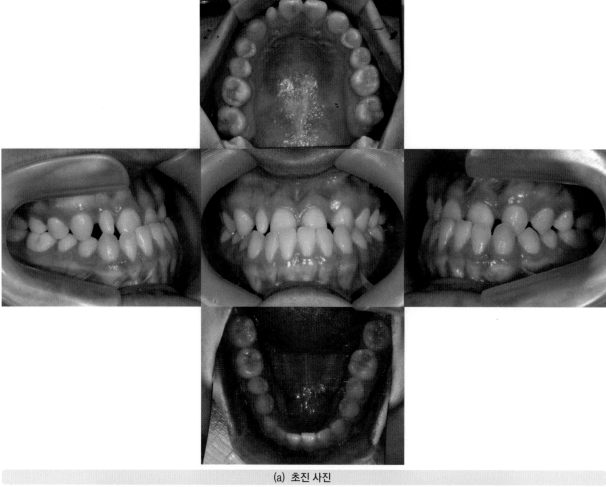

(a) 초진 사진

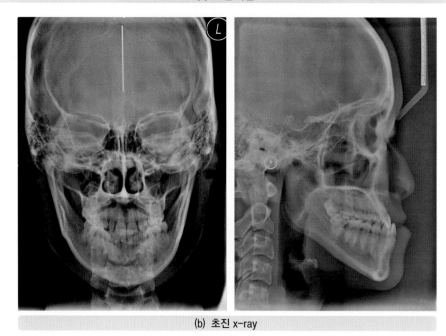

(b) 초진 x-ray

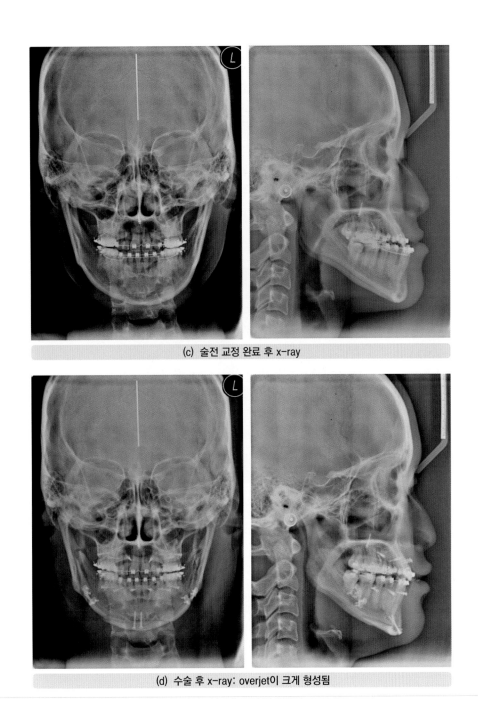

(c) 술전 교정 완료 후 x-ray

(d) 수술 후 x-ray: overjet이 크게 형성됨

그림 7-13. 수술 전 하악 전치부를 충분히 순측 경사 시키지 못한 경우

마지막으로 최후방 대구치의 교합 간섭을 평가하는 것이 필요하다. 골격성 III급 부정교합자에서는 보통 상악 제2대구치가 정출된 경우가 흔하며, 치아 전체가 정출되지 않더라도 구개측 교두가 정출되어 술후 교합시 간섭을 일으키는 경우가 많다(그림 7-14). 정출된 상악 제2대구치는 구개바(trans-palatal arch), 골성 고정원 혹은 치축 개선 등을 통해서 압하시키는 과정이 필요하다. 구개측 교두가 정출된 경우, 대부분의 경우에는 정출된 교두의 압하 혹은 교합조정이 요구되나, 간혹 치열의 전체적인 배열 상태, 치축 경사 등에 따라 수술 후 협측 교두의 정출이 필요할 수 있다.

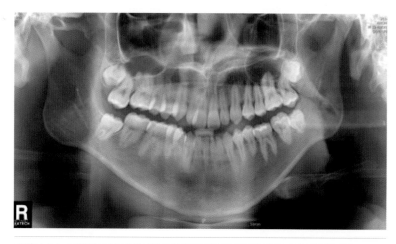

그림 7-14. 골격성 III급 부정교합자에서 과도하게 정출된 상악 좌우 제2대구치

3) 술후 골편 안정을 위한 교정장치 평가

수술 이후 골편들을 안정적으로 고정시키기 위해서 악교정 수술 전 교정용 호선은 견고해야 하며, 최소 6주 이전에 교체되는 것이 추천된다. 호선이 견고하지 못하면 치아들이 원치 않는 곳으로 이동할 수 있으며, 악간고정시 변형의 위험성이 높아져 수술 결과가 예측하지 못한 방향으로 나타날 수 있다. 그러므로 대부분의 경우, 수술 전 상하악궁에 가장 견고한 스테인레이스 스틸 호선('022 slot의 경우 019×025 size)에 수술 시 악간고정과 이후 물리치료에 이용할 수 있는 고리(hook)를 부착한 수술용 호선(surgical arch wire)을 삽입한다(그림 7-15). 부득이한 경우를 제외하고, 호선상에 부착한 고리가 아닌 브라켓의 고리(hook)를 이용하는 것은 추천되지 않는다. 이는 파절의 위험성이 있으며, 브라켓이 탈락할 경우 술자가 원하는 악간고정을 얻지 못할 수 있기 때문이다.

그러나 최근에는 빠른 안모 개선을 위해 선수술 혹은 최소술전교정수술 등이 시행되면서 충분히 견고한 호선이 삽입되지 못하는 경우도 있다. 이때에는 수술의사와 상의하여, 골성 고정원(microimplant)을 식립하여 고리(hook)를 대체하여 악간고정과 술후 물리치료에 사용할 수 있다(그림 7-16). 또한 이때, 호선을 제거하고 수술을 시행할 것인지, 그렇지 않다면 수동적인 호선(passive wire)을 삽입할 것인지 혹은 능동적인 호선을 삽입 후 수술 직후부터 수술용 스플린트의 조정을 통해서 치아의 이동을 유도할 것인지에 대해 결정하는 과정이 필요하다.

간혹 호선을 삽입하지 않고 수술을 시행할 경우, 수술 중 기구 등에 의해 장치(Bracket, lingual button 등)가 탈락할 수 있으므로 결찰용 호선(ligature wire) 등으로 서로 묶어주거나, 불필요한 경우 미리 제거하는 것이 추천된다.

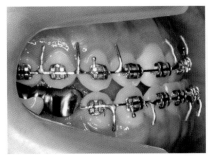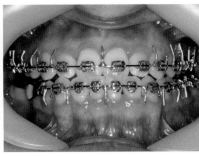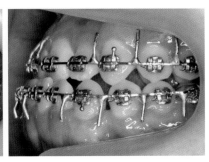

그림 7-15. **수술용 호선. 019x025 스테인레스 스틸 상에 고리(hook)이 삽입된 상태**

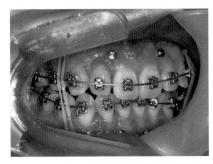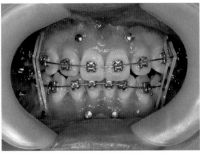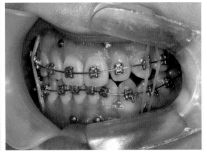

그림 7-16. **수술용 호선 없이 상하악 치조골에 식립된 골성 고정원을 이용하여 악간고정 시행**

이러한 각각의 상황과 치료 계획에 맞는 최소한의 조건들이 갖춰졌다면, 교정의는 악교정 수술 의뢰를 시행하고 수술 전 준비를 해야 한다.

② 수술 의뢰를 위한 자료채득 및 준비

초진 시 치료 계획대로 술전 고정이 진행되었다고 하더라도, 크게 다르지는 않겠지만, 이전과 변동사항이 있을 수 있으며, 이때에는 직접적인 수술방법과 수술의 양 등을 결정해야 하므로 중요한 과정이다.

수술 전 필요한 자료는 다음과 같다. 다음과 같은 자료는 수술 전 1개월 이내, 2주 전 채득하는 것을 추천한다(그림 7-17).

1) 방사선 사진(그림 7-17)

(1) Panoramic radiograph

(2) Lateral cephalogram

① 자연스러운 머리 자세(Natural head posture)

② 입술의 긴장도가 없는 상태(Lip closure incompetency가 있다면 벌린 상태)

③ 치아는 교합 상태

④ 하악이 중심위로 위치(Dual bite 경향이 있다면 추가 채득)

(3) Posterior-Anterior cephalogram

(4) 필요한 경우 CBCT (심한 안면비대칭 등의 경우 추천)

2) 구외 안모 임상 사진

(1) 정모

① 자연스러운 머리 자세(Natural head posture)

② 입술의 긴장도가 없는 상태

③ 입술을 다문 상태

④ 상악 교합 평면 좌우로 Bite stick을 손가락으로 접촉시킨 상태

(2) 45도 측모

① 자연스러운 머리 자세(Natural head posture)

② 입술의 긴장도가 없는 상태

③ 입술을 다문 상태

(3) 90도 측모

    ① 자연스러운 머리 자세(Natural head posture)

    ② 입술의 긴장도가 없는 상태

    ③ 입술을 다문 상태

(4) 미소시

    ① 정모, 45도 측모, 90도 측모

3) 구내 임상 사진(그림 7-17)

(1) 정면, 좌측 측면, 우측 측면, 상악 교합면, 하악 교합면

(2) 필요시 정면 교합 이개 상태

4) 석고 모형(그림 7-17)

(1) 2-jaw surgery시 최소 2쌍, 1-jaw surgery시 최소 1쌍

(2) 교합인기(wax bite)

5) 교합기 탑재를 위한 facebow transfer: 2-jaw surgery시 반드시 필요함(그림 7-18)

6) 3D CAD/CAM surgery를 위한 자료 준비: Intraoral 3D scanning, bite registration, CBCT추가(그림 7-19)

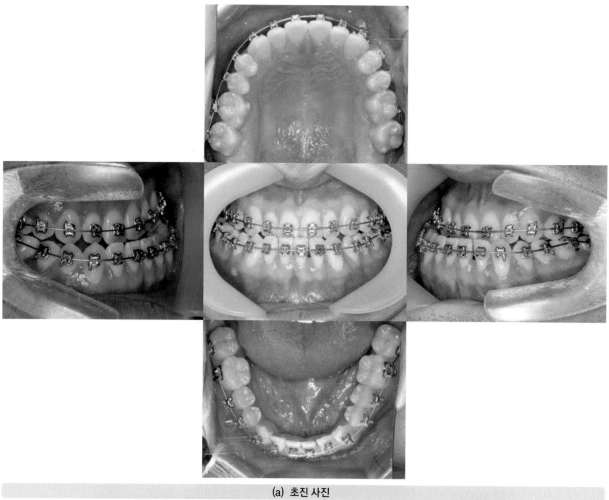

(a) 초진 사진

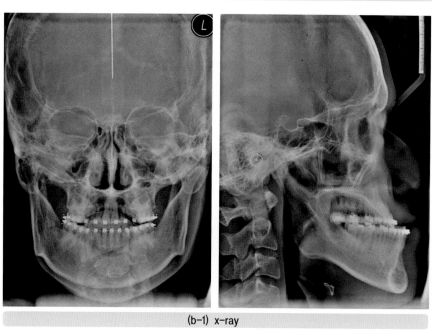

(b-1) x-ray

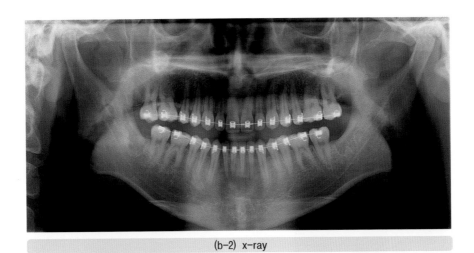

(b-2) x-ray

(c) 석고 모형

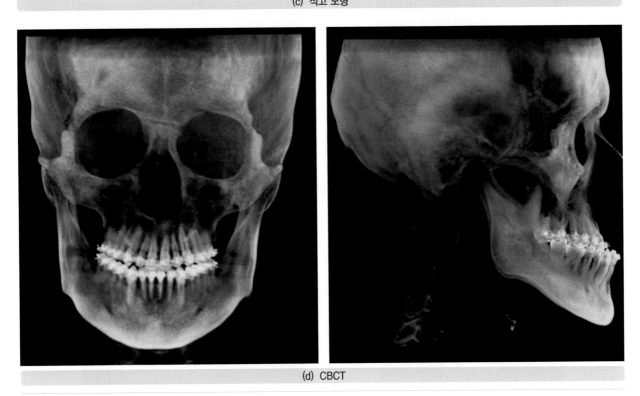

(d) CBCT

그림 7-17. 수술을 위한 자료 채득

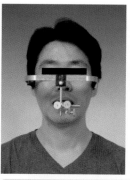
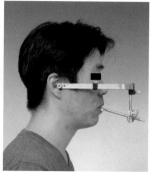
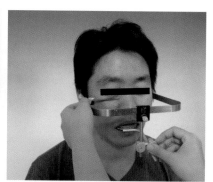

(a) Facebow registration

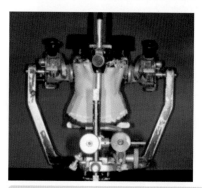
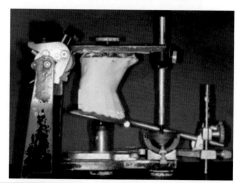

(b) Facebow transfer를 통한 상악위치 설정

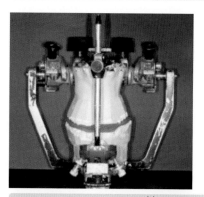
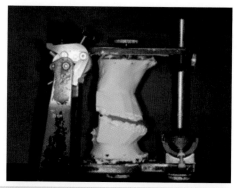

(c) Bite를 이용하여 상악에 대한 하악 위치의 설정

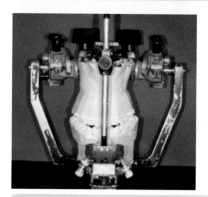

(d) 술전 교합 마운팅

그림 7-18. Facebow transfer

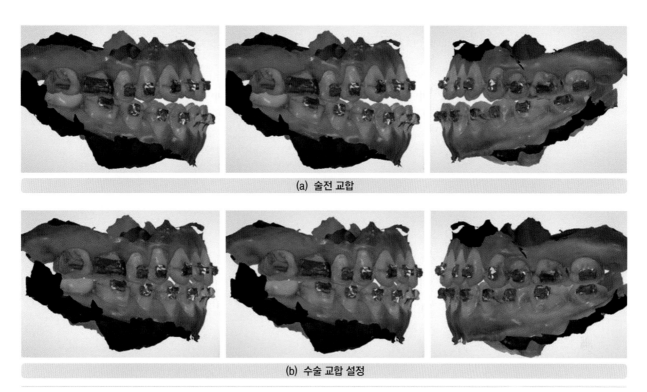

(a) 술전 교합

(b) 수술 교합 설정

그림 7-19. Intraoral 3D scanning을 이용한 수술 교합 설정

이 중 측모 두부방사선 사진은 하악이 안정위로 유도된 상태에서, 입술의 긴장도가 없이 촬영하는 것이 중요하다. 특히 골격적 II급 부정교합자, 개방교합자 등은 습관적으로 하악을 내미는 경향이 있으므로 잘못 채득된 방사선 사진은 수술방법과 수술의 양 설정시 돌이킬 수 없는 오류를 범할 수 있어 유의해야 한다.

안면비대칭의 정도가 심하여 통상적인 방사선 사진으로 평가하기 힘든 경우, 상악의 3차원적 비대칭(yawing, canting 등), 하악 과두, 하악지, 골체 등의 평가가 필요하거나 치축의 탈보상 정도 등의 확인이 필요할 경우에는 CBCT를 촬영하는 것을 추천한다.

구외 임상 사진은 자연스러운 머리 자세(Natural head position)에서 촬영하는 것이 중요하며, 자연스러운 미소를 관찰하는 것이 중요하다. 이는 상악골의 수직적 노출 정도(Gummy smile 등), 미소선(Smile arc), 협측 공간 음영 등을 평가하는데 효과적이다. 안면비대칭이 심한 경우, 하악골을 인위적으로 재위치시킨 사진을 추가로 촬영하여 이때의 입술선, 하악면 윤곽, 정중선 등을 평가하는 것이 필요하다.

위에서 언급하지 않았으나, 추가적인 기능상태(자연스레 말할 때, 웃을 때 등)를 평가하는 것 역시 정적인 임상 사진과 방사선 사진으로는 평가할 수 없는 주변 연조직 활성도, 긴장도 등을 알 수 있으므로 중요하다.

이상과 같은 자료를 토대로 초진시와 마찬가지로 정확한 수술 계획을 수립하고, 이에 따라 교합기에 탑재된 모형으로 제작한 수술용 스플린트는 최소 수술 2일 전에는 구강내에서 시적 해보아야 하며 장치 등에 의해 걸리는 부분이 있다면 조정하는 과정이 필요하다.

PART

VIII

수술 전후 환자관리 및 술후 교정

수술 전후 환자관리 및 술후 교정

1 수술 전 상담

1) 첫 번째 상담

악교정 수술을 필요로 하는 환자가 처음 치과에 내원하는 경우, 구강악안면외과 의사와 교정과 의사와의 원활한 의사소통과 협진이 필수적이다. 정확한 진단과 협진을 통해, 악교정 수술과 교정치료를 포함하는 광범위한 치료 계획을 세우는 것뿐 아니라, 치료 중에도 지속적인 의사소통을 통해 환자의 상태를 파악하고, 계획된 목표에 도달하도록 하는 것이 매우 중요하기 때문이다.

첫 번째 내원 시, 환자는 구강악안면외과 의사와 교정과 의사를 모두 만나 자신의 현재 상태와 원하는 치료 목표에 대해 명확히 이야기해야 한다. 구강악안면외과 의사와 교정과 의사는 환자와의 상담을 통해 환자의 현재 상태와 환자가 치료를 통해 원하는 바를 명확히 파악하는 것이 중요하다. 구강악안면외과 의사와 교정과 의사는 의사소통을 통해 악교정 수술이 필요한 경우인지를 파악하고, 필요하다고 생각되는 경우, 진단 및 분석을 통해 악교정 수술과 교정치료를 포함하는 광범위한 치료 계획을 세우도록 한다.

2) 두 번째 상담

악교정 수술과 교정치료를 포함하는 광범위한 치료 계획이 세워지면, 환자는 구강악안면외과 의사와 교정과 의사와의 상담을 통해 치료계획에 대한 전반적인 설명을 듣게 된다. 이때, 의사는 치료목표와 계획에 대해 환자가 이해하기 쉬운 단어로 상세히 설명해야 한다. 환자는 이 상담을 통해, 구체적인 치료목표 및 계획, 대략적인 치료 기간 및 치료 비용에 대해서도 듣게 된다.

3) 세 번째 상담(술전 상담)

술전 교정을 통해 계획되었던 술전 교정의 목표가 달성되면, 교정과 의사는 구강악안면외과 의사에게 환자를 의뢰하게 되고, 이때 환자는 구강악안면외과 의사를 다시 만나게 된다. 술전 상담에서 구강악안면외과 의사는 수술을 위해 술전 교정이 적절히 시행되었는지 여부를 평가한다. 이때, 교정과 의사가 함께 상담에 참여하여 수술에 대해 의논하는 것이 바람직하며, 술전 교정 평가 및 술후 교합을 미리 예상해 보기 위해, 교정과에서 채득한 환자의 석고 모형이 도움이 될 수 있다. 환자의 현재 상태를 정확히 파악하고, 처음 계획되었던 수술 시행 가능 여부를 평가한다.

술전 교정치료에 의해 치아의 배열 및 교합상태, 경조직 및 연조직의 형태 등에 있어서 교정 치료 전의 상태와 다르므로 처음 계획되었던 치료 목표와 술전 교정 치료 후의 목표가 다소 차이가 있을 수 있다. 따라서 수술 전에 이를 다시 한 번 확인하여 정확히 점검하는 것이 매우 중요하다. 수술 술식을 결정하기 전에 다음의 사항을 고려하여야 한다.

- 술전 교정치료 목표가 처음의 계획대로 잘 진행되었는가?
- 수술 후 교합이 안정적으로 유지될 수 있는가?
- 골절단선에 방해가 되는 치아(주로 제3대구치)가 없는가?
- 치근의 배열상태가 수술 시 또는 수술 후 유지에 영향을 주거나 방해되지 않는가?
- 교정장치의 부착상태가 양호하여 수술 시 탈락하거나 수술 후 치유에 방해가 되지는 않는가?

만일 치료 목표 달성에 방해가 되는 조건이 존재한다면 구강악안면 외과 의사는 교정과 의사와 충분히 상의하여 치료계획을 수정하거나 이를 극복할 수 있는 방안을 모색하여야 한다. 특히, 이 시기에 흔히 수술에 제한을 주는 요소는 수술 직후 교합이 불량한 경우인데, 가상모형 수술 상 수술직후의 교합상태가 불량할 경우에는 이를 보완하기 위해 교정 치료가 조금 더 필요하거나 혹은 초진 시 고려하지 않았던 수술을 추가하여 해결할 수 있는지 결정하여야 한다. 수술 방법이 처음 계획과 달라질 수 있으므로 최종 수술 계획 전에 최초 설정되었던 계획을 참고하여 치료 목표에 대한 세밀한 재점검을 하여야 한다.

수술을 시행하기로 결정하였다면, 술전 상담에서 수술날짜를 정하고, 환자와 보호자에게 수술 목표, 기본적인 수술과 마취방법, 수술과정, 입원기간, 회복시간, 수술 후 부작용과 후유증, 술 후 주의사항, 수술비용 등에 대해 대략적으로 설명한다(그림 8-1, 8-2, 8-3). 술전 상담에서 환자는 전문적인 의학 용어나 수술방법에 대해 단시간에 이해하기 어려운 점이 있을 수 있다. 따라서 악교정 수술 안내책자나 브로셔 등을 제공하여, 환자가 자신이 받게 되는 수술에 대해 충분히 이해할 수 있도록 도와주는 것이 좋은 방법이 될 수 있다. 또한 구강악안면외과 의사는 환자와의 충분한 대화를 통해, 수술과 입원에 대한 궁금증을 해결해 주고, 수술에 대해 막연한 두려움이나 공포감을 가지는 환자들을 안심시켜야 한다. 최종 수술계획이 정해지면, 환자와 보호자에게 수술방법을 포함한 위의 사항을 다시 한 번 자세하게 설명한다.

부산대학교 치과병원

등록번호:
환자성명:
주민번호:
진료과목:

+0002847848733+

악교정 수술동의서 1

내원일: (예약) 2018-09-17 오전 10:02

상병영 : Asymmetries of jaw

수술 및 시술명 :

1. 환자의 현재 상태

- 기왕력　　○ 유　　　○ 무
- 당뇨병　　○ 유　　　○ 무
- 호흡기질　○ 유　　　○ 무
- 신장질환　○ 유　　　○ 무
- 약물 중독　○ 유　　　○ 무

- 알레르기　○ 유　　　○ 무
- 저/고혈압　○ 유　　　○ 무
- 심장질환　○ 유　　　○ 무
- 출혈소인　○ 유　　　○ 무

- 기타

2. 시술 · 수술의 필요성 및 목적

악교정수술은 교접치료만으로는 만족할 만한 교합이나 안모 개선을 얻을 수 없는 골격성 부정교합을 악골 자체의 공간적 변화를 통해 조화로운 악골 관계를 얻어 치아 교합 및 구강악골기능계의 기능, 안모의 심미성을 개선해 주는 수술입니다.

구강악안면의 형태를 악골의 전후방거리 수직거리, 횡거리 및 대칭성에 있어서의 비정상적인 3차원적 성장 및 발육의 측면으로 분류하면 하악골 과성장, 하악골 열성장, 상악골 과성장, 상악골 열성장, 개교합, 횡적비대, 비대칭 등으로 분류할 수 있습니다. 대부분의 경우 2개 이상이 복합적으로 나타나므로 임상적인 표현 양상이 매우 다양합니다. 따라서 수술은 환자가 보유한 유형에 준하여 비정상적인 형태를 정상적인 형태로 환원시켜 주는 방향이 되므로, 어느 한 가지 술식이 선택되기보다는 복합적인 3차원의 기하학적 측면에서 구강악골계의 균형을 재창조하기 위한 수술이 진행됩니다. 즉, 상악골 및 하악골을 전후방, 수직방향 및 횡적방향의 3차원적 방향으로 이동시켜 주는 수술을 하게 됩니다.

3. 수술방법 및 과정

전신마취 → 안면부 및 구강내 소독 → 국소마취 → 잇몸 절개 → 골삭제 및 술전 계획에 따른 골이동 → 골절편 고정(혹은 비고정) → 피주머니 장착 → 수술부위 봉합 → 유지장치 장착 및 악간고정 → 회복실

4. 수술 전/후 주의사항 및 후유증(부작용)

1) 입안 접근 – 입 주위 상처 가능

　인접조직손상 : 혀, 입술 및 혈점막 열상, 치조골 및 치아 등의 파절
2) 고정 – 금속판 또는 금속 나사

　→ 6개월 – 1년 뒤 제거수술(수면진정마취)

　→ 5~7일간 입 묶음(악간고정)

　* 고정하지 않는 경우 –〉입 3~4주간 묶음

　(턱관절 위치 변화 / 턱관절 골절 / 하치조신경 노출시)
3) 신경손상 : 직접손상/간접손상(열, 진동, 압력, 신경주변염증 : 일정기간 후 서서히 회복)

　→ 감각이상(아랫입술, 턱) : 수 주에서 3~6개월 지속, 1~2년 또는 그 이상 영구적 손상가능

　　　　　　　　　　입술 움직임, 맛 느낌, 말하는 능력과는 관계없음
4) 코 퍼짐
5) 출혈, 부종, 동통, 감염

　– 출혈(코, 입) 2~3일간 지속 → 피 빠지는 주머니를 입에 달고 나오며, 2일 뒤 피주머니 제거 및 장치 이용하여 입을 묶음

　– 부종 2~3일간 지속 → 기도 막힘 가능성 → 숨 쉴 수 있는 튜브(NTT) 코에 넣고 나옴

　　: 입으로 숨쉬지 못하며, 코로는 숨 100% 쉴 수 있음 → 코로 천천히 숨쉬기

　　: 수술 당일 또는 다음날 빼줌(침삼킴 및 식사 불가)

부산대학교 치과병원

+0002847848731+

등록번호 :

환자성명 :

주민번호 :

진료과목 :

악교정 수술동의서 2

내원일 : (예약) 2018-09-17 오전 10:02

- 3~4일부터 피도 덜 나고 붓기도 감소 → 붓기는 1달 정도 지나면 빠지고, 멍이 듬
- 동통, 감염 → 약 잘 맞고, 가글로 잘 헹구기, 감염 시 재수술 가능성
- 상악동 염증, 수술 후 상악동낭 발생 가능성, 임플란트 주위 염증
- 소변줄 달고 나올 수 있음.

6) 기도협착, 기도폐쇄, 사망

7) 수술 후 보호자 → 얼음 찜질, 피 잘 닦아주기

                        → 코에 튜브 막히는 소리 날 때 간호사실에 말하기

                        → 가습기 분무되는 방향을 환자 바로 앞에 최대로 향하도록

8) 재발 가능성 → 수술 후 마무리 교정 필요

9) 구강내 보철물 또는 장치 손상 가능성

10) 기타

5. 수술을 하지 않을 경우 예상되는 결과

- 악교정 수술의 이점 : 교정치료와 정형치료 한계 극복, 3차원적 심미의 극적인 개선, 악구강계 기능 개선, 예후에 도움, 치료목표 달성을 위한 전체적인 치료기간 단축
- 악교정 수술을 선택하지 않을 경우, 상기 이점들을 얻을 수 없으며, 치료에 한계가 있음

6. 선택 가능한 대체 방법

악교정 수술을 선택하지 않을 경우, 제한적인 치료범위로, 교정치료와 정형치료로 대체할 수 있습니다.

7. 학술 연구 자료로서의 사용

본 수술 관련 내용은 학술 연구 자료로 이용될 수 있고, 이때 익명성은 확실히 보장합니다.

8. 수술(시술/검사)방법 변경 및 수술범위 추가 가능성

수술(시술/검사) 과정에서 환자의 상태에 따라 부득이하게 수술(시술/검사)방법이 변경되거나 수술 범위가 추가될 수 있습니다.

9. 주치의(집도의)의 변경 가능성

수술(시술/검사) 과정에서 환자의 상태 또는 의료기관의 사정(응급환자의진료, 주치의(집도의)의 질병/출산 등 일신상 사유

기타변경 사유 : (　　　　　　　　　　　　　　　)에 따라 부득이하게 주치의(집도의)가 변경될 수 있습니다.

10. 악안면 교정수술(신장술 포함) 보험급여 인정기

악안면교정수술(신장술 포함)은 외모개선 목적이 아닌 저작 또는 발음 기능 개선 목적으로 시행한 경우에 보험급여하되, 다음 중 하나에 해당되는 경우로 함.

- 다 음 -

가. 선천성 악안면 기형으로 인한 악골발육장애(구순구개열, 반안면왜소증, 피에르 로빈 증후군, 쿠르즌 증후군, 트리쳐 콜린스 증후군 등)

나. 종양 및 외상의 후유증으로 인한 악골발육장애

다. 뇌성마비 등 병적 상태로 인해 초래되는 악골발육장애

라. 악안면교정수술을 위한 교정치료 전 상하악 전후 교합차가 10 mm 이상인 경우

마. 양측으로 1개 치아 씩 또는 편측으로 2개 치아만 교합되는 부정교합

바. 상하악중절치 치간선(dental midline)이 10 mm 이상 어긋난 심한 부정교합

* 이부성형술(턱끝성형술, genioplasty)의 경우 외모개선 목적에 해당하여 보험급여에 해당하지 않음

(고시 제 2007-37 호, '07.5.1 시행)

부산대학교 치과병원

+0002847848732+

등록번호:
환자성명:
주민번호:
진료과목:

악교정 수술동의서 3

내원일: (예약) 2018-09-17 오전 10:02

11. 수술비용

– 급여기준을 충족하지 못하는 경우 : 편악 수술 900~1,100만원, 양악수술 1,500~1,800만원

※ 본인은 악안면교정수술의 보험급여 기준에 대하여 의사로부터 설명을 듣고 본인은 급여기준에

O 해당함   O 해당하지 않음   을 이해하였습니다.

※ 본인은 급여 청구를 했음에도, 기준에서 탈락되어 급여 적용이 안 될 가능성이 있음에 대하여 설명을 들었으며, 급여가 안 될 경우 퇴원 후에도 비용이 추가적으로 청구될 수 있는 점에 대하여 이해하였습니다. 이에 따른 추가비용 발생 시 병원에서 청구하는 금액에 대해 성실히 납부할 것을 약속합니다.

※ 본인은 본인(또는 환자)에 대한 현 상태, 수술의 목적 및 필요성, 장점, 수술의 과정 및 방법, 수술 전/후 주의사항, 수술과정 중 발생할 수 있는 문제점, 수술 후 발생 가능한 합병증 및 후유증, 수술 이외의 가능한 대안, 수술을 하지 않았을 경우 발생 가능한 문제점 등에 대한 설명을 의사로부터 듣고 이해하였습니다.

※ 본 수술로 인해 불가항력적이나 일반적으로 야기될 수도 있는 합병증(또는 후유증)이나 환자의 특이체질로 인한 우발적 사고가 일어날 수도 있다는 것을 충분히 이해하며, 수술에 협력할 것을 서약하고 의학적 처리를 주치의 판단에 위임하여 수술을 하는데 동의합니다.

2018년 10월 09일 22시 53분

* 보호자가 서명하게 된 사유
□ 미성년자로서 약정 내용에 대하여 이해하지 못함
□ 환자의 신체 · 정신적 장애로 인하여 약정 내용에 대하여 이해하지 못함
□ 설명하는 것이 환자의 심신에 중대한 나쁜 영향을 미칠 것이 명백함
□ 환자 본인이 승낙에 관한 권한을 특정인에게 위임함(별도위임장첨부)
□ 기타 : _____

작 성 일 자 : _____

환 자(보호자) : _____ 서명 : _____

관   계 : _____

담 당 의 사 : _____

그림 8-1. 부산대학교 치과병원 구강악안면외과에서 사용되는 악교정 수술동의서

+0002847848633+

부산대학교 치과병원

| 등록번호 : |
| 환자성명 : |
| 주민번호 : |
| 진료과목 : |

마취 동의서 1

내원일 : (예약) 2018–09–17 오전 10:02

상병영 :　Asymmetries of jaw

수술 및 시술명 :

마취방법 :

설명의사 :

▣ 환자의 현재 상태

- 고저혈압　○ 유　　○ 무
- 당뇨병　　○ 유　　○ 무
- 심장질환　○ 유　　○ 무
- 호흡기질　○ 유　　○ 무
- 신장질환　○ 유　　○ 무

- 상해전력　○ 유　　○ 무
- 기도이상　○ 유　　○ 무
- 알레르기　○ 유　　○ 무
- 출혈소인　○ 유　　○ 무
- 기타 :

- 치아불량　○ 유　　○ 무
- 특이체질　○ 유　　○ 무
- 흡연유무　○ 유　　○ 무
- 복용약물　○ 유　　○ 무

▣ 현 환자상태에 적합한 마취방법

☐ 전신마취 : 흡입마취제나 정맥마취제 등의 전신마취제를 이용하여 환자가 완전한 무의식 상태에서 수술을 받게 하는 것으로 이 때 환자는 기억이나 통증이 없다.

☐ MAC (Monitored Anesthesia Care : 감시마취관리) 국소마취하에 수술을 받는 환자에게 진정제와 진통제를 투여하는 것으로 마취과 의사의 감시하에 진행된다.

▣ 발현가능한 합병증, 후유증, 위험 정도 및 대처방법

☐ 치아손상

☐ 고령

☐ 특이체질 및 알레르기

☐ 고저혈압 및 심장질환

　: 뇌혈관장애(뇌졸중, 뇌출혈 등), 동맥벽 박리, 좌심실부전, 폐부종, 부정맥, 심근경색, 심장부전, 사망

☐ 기도 및 폐

　: 후두경련, 기관지 경련, 기관삽관 곤란, 각성시 기관내삽관, 저산소성 다발성 장기손상, 무기폐 폐렴, 기흉, 성인성 호흡부전증 (폐부전), 인공호흡기 사용

☐ 간장질환

　: 급성간염, 간성혼수, 간부전

☐ 심장 및 전해질 이상

　: 폐부종, 부정맥, 심근경색, 심장부전, 사망

☐ 내분비질환

　－ 당뇨병 : 고혈당증, 저혈당증, 케톤성 당뇨산증, 혼수

　－ 갑상선질환 : 갑상선 폭풍위기, 고체온증, 부정맥, 폐수종, 전해질 이상, 심장부전, 사망

☐ 근골격계 질환

　: 근이완제 사용후 회복지연, 인공호흡기 사용

☐ 대량출혈 및 수혈 : 전해질이상, 수혈부적합 반응, 혈액응고장애, 폐부전, 저체온, 저혈량증, 순환부전, 쇼크

부산대학교 치과병원

+0002847848634+

등록번호 :
환자성명 :
주민번호 :
진료과목 :

마취 동의서 2

내원일: (예약) 2018-09-17 오전 10:02

▣ 마취 방법의 변경 가능성

수술 중 발생활 수 있는 어떤 상황에 의해 언제든지 감시마취관리에서 전신마취로 변경될 수 있다.
따라서 전신마취에 대한 설명은 감시마취관리를 시행하는 환자에게도 항상 설명함.

▣ 기타사항

(1) 마취 시 필요한 시술과 관계된 합병증

□ 중심정맥도관삽입 : 혈종, 기흉, 혈흉, 혈종격, 흉관천자, 흉막유출, 혈전증, 색전증, 감염 등
□ 동맥내관삽입 : 혈종, 통증, 동맥손상, 감염, 혈전증, 색전증, 주위조직손상 등

(2) 무통 시술에 관한 동의 및 설명

□ 무통 시술은 비급여(본인부담) 입니다. _____ 서명 :
□ 정맥 무통주사
□ 무통시술 동의에 대한 본인 혹은 보호자 서명 :

▣ 예정된 의료행위 이외의 시행 가능한 대안 및 해당 의료행위가 시행되지 않았을 때의 결과

집도의 판단하에 국소마취하에 수술가능한 경우에는 국소마취를 시행할 수 있다.
그러나 반드시 전신마취 또는 감시마취관리가 필요한 수술의 경우에는 마취를 시행하지 않을 수 없다.

본인은 본인(또는 환자)에 대한 수술시 마취의 필요성, 예상되는 합병증, 후유증(설명된 항목)등에 대하여 설명을 상기 의사로부터 들었으며, 본 마취로 불가항력적으로 야기될 수 있는 합병증 또는 환자의 특이체질로 우발적 사고가 일어날 수도 있다는 것을 사전 설명으로 충분히 이해하며 수술시 마취에 협력할 것을 서약하고 본 동의서 제1조의 환자의 현재 상태에 대해 성실히 고지하며 이에 따른 의학적 처리를 주치의 판단에 위임하여 마취를 하는데 동의합니다.

2018년 10월 09일 22시 53분

* 보호자가 서명하게 된 사유

□ 환자의 신체 · 정신적 장애로 인하여 약정 내용에 대하여 이해하지 못함
□ 미성년자로서 약정 내용에 대하여 이해하지 못함
□ 설명하는 것이 환자의 심신에 중대한 니쁜 영향을 미칠 것이 명백함
□ 환자 본인이 승낙에 관한 권한을 특정인에게 위임함
□ 기타 : _____

작 성 일 자 : _____
환 자(보호자) : _____ 서명 : _____
관 계 : _____
담 당 의 사 : _____

부산대학교치과병원 치과마취과

그림 8-2. **부산대학교 치과병원 구강악안면외과에서 사용되는 마취동의서**

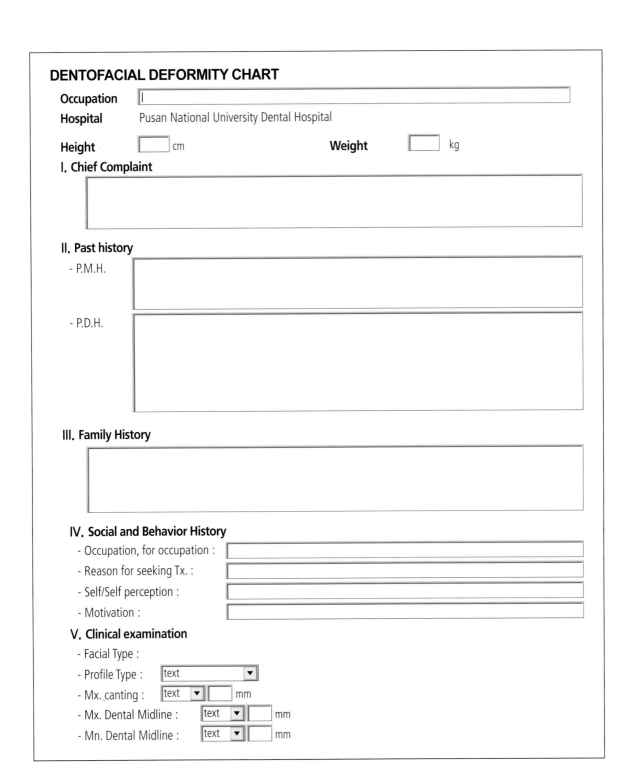

DENTOFACIAL DEFORMITY CHART

Occupation `|`

Hospital Pusan National University Dental Hospital

Height `[    ]` cm   **Weight** `[    ]` kg

I. Chief Complaint

II. Past history

- P.M.H.

- P.D.H.

III. Family History

IV. Social and Behavior History

- Occupation, for occupation :

- Reason for seeking Tx. :

- Self/Self perception :

- Motivation :

V. Clinical examination

- Facial Type :

- Profile Type : `[text      ▼]`

- Mx. canting : `[text ▼] [    ]` mm

- Mx. Dental Midline : `[text ▼] [    ]` mm

- Mn. Dental Midline : `[text ▼] [    ]` mm

안모사진

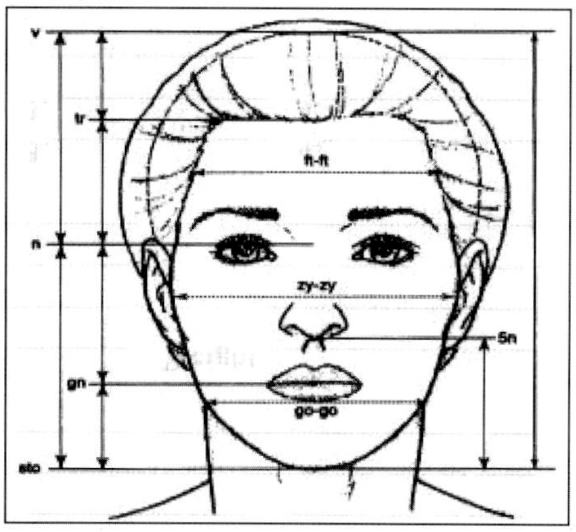

mm

mm

mm

- Lip length : _____ mm
- Lip canting : [text ▼]
- Upper central incisor exposed at rest : _____ mm
- Gummy smile : ○ + ○ - _____ mm
- Mentalis action : ○ + ○ - During _____

- Nasolabial angle : □ Acute □ Right □ Obtuse
- Breathing pattern : □ Nasal □ Mouth □ etc. (_____)

- TMJ : Pain ○ + ○ - on [text ▼]
　　　　Sound ○ + ○ - on [text ▼] _____

VI. Cast Analysis
- Angle's Class [text ▼] malocclusion
- Overjet _____ mm/ Overbite _____ mm

그림 8-3. 부산대학교 치과병원 구강악안면외과에서 사용되는 악교정 임상검사지

< 수술 후 후유증 및 임상적 특징 >

술 후 후유증 또는 임상적으로 나타나는 특징은 수술 종류, 환자의 상태 등에 따라 다양하게 나타난다.

1) 부종(Swelling)

부종(swelling)은 술 후 4~5일에 최대로 나타나고, 술 후 3~4주 후 대부분 사라진다. 환자에 따라 부종이 사라지기까지의 기간이 수개월 걸리기도 한다. 술 후 부종을 방지하기 위해 머리는 30도 정도 기울여 세우도록 한다. 편평하게 누울 경우, 혈액이 머리나 목으로 이동하여 혈압을 높이기 때문에 머리는 세운 위치를 유지하도록 한다. 술 후 부종을 줄이기 위해 ice pack을 수술 직후부터 사용하는데 2~3일간 지속하도록 한다. 이후 환자의 심리 상태 등을 고려하여 지속적으로 사용하기도 한다.

2) 멍(Ecchymosis)

머리와 목 부위에서 반상출혈이 나타나는데, 술 후 3~4주간 지속된다. 원인은 피하 출혈에 의한 것으로 여겨진다. 얇은 피부, 빨간 머리, 나이든 환자일수록 잘 나타난다.

3) 기도폐쇄(Airway obstruction)

상악 수술을 시행한 경우, 기도 폐쇄가 일어나기 쉬운데, 원인은 intranasal, nasopharyngeal edema 등이다. 코의 이물질을 제거하는 것이 기도 폐쇄의 해소에 도움이 된다. Pulse oxymetry와 monitoring 장비를 이용하여 지속적으로 관찰하는 것이 중요하다. 호흡에 문제가 생길 경우, 술 후 interarch elastic을 조기에 제거할 수 있다.

(1) 코피(Nasal bleeding)

상악 수술 후, 상악동에 혈액이 차기 쉬운데, 이를 제거한 후 비출혈이 발생할 수 있다. 주로 술 후 10~14일에 발생한다. 술 후 1~4주에 심하게 출혈이 지속될 경우, 응급처치를 하여야 하며, embolization 또는 혈관의 결찰 등으로 치료될 수 있다.

(2) 구역질(Nausea)

수술 직후, 구토증상이 나타날 수 있다. Bloody drainage를 삼켜 위장관에 자극을 줄 경우, 구토 증상이 나타날 수 있다. 또한 마취제(anesthetics), 스테로이드(steroids), 마약성약물(narcotics), 항생제(antibiotics)등도 구토 증상을 유발할 수 있다. 구토 증상을 줄이기 위해서 antinausea, antivertigo, antiulcer, proton pump inhibitor 등의 약물이 사용된다.

(3) 피로(Fatigue)

복잡하고 긴 수술일수록 술후 피로도가 증가한다. 수술시간, 복잡성, trauma 정도, 술중 실혈량, 심리적 요소, 이전 존재했던 우울증 및 정신적 요소, 식이변화, 호르몬 변화, 스트레스, 술후 통증, 투여약물, 마취시간, 전신요인, energy 요구량 등이 영향을 미칠 수 있다. 대개 술후 1달 이내에는 술전 energy level을 회복한다.

(4) 통증(Pain)

수술 종류, 환자의 통증에 대한 역치, 정신적 상태, 술전 통증, 전신상태 등이 영향을 줄 수 있다. 술후 1~4주 정도 통증조절을 위한 medication을 시행한다.

(5) 감각신경손상(Sensory nerve deficit)

5번 뇌신경인, 3차 신경(Trigeminal nerve)이 관여한다. 입술, 턱, 치아, 잇몸, 뺨, 코 등의 감각이 일시적으로 둔해지거나 마비될 수 있다. 감각 신경의 재생 속도는 하루에 0.5~3.0mm 정도이고, 술후 수일에서 1년 정도 후에는 회복된다고 알려져 있다. 영구 손상이 발생하기도 하는데, 3~85% 정도 하치조신경(inferior alveolar nerve)에서 발생한다. 상악 수술의 경우 안와하신경(infraorbital nerve) 손상이 발생할 수 있고, 이때에는 윗입술, 코 끝, 뺨의 일시적 감각 이상이 일어난다. 후상치조신경(Maxillary superior alveolar nerve)이 손상될 경우 상악치아와 치은의 감각이상이 나타난다.

(6) 운동신경손상(Motor nerve deficit)

7번 뇌신경인, 얼굴 신경(Facial nerve)가 관여한다. TMJ 수술이나, 악교정수술의 구강외 접근 시 얼굴 신경의 손상이 일어날 수 있다. 영구 손상이 일어날 경우 미세신경문합술(micro-neurosurgey)로 인해 회복할 수 있다.

(7) 얼굴표정근 변화(Muscles of facial expression)

상악 수술 시 얼굴 표정 근육이 일시적으로 영향을 받을 수 있다. 수술 시, 입술, 뺨, 턱 근육이 골에서 분리되는데, 재부착 후 원래 기능을 회복하는데까지 시간이 걸릴 수 있다. 회복은 술후 9~12개월에 이루어진다.

(8) 저작기능감소(Muscles of mastication)

하악 수술 시, 저작근, 특히 교근(masseter muscle)이 관여한다. 저작근의 손상 시 회복은 1년 정도 걸린다. 개구량에 영향을 주기 때문에 천천히 개구량을 증가시키는 연습이 필요하다.

(9) 귀의 불편감(Middle ear dysfunction)

비도 삽관, 상악골 수술 시 중이의 유스타키안 튜브(eustachian tube)에 자극을 주어, 염증 및 부종을 일으킬 수 있고, 이는 기능의 저하로 이어진다. 귀의 통증, 불편감, 어지러움증, 이명 등이 수반될 수 있다. 치료제로 항울혈제(decongestants), 항히스타민제(antihistimines) 등이 사용될 수 있다. 증상이 심할 경우, 고막절개술(myringotomy)를 시행한다.

(10) 이악물기와 야간이갈이(Clenching and bruxism)

술후 이악물기와 야간이갈이가 나타날 수 있는데, 이는 splint, bite plate, night guard로 치료될 수 없다. 장치를 사용할 경우, 증상이 더 심해질 수 있기 때문이다. 약물 치료로 증상이 완화될 수 있는데, 항경련제로 알려진 diazepam이 가장 효과적이라고 알려져 있다.

(11) 호르몬 변화에 따른 심리적 문제(Hormone imbalance)

술후 스트레스로 인한 호르몬 변화가 생길 수 있다. 우울증, 감정의 기복이 심해질 수 있다. 이전에 우울증을 가지고 있었거나, 다른 정신적 요인, 호르몬 변화 증상을 가지고 있었다면 술후 호르몬 변화를 보일 가능성이 있다. 시간이 지날수록 자발적으로 회복되나 심할 경우, 호르몬이나 항우울제 같은 약물 처방이 도움이 될 수 있다.

② 수술 전 준비

1) 최종 수술계획 수립

최종 수술 계획은 경조직의 수술적 이동과 함께 연조직의 변화 및 교합의 변화를 주는 최종 결정이므로 수술 전 교정치료의 완성도, 수술 후 경조직 및 연조직의 심미적 변화 양상, 수술 후의 기능(교합 및 저작 기능)의 회복, 수술 후 이동된 경조직의 안정성, 수술에 따른 합병증의 발생 가능성 및 수술 후 예상 결과에 대한 환자와 보호자의 이해도 등을 충분히 고려한 상태에서 수립하여야 한다.

최종 수술 계획을 세우는 과정은 환자를 처음 진단하였을 때 세웠던 수술 계획 과정과 동일하다. 다만, 이 시기는 술전 교정이 완료된 시기이므로, 술전 교정에 따라 달라진 경조직과 연조직, 교합 상태를 고려하여 치료계획을 수립하여야 한다.

악교정 수술의 일반적인 목표는 정상적인 구강기능을 이루게 해주고, 균형적인 얼굴의 미를 되찾게 해주며, 수술 후 재발을 막는 것이다. 이를 달성하기 위해 다음의 자료를 이용한 정확한 진단 및 분석이 필요하다.

(1) 임상기록
(2) 얼굴 사진(정면, 45°, 측면, 미소 시 정면 사진 등), 구강 내 사진
(3) 교합기상의 석고 모형
(4) 두부방사선사진(정면, 측면 등), 파노라마, CBCT

위의 자료를 토대로 하여 심미적 및 기능적 치료 목표를 완성할 수 있는 수술 계획 및 이를 위한 수술 방법을 결정하여야 한다. 수술 계획 수립 시에는, 수술의 결과로 필연적인 영향을 받게 되는 상악전치 각도, 상악전치 노출량, 비순각, 입술의 변화를 예측하여 심미성을 고려하여야 한다. 최종 수술 계획이 설정되면, 환자 및 보호자에게 수술 내용, 예상 결과, 합병증, 수술전 준비과정, 수술 및 입원 기간, 수술 후 주의사항, 수술비용 등에 관해 다시 한 번 자세히 설명한다.

2) 수술 전 환자준비

악교정 수술 전에 필수적으로 준비되어야 할 사항들은 전신검사 및 임상병리검사, surgical arch wire, 교합조정, 자가수혈용 혈액, 가상 모델수술(model surgery) 및 외과용 합성수지 장치 (splint) 제작 등이 있다.

전신 검사 시에는 특히, 심폐기능, 간기능 및 혈액질환 등에 대한 철저한 검사가 필요하다.

(1) 일반 혈액검사

일반 혈액검사는 혈액의 일반적 특성, 각 혈구 세포들의 수와 특성, 혈색소의 양 등에 관한 검사이다.

① 백혈구수(white blood cell count, WBC)

② 적혈구수(red blood cell count, RBC)

③ 헤모글로빈(Hemoglobin)

④ Hematocrit

⑤ 적혈구 침강속도(erythrocite sedimentation rate, ESR)

⑥ C 반응성 단백(C-reactive protein, CRP)

(2) 출혈 및 혈액응고장애 검사

① 출혈시간(bleeding time)

② 혈소판 수(platelet count)

③ Partial thromboplastin time (PTT)

④ Prothrombin time (PT)

(3) 혈액화학 검사

① Alkaline phosphatase

② Calcium

③ Phosphate

④ Glucose

⑤ Blood urea nitrogen (BUN)

⑥ Total protein

⑦ Albumin

⑧ Bilirubin

⑨ Lactate dehydrogenage (LDH)

⑩ Aspartate aminotransferase

⑪ Alanine aminotransferase

⑫ Creatinine

(4) 혈청 전해질 검사(Serum electrolyte)

① Sodium (Na)

② Potassium (K)

③ Chloride (Cl)

④ HCO_3^-

(5) 혈청검사(Serologic test)

(6) 뇨검사(Urinalysis)

① 외관(appearance)

② 비중(specific gravity)

③ pH

④ 뇨당(glucose)

⑤ 뇨단백(protein)

⑥ 케톤(ketones)

⑦ 빌리루빈(bilirubin)

최근에는 악간 고정을 위해 micro-implant를 사용하는 경우가 대부분이나, 필요한 경우 술 전 교정 마무리 시, surgical arch wire를 제작하여 삽입하는 경우도 있다(그림 8-4). Surgical arch wire는 수동적으로 브라켓이 삽입되어야 하며, 수술 전 최소 6주 전에 삽입하는 것이 바람직하다. 왜냐하면 수술 직전에 삽입될 경우, surgical arch wire에 의해 치열의 배열상태가 달라질 수 있기 때문이다.

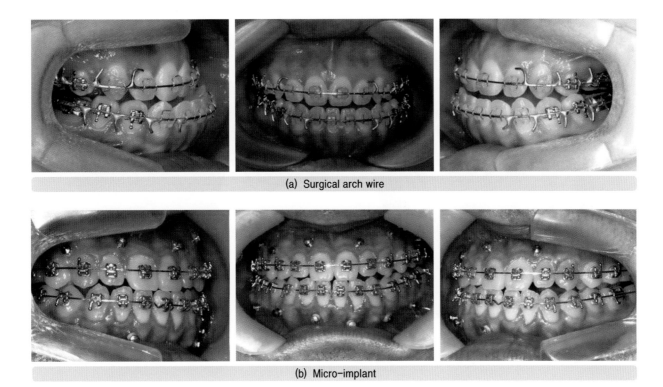

(a) Surgical arch wire

(b) Micro-implant

그림 8-4. **악간 고정 방법**

　수술 후 교합의 안정을 위해 반드시 가상 모델수술을 통해 상하악간의 수술 직후 교합상태를 확인하여 가능하면 수술 후 교합이 안정되도록 필요한 만큼 미리 치아 교합조정(occlusal equilibrium)을 시행해 주는 경우도 있다.

　악교정 수술은 수술시간이 대체로 길기 때문에 수술 시 혈액소실이 오는 것은 필연적이며 소실된 혈액을 보충해 주어야 할 경우가 있다. 수술 시 소실되는 혈액을 보충하기 위해서는 자가수혈(autologous blood transfusion)이 가장 권장된다. 자가수혈의 채취량은 대략 1,200~1,500ml 정도까지 가능하다. 혈액 보존기간을 감안하여 수술 3~4주 전부터 준비하여야 한다.

　수술상(surgical stent)은 합성수지(레진)로 만들어지며 수술 중에 이동되는 악골의 공간적 위치를 결정하고, 수술 후 교합을 유도하는 지침자로서의 역할을 한다. 한쪽 악골을 이동하는 편악수술의 경우, 한 개의 장치만 이용하지만, 상하악을 동시에 이동하는 양악수술의 경우, 2개 이상의 장치를 이용해야 한다. 특히, 여러 개의 장치를 이용할 경우에는 장치의 변형이 없도록 세심하게 제작되어야 한다. 수술 결과와 안정성에 직접적인 영향을 주기 때문에, 정확한 가상 모델수술을 통한 정교한 splint의 제작은 매우 중요하다. 최근에는 기술의 발달로, CBCT와 CAD/CAM 기술을 이용한 가상 모델수술과 splint의 제작이 제시되고 있다(그림 8-5, 8-6). 또한 수술 전, 반드시 환자 구강 내에 미리 착용하여 브라켓이나 장치 등에 걸리는 곳은 없는지 확인하고, splint를 조정해야 한다.

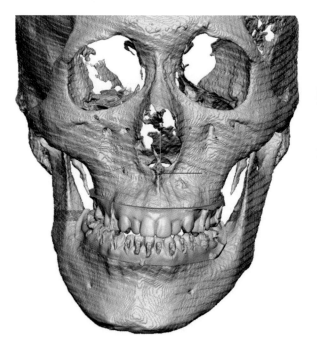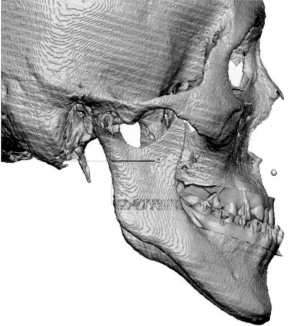

(a) 초진

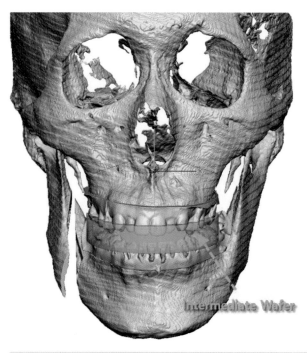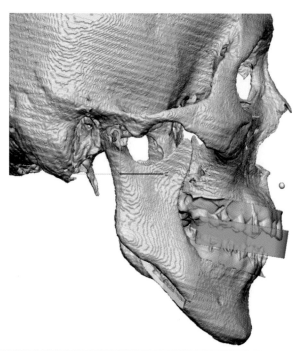

(b) Intermediate wafer 제작을 위한 simulation

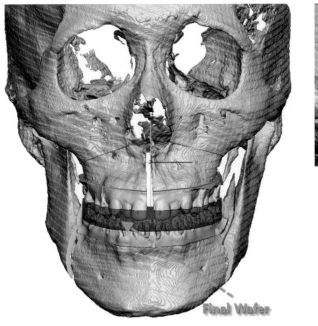
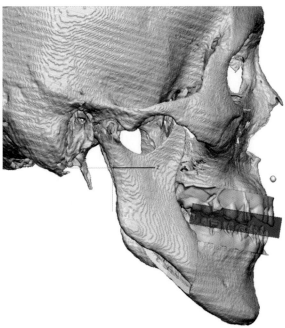

(c) Final wafer 제작을 위한 simulation

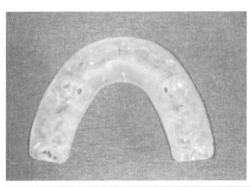
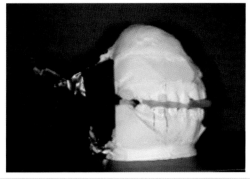

(d) CAM을 이용한 splint

그림 8-5. CAD/CAM을 이용한 simulation 및 splint

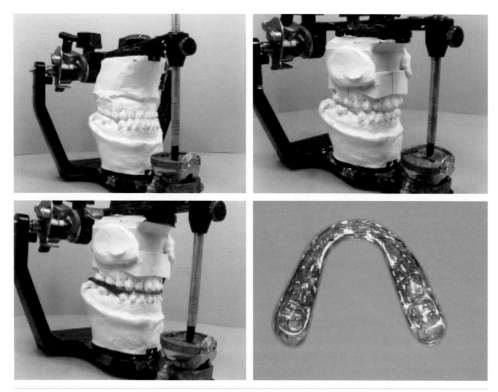

그림 8-6. 일반적인 방법을 사용한 splint

수술 후 관리

1) 생물학적 치유과정(Biological healing after orthognathic surgery)

악교정 수술 후 치유 과정은 골절 후 치유과정과 유사하다. 우리 몸을 지탱하는 뼈는 근육의 부착부위이자 우리 몸에 있는 칼슘의 저장고로서 동적 평형상태를 유지하고 있다. 골절 시, 뼈는 실질적인 재생을 통해 상처를 치유하는 것으로 알려져 있다. 치유과정은 병리조직학적으로 3단계로 진행되는데 염증기(inflammatory phase), 복원기(reparative phase), 재형성기(remodeling phase)로 나뉘어진다. 세 단계는 엄격히 구분되는 것이 아니라, 중복되어 나타난다.

(1) 염증기(Inflammatory phase)

골절 1~5일 후 나타나는데, 골막, 근육손상으로 인한 주위 혈관이 파괴되고 혈종이 형성된다. 이때 영양공급을 받지 못한 골세포가 괴사되어 골편주위 조직이 괴사되고, 저산소 상태, 산성상태를 보인다. 염증반응에 의해 혈관 확장 및 혈장 삼출이 발생하고 부종(edema)이 나타난다. 이 시기에 급성 염증성 세포인 대식세포(macrophage), 비만세포(mast cell) 등이 증식한다. 6~8시간 내 혈종(hematoma)내 혈액 응고 및 혈액의 조직화(organization)가 발생하고, 24~48시간 내 모세혈관 및 섬유모세포(fibroblast)가 혈병 내로 침투하게 되어 혈관 분화가 이루어진다.

(2) 복원기(가골형성시, Reparative phase)

골절 후 4~40일에 나타나는데, 섬유모세포의 및 육아조직(granulation tissue)의 증식으로 인한 기질화(organization)가 특징적으로 나타난다. 혈종은 10일 이내 육아조직으로 대체되는데, 이때 탐식작용을 통해 괴사조직이 제거되고 소성 결체 조직으로 발달한다. 또한 섬유모세포가 교원섬유(collagen fiber)를 생성하여 섬유성 가골을 만들어낸다. 복원기는 크게 2단계로 나뉘는데, 연성 가골기와 경성 가골기라고 한다.

(3) 연성 가골기

연성 가골기는 일차성 가골기(stage of soft callus)라고도 하고, 임상적으로는 자발통과 부종이 없어지기 시작하는 시기이다. 결체조직, 연골조직 및 골조직이 증식하는 시기로, 결체-연골조직으로 골편이 연결되기 시작한다. 골질에 의한 유합이 일어나기 전까지의 시기이기도 하다. 연성 가골은 골절 내외부에서 만들어지는데, 외부에서 만들어지는 가골을 외가골(external callus), 내부에서 만들어지는 가골을 내가골(internal callus)라고 한다. 골절 후 10~30일 사이에 형성되고, 매우 무르며, 방사선 투과상을 보여 방사선 사진 상 관찰되지 않는다. 이차성 가골을 위한 기계적 버팀목이라 여겨진다. 일차성 가골의 종류로는 다음의 4가지가 있다.

① Anchoring callus: 골막 가까이 골 외측에서 형성되어 해면골을 형성한다.

② Sealing callus: 골내면에서 형성되고, 골수강을 채운 후 골절 부위로 이행된다.

③ Bridging callus: anchoring callus 사이 골절단부위(골외면)에 형성되는 유일한 연골성 가골이다.

④ Uniting callus: 골절단 사이에 형성되고, 직접적인 골화에 의해 형성된다.

(4) 경성 가골기

이차성 가골기(stage of hard callus)라고도 하고, 골절 후 약 3주부터 시작된다. 임상적으로, 골절편이 육안으로 움직이지 않는 시기이다. 내외 가골이 점차 섬유골 또는 미성숙골로 대체되어, 골절편이 골질에 의해 연결된다. 이차성 가골(secondary callus)는 일차성 가골을 대체하는 성숙골로 석회화가 증가되어 방사선상 관찰이 가능하다. Internal fixation을 한 경우, 막내 골화에 의해 골이 형성되고, Internal fixation을 하지 않은 경우, 연골내 골화에 의해 골이 형성된다.

정리하면, 복원기는 초기에는 연골형성이 현저하고, 말기에는 교원질 농도가 증가하고 칼슘 결정이 증가하면서 골화가 이루어진다.

(5) 재형성기(Remodeling phase)

골형성의 마지막 단계로, 수개월에서 수년에 걸쳐 일어나는 매우 느리게 일어나는 과정이다. 골절이 임상적, 방사선학적으로 유합되기 시작하여, 골수강(medullary canal)의 재생을 포함한 모든 골의 상태가 정상으로 되돌아가는 시기를 말한다. 미숙골은 성숙골과 층판골로 대체된다. 이전의 시기에서 과도하게 생성된 가골은 이 시기에 파골세포에 의해 흡수된다.

골치유(Bone healing)에 영향을 주는 요소

생물학적 골치유는 다양한 요소에 의해 영향을 받을 수 있는데, 대표적으로 선천적, 전신적, 국소적 요인으로 나뉠 수 있다. 먼저, 선천적 요인(genetic factors)으로는 골형성에 영향을 주는 유전인자의 결함, 특정효소의 결함을 들 수 있다. 골형성 부전증(osteogenesis imperfecta)은 결체조직의 합성 및 재형성에 장애가 있는 질환이고, 골화석증(osteopetrosis)은 일차성 가골이 계속 존재하고, 골 재형성 과정이 불량하여 쉽게 골절되는 특징을 가진 질환이다. 전신적 요인(systemic factors)로는 연령, 내분비 요소, 비타민, 저산소증 등이 있을 수 있다. 연령은 어릴수록 골치유 과정이 빠르다고 알려져 있다. 내분비요소(endocrine factors)가 골치유에 미치는 영향으로는 부신피질 호르몬, 부갑상선 호르몬 등이 치유를 지연시킨다고 알려져 있다. 또한 성장호르몬, 갑상선 호르몬, 칼시토닌(calcitonin), 성호르몬 등이 치유를 촉진시킨다고 알려져 있다. 비타민 C는 교원섬유 형성과 관련 있으며, 비타민 D도 골대사에 영향을 주는 것으로 알려져 있다. 국소적 요인(local factors)으로는 부정확한 internal fixation, 이전의 수술 횟수, 혈관 문합의 상태, 감염, 혈종 등이 골치유에 영향을 준다.

2) 악교정 수술 후 물리치료(Physical therapy after orthognathic surgery)

악교정 수술 후 물리 치료는 하악골의 올바른 기능회복에 중요한 역할을 한다. 수술 후 환자의 악기능 회복은 주로 환자의 술전 상태에 의존하고, 술전 상태가 환자의 술 후 회복의 목표가 될 수 있으므로 술전 상태를 기록하는 것이 중요하다. 술전 개구량과 하악의 측방 및 전후방 운동 범위를 기록해 두는 것이 좋다. 또한 환자로 하여금 술후 물리치료의 필요성과 방법을 술전, 수 주 전에 미리 설명하고 교육함으로써 술후 물리치료가 원활히 이루어질 수 있도록 하여야 한다. 술후, rigid fixation에 의해 악골이 안정화되면 물리 치료를 시작할 수 있다. 주로, 악간고정(maxillo-mandibular fixation, MMF)을 제거하는 즉시, 물리 치료를 시행한다. 수술 후 퇴원은 주로 술 후 1주일 이내에 이루어지는데, 퇴원 시, 교합이 안정적일 경우에는 MMF release 및 물리치료를 시행하고, 교합이 안정적이지 않을 경우, 외래 첫 내원일인 2~3일 후에 시행한다. 물리치료는 크게 개구운동, 좌, 우 측방운동, 전후방운동으로 이루어진다. 개구, 측방, 전후방 운동을 10~15분 동안 시행하고, 하루 총 4~5회 시행한다. 이 외에도 얼굴 표정근 등의 근육을 활성화시키는 근육운동을 동반하는데, 주로 입안에 바람을 넣고 부는 운동, "이, 우" 등의 발음 연습을 통해 이루어진다. 개교합 성향을 보이거나 물리치료에 적응하지 못하는 경우에는 3~4일간 악간고정을 다시하여 근육 적응도를 높인 후 물리치료를 시행하도록 한다. 대부분의 환자의 경우 개구량 및 악골 이동량은 술 후 6~12개월에 정상치를 회복하는 것으로 알려져 있다.

(1) 개구운동(Mouth opening)

개구운동은 엄지와 검지 손가락을 이용하여 환자 스스로 입을 벌릴 수 있도록 연습하도록 한다(그림 8-7). 술 직후 개구량은 손가락 한 개 또는 그 이하이나, 점차 개구량을 늘여 성인 기준 손가락 세 개(성인 여자) 혹은 세 개 반(성인 남자)이 될 수 있도록 한다. 평소 교합안정화를 위한 vertical elastic을 사용하므로 식사 시, elastics을 제거할 때 개구운동을 시행할 수 있도록 한다. 매일 최대 개구량을 기록하는 것이 환자의 동기부여 및 개구량 증가에 도움이 될 수 있다. 또한 개구시 중앙선이 일치하도록 연습하도록 한다. 올바른 물리치료가 이루어졌을 경우, 대개 술후 6주 이내에 목표치 개구량에 도달하게 된다.

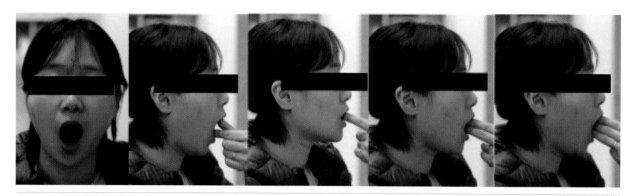

그림 8-7. **개구운동**

① 측방운동(Lateral movement)

개구운동과 함께 측방운동을 시행한다(그림 8-8). 하악골을 좌우측으로 이동시켜 일정시간
유지한 후, 다시 되돌아오는 운동을 반복 시행한다. 측방운동 시 좌우측 이동량을 관찰하고,
이동량이 일치하도록 유도한다.

② 전방 및 후방운동(Protrusive and retrusive movement)

측방운동 시 전후방운동을 함께 시행한다. 하악골을 전방으로 이동시키고, 일정시간 유지
한 후, 다시 원래 위치로 이동시키는 후방운동을 반복 시행한다.

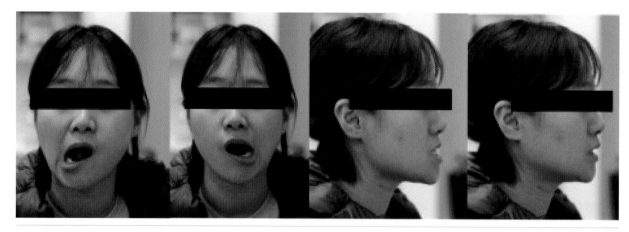

그림 8-8. **측방운동 및 전후방운동**

③ 얼굴 근육 운동(Facial expression muscle exercise)

입안에 바람을 넣고 부는 연습, 발음연습("이, 우")을 통해 얼굴 근육을 활성화시킨다(그림 8-9).

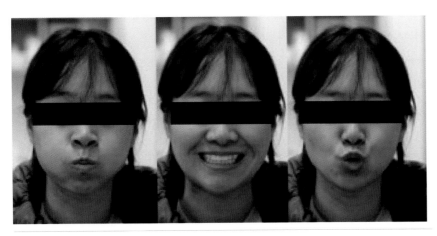

그림 8-9. **얼굴근육운동**

표 8-1. **물리치료 protocol**

Time	Physical therapy	Dietary
Week 1	악간 고정(악골 운동 피할 것)	액상식
Week 2~6	1) 개구운동(Mouth opening) 　: 개구 후 30초 정지, 6회 반복 2) 측방운동(Lateral movement) 　: 좌우측 한계운동 후 5초간 정지, 10회 반복 3) 전후방운동(Protrusive & retrusive movement) 　: 전후방 한계운동 후 5초간 정지, 10회 반복 4) 얼굴 근육 운동(Facial muscle exercise) 　: 입안에 바람 넣고 부는 운동, 발음연습("이, 우")	유동식

205

3) 술후 교정치료

(1) 술후 교정치료의 목적

술후 교정치료란 수술에 의해 재구성된 교합을 유지하고 미세 조정으로 근신경계(neuro-muscular system)와 주위 조직의 변화된 악골위치에 적응하도록 돕는 과정이다. 수술 교정에서 계획대로 술전 교정 및 수술이 성공적으로 이루어진다면 술후 교정은 거의 필요치 않게 된다. 하지만 술전 교정으로 해결이 어려운 교합관계 또는 악궁 부조화나 악간 고정 제거 후 악골의 위치나 술후 교합에 이상이 발생하는 경우, 수술 후 교정을 통한 조절을 시행해야 하므로 중요한 단계이다.

(2) 술후 교정치료 시기

① 악간 고정 제거

IVRO (Intraoral vertical ramus osteotomy)의 경우 강성고정(RIF, rigid internal fixation)을 하지 않으므로 5주 정도의 악간 고정이 필요했으나 최근에는 2~3주 만에 악간 고정을 제거한다 (그림 8-10). 반면 SSRO (Sagittal split ramus osteotomy)는 강성고정을 시행하므로 수술 직후 악간 고정을 해제하기도 하나 약 2~7일 정도는 악간 고정을 시행한다. 악골의 이동량이 많은 경우나 골이식을 동반한 상악골 전하방 이동 또는 전치부 개방교합 개선을 위한 수술을 하는 경우 등은 더 많은 악간 고정 기간이 필요하나, 과도한 기간 동안 악간 고정과 강성고정을 병용할 경우 턱관절에 대한 압박이 증가하여 악관절 구조가 변화하고 턱관절 장애를 유발시킬 수 있어 4주 이상 악간 고정은 피하는 것이 좋다.

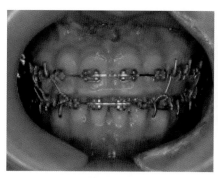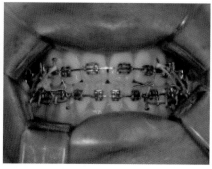

그림 8-10. 스테인리스 스틸 와이어와 고무줄을 통한 악간 고정.
좌측은 splint를, 우측은 splint 없이 악간 고정하였다. 적절한 시기에 악간 고정을 제거하는 것이 술후 교정치료 시작 전에 필요하다.

② 술후 교정 시작 시기

수술 후 만족스러운 운동범위와 안정성을 얻고 악골의 초기 치유가 만족스럽다면 교정치료의 마무리 단계인 술후 교정치료를 시작할 수 있다. 강성고정(rigid fixation)을 하면 치유가 더 빨리 일어나는 것은 아니지만 골편들이 시작 때부터 더욱 안정화되어서 환자들이 조기에 제한된 기능을 할 수 있어 수술 2~4주 후 술후 교정을 시행할 수 있다. 수술 후 골과 근육의 초기 치유 및 골편과 주위 연조직의 재부착과 적응을 위해서 2주 정도가 소요되므로 술후 교정은 최소 2주 후에 시행하는 것이 좋다. 그러나 개구가 어느 정도 가능한 평균 4주 정도 후에 적극적인 술후 교정치료를 시작하는 것이 용이하다. 하지만 수술 후 치유에 대하여 의심스러운 점이 있다면 이에 주의하여 술후 교정시기는 연기하는 것이 필요하다. 특히 수술 후 초기 교정력의 적용이 치유를 지연시킬 가능성이 있는 경우에 더욱 주의하여 술후 교정치료 시작 시기를 조절해야 한다. 주의가 필요한 경우의 정확한 술후 교정치료 시기는 구강악안면외과의와 상의 후에 결정하도록 한다.

(3) 술후 교정치료 단계

① 술후 교정 치료의 첫 번째 내원

• splint와 안정화 호선의 제거

수술 후 첫 번째 내원 시 splint를 제거하고 호선을 교체해야 하며 필요하면 장치를 수리해야 하므로 약속시간을 길게 잡아야 한다. 교정의는 안면부 변화를 확인하고 구강 내 검사를 실시한 후, splint와 안정화 호선을 동시에 제거하고 탈락된 브라켓이나 느슨하게 된 밴드와 같은 교정장치를 재조정한다. 치아 이동을 방지하기 위해서 장착된 안정화 호선은 치아의 이동에 적절히 작용할 수 있는 교정용 호선으로 교체한다(그림 8-11).

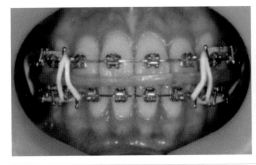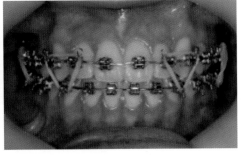

그림 8-11. 첫 번째 내원 시 splint와 안정화 호선 제거 후 교정용 호선으로 교체하였다.

splint를 장착하고 있는 동안에 하악과두는 중심위에 있거나 이에 매우 근접하는 위치에 있으면서 수술시 형성되는 최대 교두 감합위에 위치하게 된다. splint만 제거하고 안정화 호선은 제거하지 않았을 경우 치아들은 하악 과두가 자리잡았을 때 2~3곳에서만 치아와 접촉되는 위치에서 견고하게 고정되는데 이 경우 환자는 무의식적으로 더 많은 감합을 하기 위해 새로운 습관적 교합위를 찾게 된다. 이는 환자에게 중심위-중심 교합위 부조화를 만들거나 심지어 비대칭을 야기하여 술후 교정을 더욱 어렵게 할 수 있다. 따라서 움직임을 허용하기 위해 splint를 너무 빨리 제거하거나 splint를 제거할 때에 안정화 호선을 제거하지 않는 것은 좋지 않다. 즉, splint는 외과의가 아닌 교정의가 제거해야 함을 명심해야 할 것이고 만약 외과의가 splint를 제거하였다면 중심위-중심교합위의 문제가 발생하지 않도록 신속히 교정의에게 의뢰를 해야 할 것이다.

필요하다면, splint는 장착한 채로, splint의 상악 혹은 하악의 교합면 측을 삭제/조정하여 교합간섭을 배제하면서 치아 이동을 도모할 수 있다.

• 작용 호선(Working wire) 적용

splint와 안정화 호선이 제거되면 교정의는 필요한 작용호선을 장착하고 치아를 완전한 교합으로 장착시키는 과정을 진행해야 한다. 전형적인 작업호선은 치아의 유동성을 줄 수 있는 얇은 두께의 016 혹은 018 스테인리스 스틸(stainless steel) 호선으로 이는 필요한 치아의 정출을 허용하며 치아의 감합을 위해 치아의 협설측의 기울어짐(tipping)을 허용한다. 만일 상악 전치의 토크(torque) 조절이 필요한 경우라면 상악에 유연한 각형호선(18-slot에는 106×022 혹은 017×025 TMA, 22-slot에는 017×025 혹은 019×025 TMA)을 활용할 수 있다(그림 8-12). 만약 한 악궁에서만 수술 후 치아 이동이 바람직하다면 다른 악궁에서는 안정화 호선을 남겨둘 수 있다.

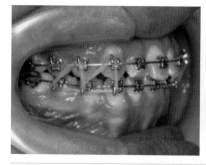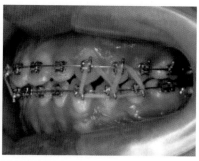

그림 8-12. 상악 전치 토크 조절을 위해 각형 호선(019×025 TMA)을 하악은 치아 정출을 유도하기 위해 016 원형 스테인리스 스틸 와이어를 삽입한 환자의 구내사진

• 고무줄(Elastic) 적용

첫 약속에서의 마지막 단계는 후방부에 약하게 수직 고무줄을 장착하는 것이다. 고무줄은 견고한 교합으로 치아가 이동되는 것을 도와 호선에 의한 장착을 돕는다. 또한 환자가 고유수용성 감각으로 하악골을 최대감합위로 움직이게 함으로써 고무줄을 장착하고 있는 동안은 중심위가 아닌 다른 위치로 이동하는 경향은 차단된다. 즉, 새롭게 만들어진 최대감합위를 유지한 상태에서 구강 주위 조직을 새로운 환경에 친숙하게끔 유도하는 것이다. 처음에는 고무줄을 항상 장착해야 하고 심지어 식사할 때도 고무줄을 하고 있어야 한다. 따라서 환자에게 양치질하는 시간을 제외하고 계속적인 고무줄 장착을 교육해야 한다.

고무줄은 교정의가 원하는 치아 이동에 따라 다양하게 적용될 수 있다. 만약 개방교합 경향이 있으면 전치부에도 수직 고무줄을 장착한다(그림 8-13). Kobayashi hook은 이런 고무줄을 부착하는 매우 유용한 방법이다.

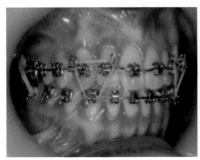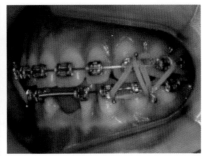

그림 8-13. 개방교합이 있는 경우 좌측 그림과 같이 전치부에도 수직 고무줄을 장착한다. 이를 위해서 고리(hook)가 없는 전치부에 kobayashi hook을 사용할 수 있다.

환자는 2~3개의 작은 고무줄(1/4" 또는 3/16")보다는 하나의 큰 고무줄을 장착하는 것이 더 쉬우므로 3/8" box elastic을 이용한다(그림 8-14).

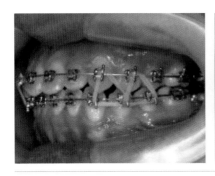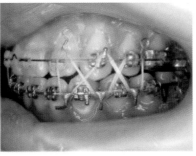

그림 8-14. 좌측과 같이 2~3개의 작은 고무줄(1/4" 또는 3/16")을 삼각형(▲)으로 적용시키기보다 우측과 같이 하나의 큰 고무줄(3/8")로 꼬아서(▶◀) 장착하는 것이 더 쉽다.

만약 술후 교합이 한 방향이나 다른 곳으로 약간 어긋난 경우는 후방부 box elastic을 수직으로 일직선으로 거는 것보다는 구치부에 II급이나 III급 방향으로 거는 것이 바람직하다(그림 8-15). 또한 구치부 반대교합 경향이 있다면 고무줄을 통해 조기에 수정하는 것이 바람직하다(그림 8-16). 구치부 반대교합 개선 방법 중 첫번째는 분리된 cross elastic의 사용이고 다른 하나는 협측보다는 차라리 설측에 posterior box elastic의 한쪽 모서리를 거는 방법이다.

환자에게 고무줄의 정확한 이용 방법에 대해 숙지하도록 여러 번 반복해서 교육하는 것이 중요하고 다음 내원할 때까지 지속적인 장착이 중요함을 다시 한번 강조하도록 한다. 환자에게 고무줄 사용 위치를 그림으로 표시해 줄 수도 있지만, 쉽게는 핸드폰 카메라로 고무줄 위치를 촬영하여 줌으로써 쉽게 알려주는 것이 도움이 된다(그림 8-17).

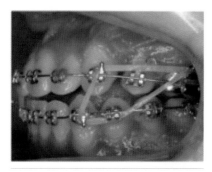

그림 8-15. 술후 교합이 전후방 방향으로 어긋난 경우 수직 고무줄 보다 II급 또는 III급 고무줄을 사용하는 것이 효율적이다. 그림은 상악 구치의 근심 이동과 하악 전치부 원심이동을 목표로 III급 고무줄을 적용하였다.

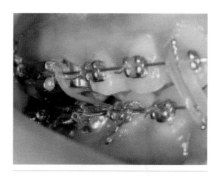

그림 8-16. 구치부 반대교합은 조기에 개선하는 것이 바람직하다. 그림은 구치부 설측 교차교합 개선을 위해 criss-cross elastic을 사용하였다.

그림 8-17. 핸드폰을 이용하여 고무줄 위치 촬영

② 술후 교정 치료의 두 번째 내원

수술 후 두 번째 내원 시 치아가 보통 상당량 정착되며, 이미 원하는 악골위치에서 최대감합이 이루어진다(그림 8-18). 이 경우 점차 고무줄의 힘을 줄이도록 한다. 더이상 식사 시에는 고무줄을 하지 않아도 되지만 그 외의 시간은 지속적으로 장착해야 한다. 약하게 II급 또는 III급 벡터가 필요할 수 있다. 또한 일부 치아를 교합시키기 위해 작용 호선상에 수직 step bend를 부여해야 할 수 있다(그림 8-19).

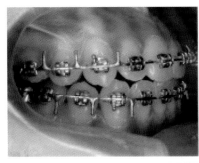 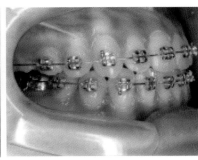 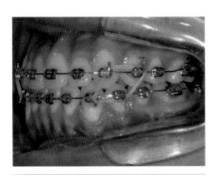

그림 8-18. 수술 후 교합 상태와 첫 번째 내원 시 작용 호선으로 교체한 후 고무줄을 적용시키고 두 번째 내원한 상태. 수술 후 상태에 비해 견치와 소구치 교합 관계가 양호해졌다.

그림 8-19. 소구치 부분의 정출을 위해 수직 step bend를 부여하였다. 또한 견치 및 소구치 관계의 조절을 위해 box elastic을 추가적으로 적용하였다.

③ 술후 교정 치료의 세 번째 내원

세 번째 내원 시 치아는 보통 안정된 위치에서 교합된다. 교합이 안정되었다면 고무줄을 야간 장착으로 전환할 수 있다. 대부분의 환자들은 호선상에서 약간의 조절이 필요할 수 있다. 만약 강한 II급이나 III급 고무줄이 필요한 만큼 큰 전후방 부조화가 있다면 고무줄의 힘을 증가시키기 전에 각형 호선을 하는 것이 좋지만 그런 경우가 아니라면 강한 각형 호선을 삽입할 필요는 없다(그림 8-20). 이 시기에 수술 환자의 마무리 치료는 일반적인 교정치료에서 행하는 과정과 유사하며 어떤 환자에게서나 고무줄의 사용과 호선은 동일하다.

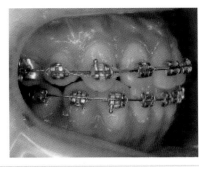 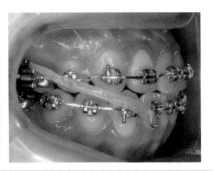

그림 8-20. SSRO를 통한 하악전돌을 개선한 환자로 두 번째 내원 시 상하악 모두 round wire를 통해 조절했으나 재발 경향을 보여 상하악 각형 호선을 삽입하고 III급 고무줄 사용하였다.

④ 술후 교정 치료의 네 번째 내원

네 번째 내원 시에 큰 부조화가 없을 경우 악간 고무줄로 인한 예상치 못한 재발 현상이나 교합 변화를 확인하기 위해 4~6주간 고무줄을 사용하지 않고 관찰한다. 또한 기능 교합을 확립하기 위해 최종적인 세부조정(detailing)을 시작하는데 기능적 교합이 확립되었는가를 평가하는 기준은 다음과 같다.

- 환자가 불편함이 없을 것
- 악골 위치가 안정되어 있을 것
- Centric stop이 형성되고 확실하게 유지될 것
- 적절한 anterior guidance가 부여되고 전방 및 측방 운동 시 평형측 교두 간섭이 없을 것
- 모든 치아의 치근이 평행하게 되어 있을 것

만일 환자의 교합이 이러한 기준에 적합하지 않다면 세부조정을 통해서 조절하도록 한다.

⑤ 술후 교정 치료의 다섯 번째 내원

다섯 번째 내원 시, 형태적, 기능적 교합이 이루어지고 고무줄을 사용하지 않고서도 교합에 문제가 없고 안정적으로 유지된다면 장치를 제거하고 보정장치 제작을 위한 치료를 진행할 수 있다. 술후 교정의 총 기간은 대략 4~6개월 정도이다. 술후 교정은 6개월 이상 하지 않는 것이 좋은데 6개월 이상 지속시 환자가 심리적으로 견디기 어려워할 수 있다. 6개월 후에도 장치를 제거할 준비가 되지 않았다면 어떤 부분에서 문제가 발생하였거나 술전 교정을 비롯한 수술전 준비가 잘 되지 않았기 때문이다. 즉, 술전 교정기간에 적절한 상하악치열의 조화와 수술교합의 형성이 술후 교정치료의 기간에 중대한 영향을 끼치기 때문이다. 결국 부족한 술전 교정은 술후 교정치료기간에 반영된다는 사실을 명심해야 한다. 간혹, 하악 전돌 환자의 하악 전치부 순측 경사와 같이 술전 교정치료기간에 달성되기 어려운 치아이동이 술후교정 치료기간동안은 상하악골의 위치변화에 의해 쉽게 달성되는 경우도 있으니 이 점은 교정의가 전략적 치아이동을 시행하는 것도 필요할 것으로 생각된다.

⑥ 상악 횡적 확장술 시행한 환자의 술후 교정 시 주의사항

마무리 교정 과정에서 특히 주의해야 할 경우는 상악을 수술로 확장한 환자를 치료할 경우다. 상악골 확장술 후 보통 6개월 정도는 불안정한 상태이다. 만약 수술 몇 주 후에 안정된 교합을 위해 안정화 호선을 힘이 약한 원형호선으로 교체하면 횡적 재발을 막을 수 없으며, 이러한 현상은 매우 급속하게 일어난다. 이런 경우에는 구치 밴드의 headgear tube에 heavy labial auxiliary wire(0.9 mm 또는 그 이상)를 사용하여 폭경을 유지하거나, 구개횡단호선(trans palatal arch)를 이용하여 유지하도록 한다(그림 8-21). 이러한 와이어는 다른 치아에는 접촉하지 않으므로 수직적 정착에 방해되지 않는다. 치열궁 조절을 유지할 만큼 견고한 호선이 사용될 때

까지 또는 환자가 보정장치를 착용할 준비가 될 때까지 이 와이어를 유지하도록 한다.

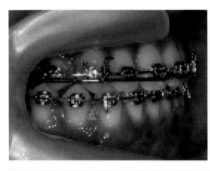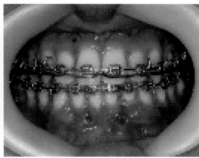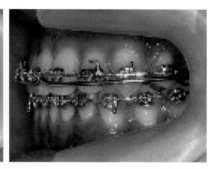

그림 8-21. 상악 2-piece segmental Le Fort I osteotomy 및 하악 setback SSRO를 시행한 환자로 상악 폭경 확장 이후 재발 방지를 위해 상악에 0.9 mm heavy labial auxiliary wire 삽입하였다.

골격성 III급 악교정 수술의 수술 후 안정성

1 악교정 수술에서의 안정성에 관한 고려사항

골격성 Ⅲ급 악교정 수술의 수술 후 안정성

1958년 Obwegeser에 의해 하악지 시상분할 골절단술(sagittal split ramus osteotomy)이 소개되고, Le Fort I osteotomy를 이용한 상악 수술법의 급속한 발전으로 많은 안면 골격의 문제들을 수술로 해결할 수 있게 되었다. 하지만 현대에도 여전히 악교정 수술 후 재발 등의 문제를 직면하고 있으며, 이로 인해 임상에서 겪는 어려움이 크다. 1990년대 Rigid inernal fixation (RIF)의 개발과 현재의 양악 수술 등으로 인해 수술 기법이 빠르게 발전했고, 선수술 등으로 다양한 변화가 시도되고 있다. 따라서 술후 안정성에 대한 고려는 그만큼 더욱 중요해졌다. 이 단원에서는 골격성 Ⅲ급 부정교합 악교정 수술의 수술 후 안정성에 관한 여러 고려사항들을 살펴보고자 한다.

1 악교정 수술에서의 안정성에 관한 고려사항

악교정 수술의 수술 후 변화는 다른 종류의 수술과는 다르게 재발(relapse)과 성장(growth)이라는 두 가지 형태로 나타난다. 둘 모두 술후 변화를 일으킨다는 점에서는 공통되지만 재발의 경우에 있어서는 치료에 의한 변화가 상실되는 것이고, 성장의 경우는 치료받지 않은 부분의 성장으로 인해 치료의 결과가 상쇄되는 것을 의미한다. 예를 들어 페이스 마스크로 상악골을 전방으로 견인하였으나 하악골의 만기 성장의 결과로 인해 다시 반대 교합이 발생하는 것으로 성장의 영향을 설명할 수 있다. 따라서 수술의 안정성에 대해서는 재발과 성장의 효과를 구별해야 한다.

성장에 관련한 골격성 Ⅲ급 부정교합 악교정 수술의 수술 시기는 연대연령(chronological age)과는 상관이 없고, 연속적인 두부방사선 사진을 통해 성장이 더 이상 일어나지 않는 시기로 결정하는것이 가장 적합하다.

수술 후 재발은 여러 원인이 연관되어 나타나므로, 재발된 증례에서 원인을 한가지로 구분하기는 어렵다. 그러나 재발의 양상을 크게 단기간과 장기간으로 나누어 그 변화양상에 대해 이해하고 관련 요인을 파악하는 것이 재발을 최소화하는데 유리할 것이다(그림 9-1).

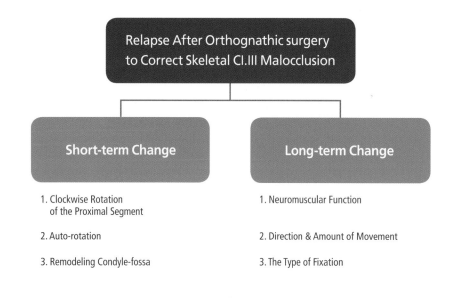

그림 9-1. 재발의 시기에 따른 술후 변화 분류. 수술 후 재발은 여러 원인이 연관되어 나타나므로, 재발된 증례에 있어 원인을 한가지로 구분하기는 어렵다.

1) 단기간 변화(short-term change)

II급 수술과 달리 III급 수술은 처음 1년간은 안정성이 떨어지나 술후 1년이 지나면 변화를 거의 보이지 않는다. Proffit 등은 술후 1년까지, Espeland 등은 술후 6개월까지 대부분의 변화가 나타난다고 보고하였다. 여러 문헌을 고찰해 보면 단기간(short-term)에 대해 정확한 기간을 명시하진 않았으나, 통상적으로 술직후를 술후 6주, Short-term을 술후 6개월 정도를 말한다. 술후 6주가 임상적으로 중요한 이유는 rigid internal fixation (RIF)를 시행한 환자에서는 하악의 기능이 재개되는 시기이고, Wire fixation을 시행한 환자에서는 악간 고정을 푸는 시기이기 때문이다. Short-term 동안 일어나는 술후 변화량의 50%가 술후 첫 6주 내에 일어난다. 단기간 변화가 나타나는 이유는 대부분 수술 중에 일어나는 변화로 인한 경우가 많으며, 대부분 다음과 같은 요인에 영향을 많이 받는다.

(1) 술중 근심골편(proximal segment)의 시계 방향 회전

하악골의 골절술(osteotomy) 후 원심골편(distal segment)을 후방으로 위치시키면 두 골절편 사이 하연에 bony step이 생기게 되는데, 이러한 step은 종종 근심골편을 원치 않게 시계방향 회전을 시키게 된다(그림 9-2). 하악 과두는 하악와에 위치되면서 하악각 부위가 뒤로 밀리게 되는 술중 변화가 일어나고, 술후에 원래의 경사도로 회귀하려는 하악지로 인해 하악체가 전방으로 이동하는 재발이 나타나게 된다.

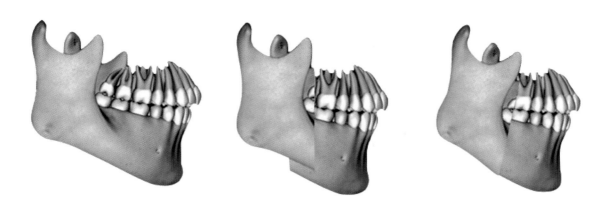

그림 9-2. **술중 근심골편의 시계 방향 회전**

이러한 경향은 wire fixation보다 rigid internal fixation (bicortical screw 혹은 miniplate)에서 심하다. 왜냐하면 wire fixation은 치유 기간 동안 하악지의 자연스러운 재위치를 허용하면서도 골절편이 서로 단단하게 고정되지 않아 이부측이 전방으로 이동하는 것이 덜하기 때문이다. 반면에 rigid internal fixation에서는 두 골절편이 강하게 고정되어 하악지가 재위치되는 동시에 하악체도 전방으로 이동하게 된다. 따라서 수술 후 방사선 사진상에서 하악의 근심골편의 위치를 확인하는 것이 반드시 필요하다.

(2) 하악골의 Auto-rotation

두번째 이유는 술후 4~6주 정도에 제거하는 교합 스플린트 때문이다. 이것은 엄연한 의미에서 재발은 아니지만 술직후 방사선 사진을 촬영할 때에 환자는 스플린트를 착용하고 있기 때문에 이 또한 술후 재발에 포함된다. 특히 술전 교정이 완벽한 상태가 아닌 경우에 수술 교합을 설정함에 있어서, 상하악간의 arch coordination이 적절하지 못한 경우 교합고경이 증가하게 되고 이로 인해 스플린트의 두께가 두꺼워지게 된다. 그 양은 약 1~2 mm 정도로, 순수하게 재발로 나타나는 양보다 많은 양이다. 또한 술후 교정 과정에서 교합 간섭이 사라지며 나타나는

하악골의 Auto-rotation도 엄연한 의미로 재발이라 할 수 없으나, 그 효과로 인한 변화량을 구분할 수 없기 때문에 재발에 포함된다. 이러한 의미의 재발은 술전 교정과정에서 보다 세심한 교합설정을 시행한다면 최소화 시킬수 있다.

(3) 하악과두(Conyle)-하악와(fossa) 관계의 리모델링

수술 후 하악과두-하악와 관계의 리모델링 과정은 역학적으로 명백하게 밝혀지지 않은 상태이다. 기본적인 개념은 원심골편이 후방으로 위치되면, 두 골절편 사이 후방부에 삼각형의 공간이 생기게 되고, 이것을 rigid internal fixation 즉 bicortical screw로 고정하는 과정에서 근심골절편이 내측으로 회전한다. 그 과정에서 변화된 과두를 하악와 안에 위치시키면 하악과두-하악와 관계가 리모델링 될 수밖에 없다(그림 9-3).

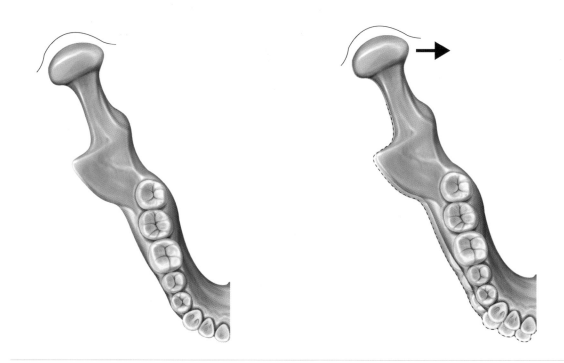

그림 9-3. **과두의 내측 회전**

따라서, 과두를 최대한 변형시키지 않고, 원래 CR 상태의 위치로 두는 것이 가장 안정성이 높은 이유인 것이다.

220

(4) 장기간 변화(long-term change)

장기간 변화는 환자 고유의 근신경계 기능, 술식의 이동방향 및 이동량, 고정 방식에 따라 다르게 나타난다.

① 근신경계 기능(neuromuscular function)

악교정 수술은 연조직이나 근육에 대해 그 길이와 기능하는 방향을 변화시킴으로써 근신경계에 영향을 준다. 거의 대부분의 술후 안정성을 설명하는 개념이 근신경계에 관한 것이다. 근육이 신장되는 방향으로 술중 변화가 일어나면 원래의 길이로 돌아가려는 성질 때문에 술후 재발이 일어나는 것이다.

골격성 III급 수술에서는 하악각을 내외측으로 감싸고 있는 Pterygomandibular sling (외측으로는 Masseter muscle, 내측으로는 Medial pterygoid muscle)의 길이를 증가시키지 않는 것이 중요하다(그림 9-4). 두 저작근의 힘이 강하여 수술로 인한 변화로 길이가 신장될 경우, 하악골이 전방으로 밀리는 재발이 일어난다. 하악 결합부에 부착되어 있어 Suprahyoid muscle 역시 재발에 관여하는 근육이다. 개방 교합의 수술적 방법은 하악골을 반시계 방향으로 회전시키는 것인데, 이 과정에서 Suprahyoid muscle이 신장되어 술후 교합이 열리는 방향으로 재발이 나타난다. 하지만 그 영향이 상쇄되는 경우가 있는데, 이는 Suprahyoid muscle이 수축되려는 힘보다 Pterygomandibular sling에 포함된 저작근의 힘이 더 강해서 술후 재발로 개방 교합은 발생하지 않고 하악골이 전방으로만 위치되는 경우이다.

술후 재발을 줄이기 위한 방법으로 양악 수술을 통해 후안면 고경이 늘어나는 것을 방지할 수도 있다.

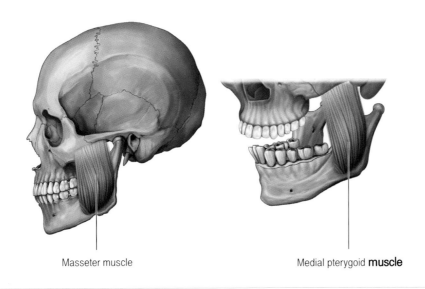

Masseter muscle   Medial pterygoid **muscle**

그림 9-4. **Masseter muscle, Medial pterygoid muscle**

또 하나 주목해야 할 연조직은 혀이다. 혀의 위치가 수술후 안정성에 어떤 영향을 주는지에 대해선 명확하진 않다. 그러나 지나치게 혀의 위치를 변화시키는 수술은 하악골에 전방력을 가한다는 주장도 있음을 고려해야한다. Airway 또한 중요한 요인으로 거론된다. 드물긴 하지만, 골격성 III급 부정교합자 중에 비만인 경우, 악교정 수술 후 airway의 변화에 대해 주의를 기울여야 한다. 박 등의 연구에서 하악의 후방이동이 수술직후 airway를 감소시키지만 술후 6개월에서 2년까지 지속적으로 회복되는 양상을 보였다(그림 9-5). 따라서 호흡 공간의 회복은 혀의 위치 그리고 설골의 위치를 변화시키는 결과와 같으므로, 하악골의 위치변화와 밀접하다. 따라서 상기도 공간(airway)에 대한 고려 또한 장기간의 술후 안정성에 중요한 요소가 된다.

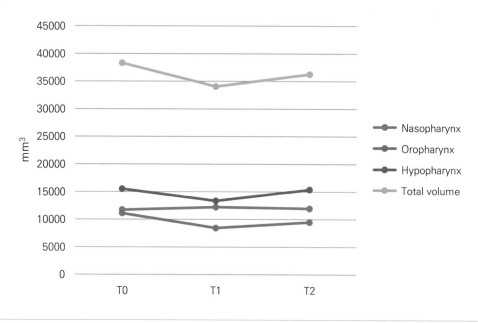

그림 9-5. **하악골 후퇴술을 동반한 bimaxillary orthognathic surgery 후 pharyngeal airway volume의 변화. X 축: T0 (수술 전), T1 (수술 후 4.6개월), T2 (수술 후 1.4년). Y 축: pharyngeal airway volume (mm³)**

② 악골의 이동방향 및 이동량

골격성 III급 문제를 개선하는 수술적 방법은 상악 전진술, 하악 후퇴술, 그리고 양악 수술로 구별할 수 있다. 상악 전진술을 시행했을 때 A point에서의 전진량이 많아질수록 재발은 높게 보고되고 있다. 전방으로의 이동량이 많을수록 입술과 같은 연조직이 신장되고, 고정을 위해 식립한 스크류가 치유 과정에서 이동할 가능성이 높기 때문이다. 6 mm 이상의 전진은 안정성이 떨어지기 때문에 골이식도 함께 시행할 것을 추천한다. 하악 후퇴술 시행 시 재발의 일차적인 원인에 대해 하악의 후방 이동량이 더 연관성이 높은지 아니면 술중 근심골편의 시계 방향 회전이 더 연관성이 높은지에 대한 논란이 있다. 하악의 후방 이동량이 많아지게 되면 두 골절편 사이의 bony step이 더 많이 생기게 되어 근심 골편의 회전 경향도 높아지게 되기 때문이다. 최근의 개념에 따르면 술중 근심골편의 시계 방향 회전이 수술 후 안정성에 더 영향을 주는 것으로 보인다. 이는 저작근을 신장시키게 되어 술후 변화를 가져오게 되므로 하악골을 후방 이동할 때에는 근심골편의 조절이 안정성의 관건이 된다. 이를 위해 상악골의 후방을 상방으로 위치시키는 수술을 동시에 하는 것이 추천된다.

현재 시행되는 골격성 Ⅲ급 수술의 많은 부분이 양악 수술이다. 양악 수술은 편악 수술에 비해 더 심미적이고 높은 안정성을 보여준다는 장점이 있다. 하지만 술전 상하악골의 전후방적 부조화가 7 mm 이상일 경우에는 근심골편의 회전, 하악골의 후방 이동량 증가, 하악 과두가 과도하게 후방 위치될 가능성이 높아지기 때문에 주의해야 한다.

③ 고정 방식

1974년 Spiessal이 처음 소개한 Rigid internal fixation은 스크류와 플레이트 등을 이용하여 골절편을 견고하게 직접적으로 고정하는 방식이다. 과거 Wire fixation에 비해 Rigid internal fixation이 꼽을 수 있는 장점은 악간 고정 기간을 감소시키거나 생략할 수 있어 환자의 편안함을 증진시키고 빠른 골치유를 보여준다. 하지만 술자의 숙련도를 요구하는 기술적 어려움이 있고, screw 혹은 mini-plate의 제거를 위한 수술이 한번 더 필요하다는 단점도 있다. 술후 안정성의 측면에서는 골격성 Ⅱ급 치료를 위한 하악 전진술에서는 Rigid internal fixation이 Wire fixation에 비해 충분히 안정성이 높은 것으로 알려져 있으나, Ⅲ급 수술에서는 다르다. 고정 방식에 따라 두 그룹으로 나누어 1년간의 안정성을 연구한 결과, 그룹 간 유의성 있는 차이는 없었다. Ⅲ급 수술에서의 안정성은 고정 방식에 좌우되는 것이 아니라 수술시 근심 골편의 위치를 조절하는 것이 더 중요하며, 따라서 Rigid internal fixation은 환자의 편이성과 빠른 기도 확보 등을 목표로 하는 것이다.

악교정 수술 증례정리

증례 1

21세 남자 환자가 "주걱턱이에요"를 주소로 내원하였다. 좌우측 III급 견치 및 구치 관계였으며. 전치부 반대교합 및 개방교합 보였다. 상하악 중절치의 mesial-in rotation을 비롯하여 하악 전치부에 중등도의 총생(4.5 mm)이 있었다(그림 1-1). 얼굴이 길며 아래턱이 돌출되어 보이고 오목한 측모를 보였다. 측모두부규격방사선사진 분석에서 전두개저에 대해 하악골이 상대적으로 전방위치(ANB: -4.4°) 되어 있고, 하악각이 126.9°로 장안모의 하악이 전돌된 골격성 III급 양상을 보였다. FH 평면에 대한 교합평면의 각도는 5.6°로 평탄하였다. 교합 평면에 대한 상하악 전치부의 각도는 50.5°와 82.7°로 보상성 치축경사 보였다. #27 구개측 교두가 다소 정출된 상태였다. 상하악궁의 폭경부조화나 안면비대칭은 관찰되지 않았다(그림 1-2).

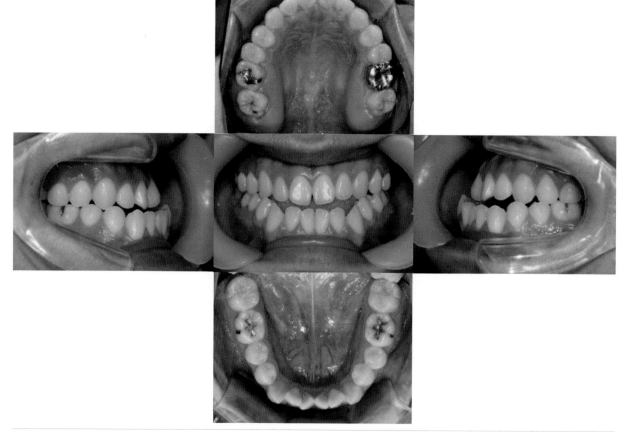

그림 1-1. **초진 구내사진**

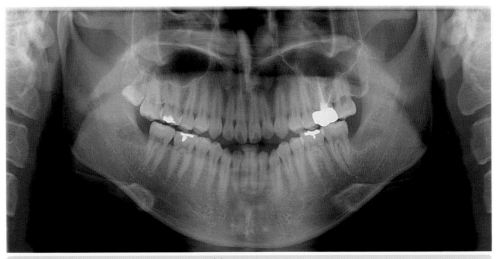

(a) 초진 파노라마

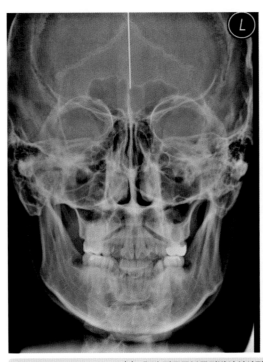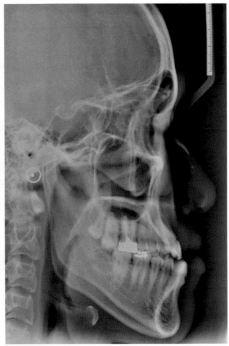

(b) 초진 정모두부규격방사선사진 및 측모두부규격방사선사진

그림 1-2. 초진 X-ray

Measurement	Mean	S.D.	2008.07.29	(−)	(+)
Saddle angle (deg)	123.90	4.70	117.93*		
Articular angle (deg)	147.07	5.79	146.07		
Gonial angle (deg)	117.10	6.70	126.85*		
Ant. Cranial Base (mm)	72.90	3.20	73.16		
Post. Cranial Base (mm)	41.30	3.40	39.91		
Ramus height (mm)	56.60	5.20	71.89**		
Body length (mm)	79.00	5.00	89.26**		
Maxillary base (mm)	48.40	3.60	51.05		
Ramus ratio	77.00	3.00	98.26⟩⟩		
Mn. body ratio	108.00	7.94	122.01*		
Maxillary ratio	68.06	3.00	69.78		
Ant. Facial Height (AFH) (mm)	36.00	5.50	152.74***		
Post. Facial Height (PFH) (mm)	95.40	6.10	107.34*		
PFH/AFH	70.20	4.60	70.28		
Y-axis to SN (deg)	70.92	3.36	64.49		
SNA (deg)	82.40	3.20	86.06*		
SNB (deg)	80.40	3.10	90.41***		
ANB difference	2.00	1.70	−4.35***		
APDI	85.90	4.00	102.93⟩⟩		
SN-FH (deg)	7.00	2.00	4.32*		
SN-GoMe (deg)	32.00	5.00	30.65		
palatal to GoMe (deg)	22.80	6.20	24.15		
FH-occusal (deg)	13.00	2.00	5.57***		
Occlusal plane to Gome (deg)	19.77	4.10	20.97		
SN-palatal (deg)	8.60	3.00	6.70		
ODI	73.30	5.90	55.30***		
U1-SN (deg)	109.00	5.70	120.88**		
FH-Mandibular plane (FMA) (deg)	25.00	2.00	26.54		
L1-FH (FMIA) (deg)	67.00	2.00	72.54**		
L1-Mandibular plane (IMPA) (deg)	96.50	6.60	80.95**		
Interincisal angle (deg)	124.00	7.90	127.33		
U1-FH (deg)	119.90	2.00	125.20**		
L1, Inclination (deg)	25.00	2.00	27.79*		
U1 to facial plane (mm)	8.84	3.22	2.10**		
L1 to facial plane (mm)	5.02	2.88	5.22		
A point-N Perpend (mm)	1.10	2.70	0.53		
Pog-N Perpend (mm)	−0.30	3.80	13.16***		
U1 to MxOP (deg)	58.00	2.00	50.46***		
L1 to MnOP (deg)	68.30	5.90	82.71**		
U1 to A vert.	0.01	3.51	10.06**		
L1 to A-Pog (mm)	5.00	2.23	8.81*		

그림 1-3. 측모두부방사선사진의 분석

TREATMENT OBJECTIVES

　보상성 치축경사 보이는 상하악 전치를 탈보상 한 뒤, 악교정수술을 통하여 골격적인 부조화를 개선하기로 하였다. 전두개저에 대한 상악골의 위치가 정상이며 비대칭이 관찰되지 않고 안정시 상악 전치 노출도가 양호하고, 환자가 장안모 수용하기로 하여 하악골 후퇴술 시행하여 하악골의 위치를 개선하기로 하였다.

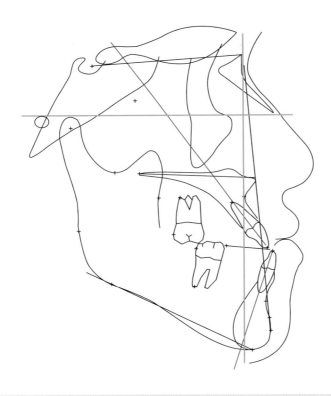

(a) 초진 tracing

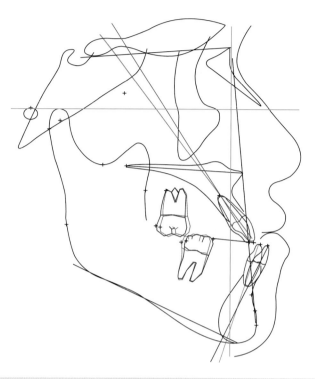

(b) 상하악 전치 각도 수정

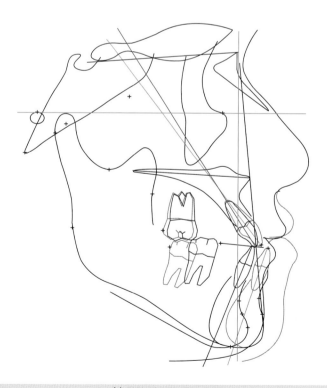

(c) 하악 및 턱끝 위치 설정

그림 1-4. STO

TREATMENT PROGRESS

상하악 치열에 장치 부착하고 배열하였다. 하악 전치부 총생을 이용하여 비발치 확장배열을 통해 전치부 순측경사 유도하였다. 상악 제1대구치 횡구개 호선에 납착된 brass wire 훅을 이용하여 정출된 #27 구개측 교두를 함입하였다. 상하악 치열 배열 완료 후 각형 스테인리스스틸 호선을 결찰하고 Class II elastics을 사용하여 상하악 전치부의 탈보상을 유도하였다(그림 1-5). 술전 교정 완료 후, 상하악 전치부 탈보상으로 인해 전치부 반대교합 양이 더 커졌고, brass wire 훅이 납착된 surgical wire를 결찰한 상태이다(그림 1-6, 1-7). 악교정수술은 하악골 후퇴술을 시행하였다. 수술 후 교정치료 시 수술을 위한 안정화 호선과 스플린트를 제거하고 술후 교정치료를 위한 호선을 상하악에 결찰하여 교합을 안정화하였다.

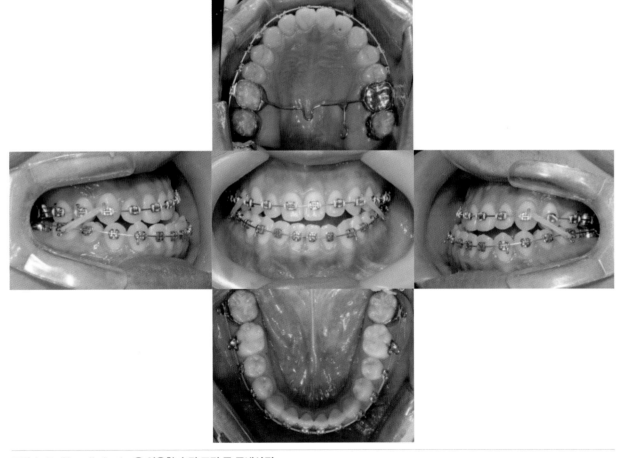

그림 1-5. **Class II elastics을 이용한 술전 교정 중 구내사진**

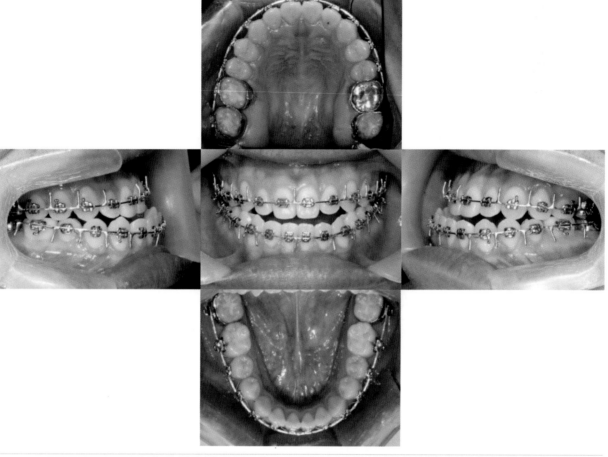

그림 1-6. 술전 교정 후 구내사진

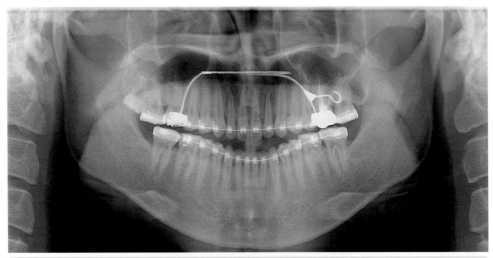

(a) 술전 교정 후 파노라마

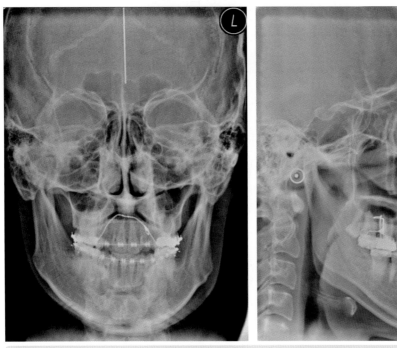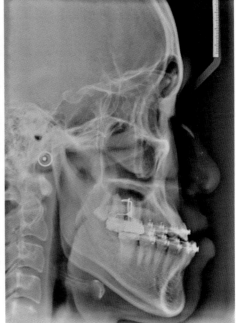

(b) 술전 교정 후 정모두부규격방사선사진 및 측모두부규격방사선사진

그림 1-7. 술전 교정 후 X-ray

TREATMENT RESULTS

교정치료 1년 후 교정장치를 제거하였다. 하악골의 돌출이 개선되어 오목한 측모에서 straight한 측모로 개선되었다. 좌우측 I급 견치 및 구치관계로 교합이 개선되었으며, 정상적인 전치부 수직, 수평피개가 형성되었다(그림 1-8). 측모두부규격방사선사진 분석에서 ANB가 0.6°로 개선되었고, 상하악 전치 치축 각도가 개선되었다. 하악골의 전후방적인 위치는 개선되었으나, 안모의 수직적인 길이는 개선되지 않았다(그림 1-9, 1-10).

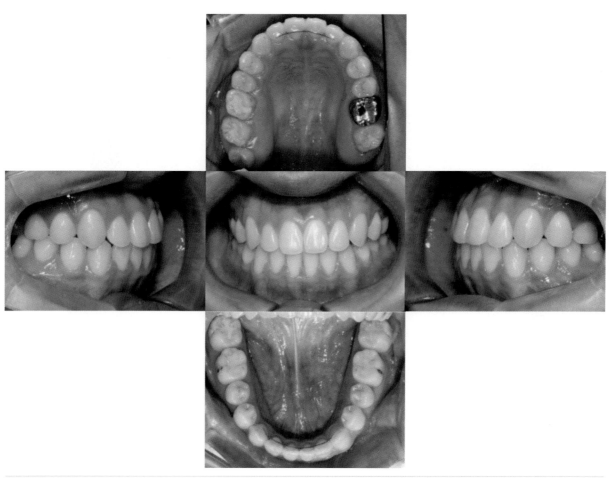

그림 1-8. **치료 후 구내사진**

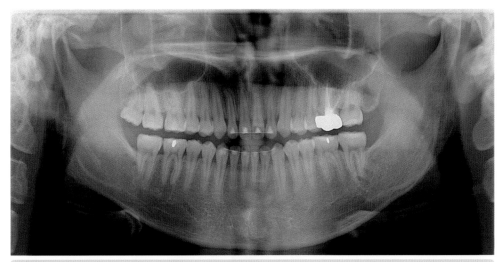

(a) 치료 후 파노라마

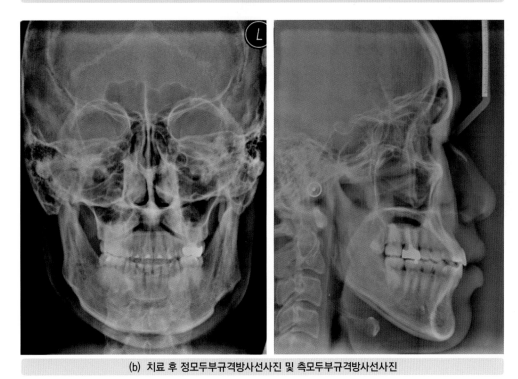

(b) 치료 후 정모두부규격방사선사진 및 측모두부규격방사선사진

그림 1-9. **치료 후 X-ray**

Data No. 1 [2008-07-29]
Data No. 2 [2009-08-10]

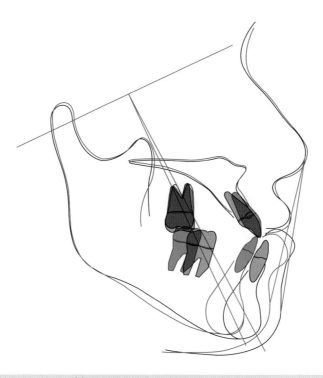

(a) 치료 전후의 측모두부규격방사선사진 중첩

Measurement	Mean	S.D.	2008.07.29	2009.08.10	(−)	(+)
Saddle angle (deg)	123.90	4.70	117.93*	114.15 **		
Articular angle (deg)	147.07	5.79	146.07	150.08		
Gonial angle (deg)	117.10	6.70	126.85*	127.68 *		
Ant. Cranial Base (mm)	72.90	3.20	73.16	73.99		
Post. Cranial Base (mm)	41.30	3.40	39.91	38.98		
Ramus height (mm)	56.60	5.20	71.89**	71.54 **		
Body length (mm)	79.00	5.00	89.26**	81.62		
Maxillary base (mm)	48.40	3.60	51.05	53.28 *		
Ramus ratio	77.00	3.00	98.26⟩⟩	96.69 ⟩⟩		
Mn. body ratio	108.00	7.94	122.01*	110.32		
Maxillary ratio	68.37	3.00	69.78	72.01 *		
Ant. Facial Height (AFH) (mm)	136.00	5.50	152.74***	150.49 **		
Post. Facial Height (PFH) (mm)	95.40	6.10	107.34*	107.10 *		
PFH/AFH	70.20	4.60	70.28	71.17		
Y-axis to SN (deg)	70.92	3.36	64.49	65.91 *		
SNA (deg)	82.40	3.20	86.06*	88.11 *		
SNB (deg)	80.40	3.10	90.41***	87.50 **		
ANB difference	2.00	1.70	−4.35***	0.60		
APDI	85.90	4.00	102.93⟩⟩	93.84 *		
SN-FH (deg)	7.00	2.00	4.32*	4.03 *		
SN-GoMe (deg)	32.00	5.00	30.65	31.89		
palatal to GoMe (deg)	22.80	6.20	24.15	24.77		
FH-occusal (deg)	13.00	2.00	5.57***	7.08 **		
Occlusal plane to Gome (deg)	19.77	4.10	20.97	20.79		
SN-palatal (deg)	8.60	3.00	6.70	7.13		
ODI	73.30	5.90	55.30***	64.49 *		
U1-SN (deg)	109.00	5.70	120.88***	115.05 *		
FH-Mandibular plane (FMA) (deg)	25.00	2.00	26.54*	27.87 *		
L1-FH (FMIA) (deg)	67.00	2.00	72.54**	61.58 **		
L1-Mandibular plane (IMPA) (deg)	96.50	6.60	80.95**	90.55		
Interincisal angle (deg)	124.00	7.90	127.33	122.50		
U1-FH (deg)	119.90	2.00	125.20**	119.08		
L1, Inclination (deg)	25.00	2.00	27.79*	31.11 ***		
U1 to facial plane (mm)	8.84	3.22	2.10**	8.42		
L1 to facial plane (mm)	5.02	2.88	5.22	6.70		
A point-N Perpend (mm)	1.10	2.70	0.53	2.71		
Pog-N Perpend (mm)	−0.30	3.80	13.16***	5.99 *		
U1 to MxOP (deg)	58.00	2.00	50.46***	54.08 *		
L1 to MnOP (deg)	68.30	5.90	82.71**	70.05		
U1 to A vert.	0.01	3.51	10.06**	10.13 **		
L1 to A-Pog (mm)	5.00	2.23	8.81*	6.90		

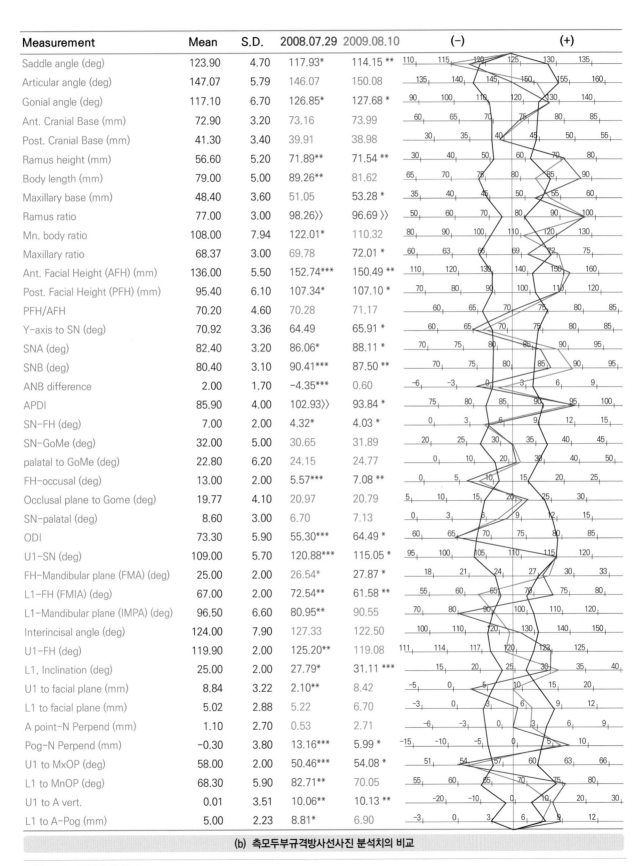

(b) 측모두부규격방사선사진 분석치의 비교

그림 1-10. **치료 전후 비교**

DISCUSSION

　하악골이 전돌된 골격성 III급 부정교합 환자로 술전 교정치료와 하악골 후퇴술로 하악골의
전후방적인 위치는 개선되었으나, 장안모의 안면고경은 치료 후에도 유지되었다 이 환자의 FH
plane에 대한 교합평면 각도가 평탄하였기 때문에, 하악골 후퇴술에 의해 하악골이 교합평면을
따라 후방이동 하여도 수직고경에 큰 변화가 없었다. 이 경우 상악골의 후방 부위를 상방으로
이동시키는 수술을 시행하여 상악의 교합평면 각도를 개선한 뒤 상악골에 맞게 하악골의 후방
이동을 시행하였으면 안모의 길이를 감소시킬 수 있지 않았을까 하는 아쉬움이 있다. 하지만 환
자는 치료결과에 만족하였다.

증례 2

DIAGNOSIS

27세 남자 환자로 "아래턱이 나왔어요"를 주소로 내원하였다. 구치와 견치 모두 III급이며 전치부 반대 교합 상태이고 총생 존재한다. 측모두부규격방사선사진 분석에서 전두개저에 대해 하악이 상대적으로 전방위치(ANB: -2.5°) 하고, FMA(21.0°)가 작은 단안모의 골격성 III급 양상을 보였다. FH plane에 대한 교합평면의 각도는 6.3°로 평탄하였다. 교합 평면에 대한 상악 전치부의 각도는 61.3°로 보상성 치축경사 보였다. #17,27 구개측 교두가 정출 및 협측 위치하여 수술 교합을 위한 3점 접촉에 저해요소가 되고 있다.

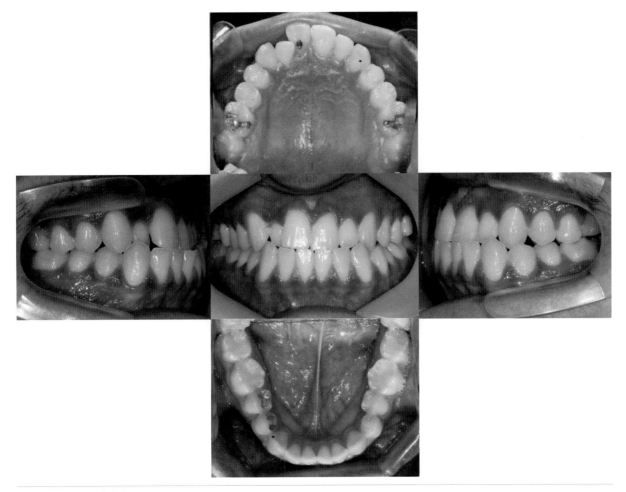

그림 2-1. **초진 구내사진**

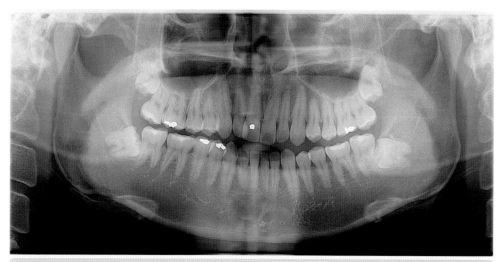

(a) 초진 파노라마

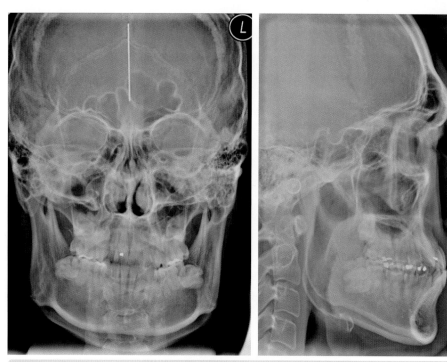

(b) 초진 정모두부규격방사선사진 및 측모두부규격방사선사진

그림 2-2. **초진 X-ray**

Measurement	Mean	S.D.	2012.06.13	(−)	(+)
Saddle angle (deg)	123.90	4.70	126.15		
Articular angle (deg)	147.07	5.79	146.67		
Gonial angle (deg)	117.10	6.70	113.94		
Ant. Cranial Base (mm)	72.90	3.20	71.71		
Post. Cranial Base (mm)	41.30	3.40	48.28**		
Ramus height (mm)	56.60	5.20	67.04**		
Body length (mm)	79.00	5.00	88.41**		
Maxillary base (mm)	48.40	3.60	49.41		
Ramus ratio	77.00	3.00	93.50⟩⟩		
Mn. body ratio	108.00	5.88	123.29**		
Maxillary ratio	68.72	3.00	68.91		
Ant. Facial Height (AFH) (mm)	136.00	5.50	147.80**		
Post. Facial Height (PFH) (mm)	95.40	6.10	110.61**		
PFH/AFH	70.20	4.60	74.84*		
Y-axis to SN (deg)	70.92	3.36	69.77		
SNA (deg)	82.40	3.20	80.69		
SNB (deg)	80.40	3.10	83.19		
ANB difference	2.00	1.70	−2.50**		
APDI	85.90	4.00	97.56**		
SN-FH (deg)	7.00	2.00	5.77		
SN-GoMe (deg)	32.00	5.00	26.91*		
palatal to GoMe (deg)	22.80	6.20	15.68*		
FH-occusal (deg)	13.00	2.00	6.26***		
Occlusal plane to Gome (deg)	19.77	4.10	14.72*		
SN-palatal (deg)	8.60	3.00	11.08		
ODI	73.30	5.90	72.06		
U1-SN (deg)	109.00	5.70	113.64		
FH-Mandibular plane (FMA) (deg)	25.00	2.00	20.98**		
L1-FH (FMIA) (deg)	67.00	2.00	64.43*		
L1-Mandibular plane (IMPA) (deg)	96.50	6.60	94.58		
Interincisal angle (deg)	124.00	7.90	125.02		
U1-FH (deg)	119.90	2.00	119.41		
L1, Inclination (deg)	25.00	2.00	28.21*		
U1 to facial plane (mm)	8.84	3.22	5.15*		
L1 to facial plane (mm)	5.02	2.88	6.12		
A point-N Perpend (mm)	1.10	2.70	−4.29*		
Pog-N Perpend (mm)	−0.30	3.80	−1.11		
U1 to MxOP (deg)	58.00	2.00	56.07		
L1 to MnOP (deg)	68.30	5.90	74.19		
U1 to A vert.	0.01	3.51	8.71**		
L1 to A-Pog (mm)	5.00	2.23	8.35*		

그림 2-3. **측모두부방사선사진의 분석**

TREATMENT OBJECTIVES

술전 교정 치료에서 상악 #18,28 CBCT상 크기 및 형태 양호하여 #17,27 발거 후 #18,28의 맹출 기대하기로 하였다. 상하악 고정식 장치 부착하여 상하악 배열하고, 상악 microimplant이용하여 후방이동 하기로 하였다. 보상성 치축 경사 보이는 상하악 전치 탈보상 후, 골격적 부조화는 악교정 수술을 통해 개선하기로 하였다. 골격적 부조화 개선 위해 상악 Le Fort I osteotomy와 하악 differential setback BSSRO 및 angle reduction과 genioplasty 계획하였다.

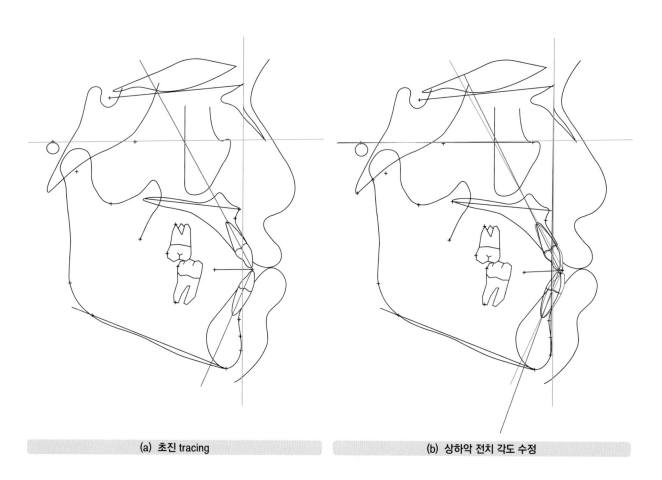

(a) 초진 tracing	(b) 상하악 전치 각도 수정

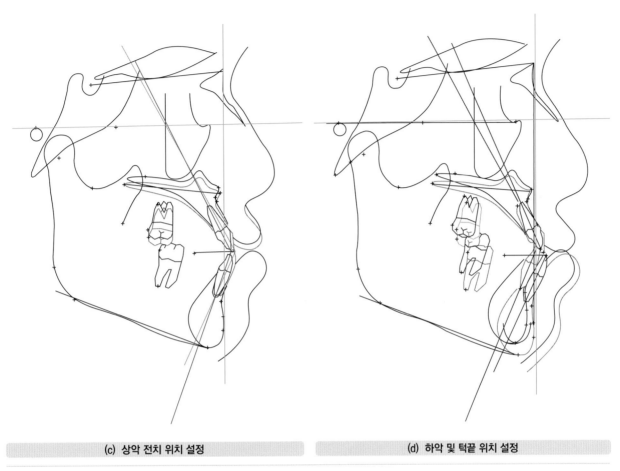

| (c) 상악 전치 위치 설정 | (d) 하악 및 턱끝 위치 설정 |

그림 2-4. STO

TREATMENT PROGRESS

구강악안면외과에서 상악 제2대구치, 하악 제3대구치 발거하였다. 상하악 고정식 장치 부착하고 배열후 상악 제2소구치 원심 협측에 microimplant 식립하여 상악 치열 후방이동하였다. 상하악 치열 배열 완료 후 각형 스테인리스스틸 호선을 결찰하였다(그림 2-5, 2-6). 수술위한 brass wire solder된 수술용 와이어 결찰하고 악교정수술은 상악골 Le Fort I osteotomy, 하악은 BSSRO, angle reduction, genioplasty 시행하였다. 수술 후 교정치료 시 수술을 위한 안정화 호선과 스플린트를 제거하고 술후 교정치료를 위한 호선을 상하악에 결찰하고 교합을 안정화하였다.

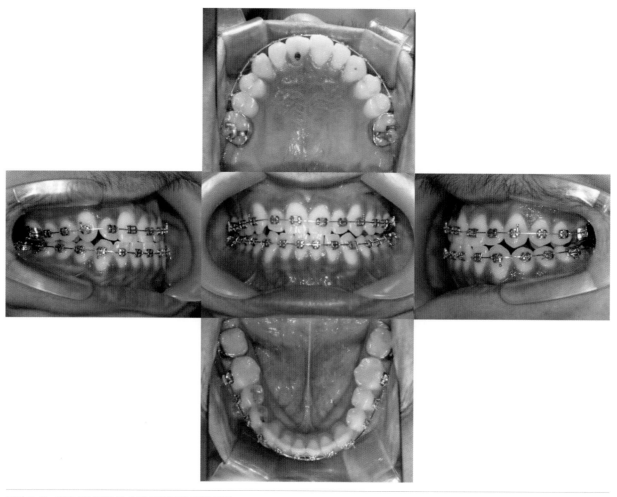

그림 2-5. #17, 27 발치 후 술전 교정중인 구내 사진

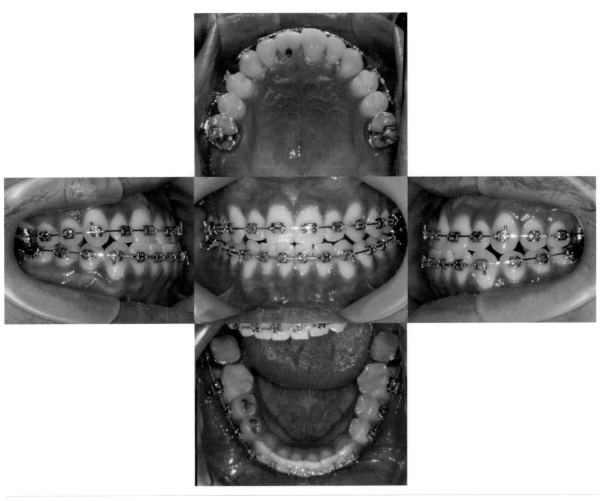

그림 2-6. 술전 교정 후 구내사진

TREATMENT RESULTS

교정치료 2년 후 교정장치를 제거하였다. 하악골 돌출이 개선되었고, 좌우측 I급 견치 및 구치관계로 교합이 개선 및 정상적인 전치부 수직, 수평피개 형성되었다(그림 2-7). 측모두부규격 방사선사진 분석에서 ANB가 0.5°로 개선되었고, 상악 전치 치축 각도가 개선되었다. 하악골의 전후방적인 위치 개선뿐 아니라 전안모 고경(AFH)가 작아지게 되었다(그림 2-9).

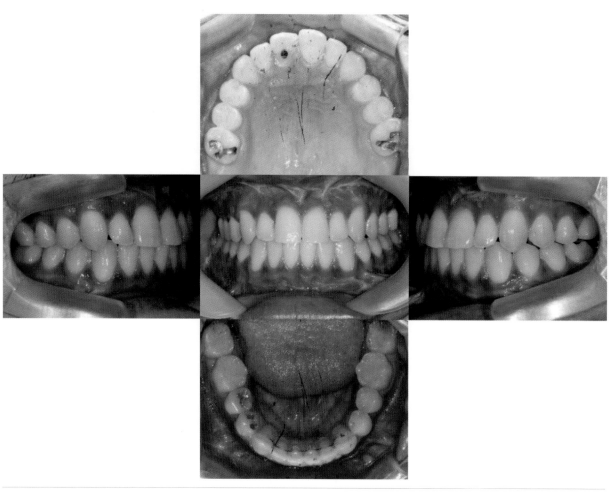

그림 2-7. **치료 후 구내사진**

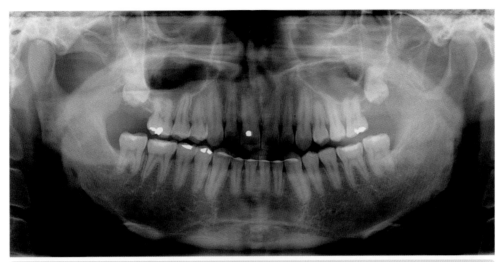

(a) 치료 후 파노라마

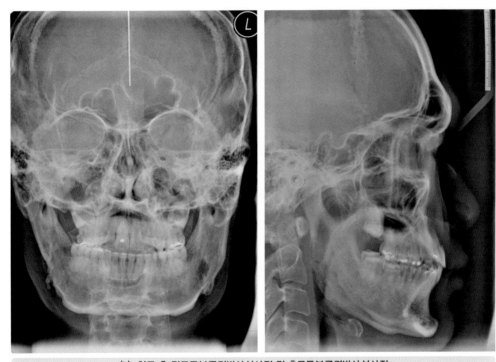

(b) 치료 후 정모두부규격방사선사진 및 측모두부규격방사선사진

그림 2-8. **치료 후 X-ray**

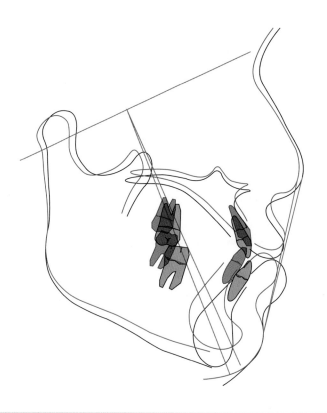

(a) 치료 전후의 측모두부규격방사선사진 중첩

Measurement	Mean	S.D.	2012.06.13	2015.08.07	(−)	(+)
Saddle angle (deg)	123.90	4.70	126.15	123.36		
Articular angle (deg)	147.07	5.79	146.67	138.94*		
Gonial angle (deg)	117.10	6.70	113.94	119.87		
Ant. Cranial Base (mm)	72.90	3.20	71.71	74.18		
Post. Cranial Base (mm)	41.30	3.40	48.28**	46.68*		
Ramus height (mm)	56.60	5.20	67.04**	68.10 **		
Body length (mm)	79.00	5.00	88.41**	79.44		
Maxillary base (mm)	48.40	3.60	50.20	52.47 *		
Ramus ratio	77.00	3.00	93.50⟩⟩	96.69 ⟩⟩		
Mn. body ratio	108.00	5.00	123.29**	107.09		
Maxillary ratio	69.00	3.00	70.01	70.73		
Ant. Facial Height (AFH) (mm)	136.00	5.50	147.80**	137.53		
Post. Facial Height (PFH) (mm)	95.40	6.10	110.61**	107.75 **		
PFH/AFH	70.20	4.60	74.84*	78.35*		
Y-axis to SN (deg)	70.92	3.36	69.77	65.26 *		
SNA (deg)	82.40	3.20	80.69	83.83		
SNB (deg)	80.40	3.10	83.19	83.32		
ANB difference	2.00	1.70	−2.50**	0.51		
APDI	85.90	4.00	94.74**	90.06 *		
SN-FH (deg)	7.00	2.00	5.77	4.05 *		
SN-GoMe (deg)	32.00	5.00	26.91*	21.59**		
palatal to GoMe (deg)	22.80	6.20	18.50	14.74*		
FH-occusal (deg)	13.00	2.00	6.26***	8.77 **		
Occlusal plane to Gome (deg)	19.77	4.10	14.72*	9.35 **		
SN-palatal (deg)	8.60	3.00	8.26	7.43		
ODI	73.30	5.90	69.24	78.58		
U1-SN (deg)	109.00	5.70	108.40	114.78 *		
FH-Mandibular plane (FMA) (deg)	25.00	2.00	20.98**	18.12 ***		
L1-FH (FMIA) (deg)	67.00	2.00	63.77*	58.59⟨⟨		
L1-Mandibular plane (IMPA) (deg)	96.50	6.60	95.24	103.34*		
Interincisal angle (deg)	124.00	7.90	129.59	119.76		
U1-FH (deg)	119.90	2.00	114.17**	118.83		
L1, Inclination (deg)	25.00	2.00	28.87*	33.40⟩⟩		
U1 to facial plane (mm)	8.84	3.22	5.15*	5.36 *		
L1 to facial plane (mm)	5.02	2.88	6.12	3.23		
A point-N Perpend (mm)	1.10	2.70	−4.29*	−2.44*		
Pog-N Perpend (mm)	−0.30	3.80	−1.11	−0.12		
U1 to MxOP (deg)	58.00	2.00	61.31*	54.37 *		
L1 to MnOP (deg)	68.30	5.90	72.26	66.91		
U1 to A vert.	0.01	3.51	8.71**	7.84 **		
L1 to A-Pog (mm)	5.00	2.23	8.35*	4.78		

(b) 측모두부방사선사진의 분석 비교

그림 2-9. **치료 전후 비교**

하악이 전돌된 골격성 III급 부정교합 환자로 다소 정출된 상악의 제2대구치 발거하고 전치열 후방이동을 도모하였다. 술전, 술후의 교정과 악교정 수술로 하악돌출개선과 치열의 안정적인 교합을 얻을 수 있었다. 그러나 환자 수술후에도 매복된 #18,28이 6개월 이상 맹출되지 않았다. 치료 시작전 CBCT를 통해 검토한 결과 맹출장애 요소가 없음에도 불구하고 맹출불량 소견 보여 환자에게 고지하였다. 환자 외국으로 이주하게 되어 #17,27의 보철적 치료 없이 마무리하게 된 것이 다소 아쉬운 부분이다.

증례 3

21세 남자 환자로 "비대칭 턱수술을 위해 교정하고 싶다"는 주소로 내원하였다. 구치와 견치 모두 III급이며 전치부 절단교합 상태이다. 상악의 미약한 총생과 하악 #34가 설측으로 위치한 중등도 총생 존재한다(상악 1.1 mm, 하악 6.9 mm). 하악체와 하악지가 우측이 길어 턱과 치열이 좌측으로 편위 되었다. 측모두부규격방사선사진 분석에서 전두개저에 대해 하악이 상대적으로 전방위치(ANB: -2.6°) 되었고, FMA(30.1°)가 큰 장안모의 하악 전돌된 골격성 III급 양상이다. 상하악 폭경 부조화로 인한 좌측 가위 교합이다(상악 제1대구치 중심와 간 폭경: 50.3 mm, 하악 제1대구치 원심 교두간 폭경: 53.5 mm).

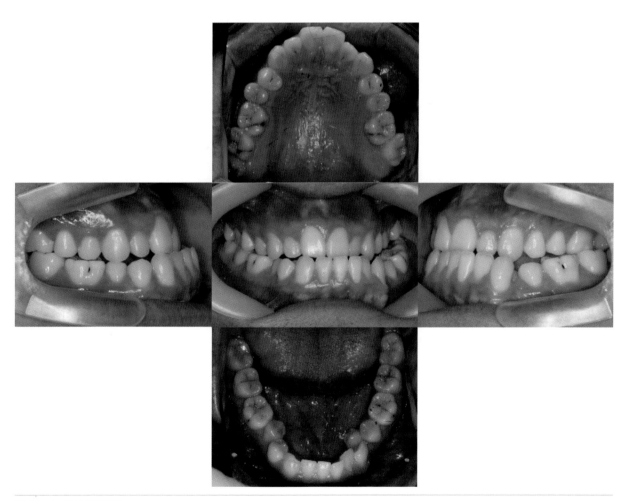

그림 3-1. 초진 구내사진

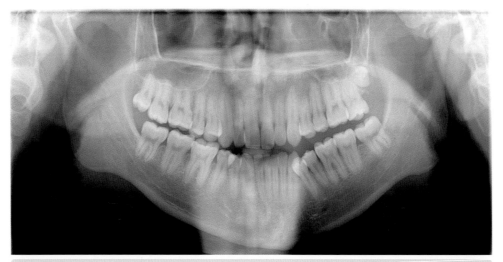

(a) 초진 파노라마

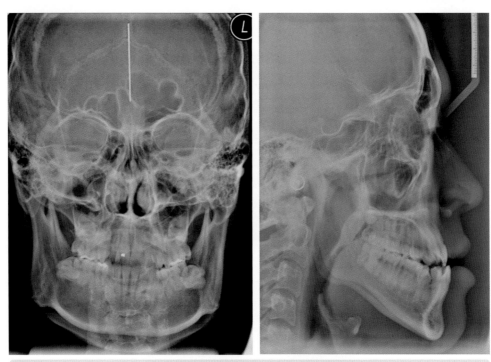

(b) 초진 정모두부규격방사선사진 및 측모두부규격방사선사진

그림 3-2. 초진 X-ray

Measurement	Mean	S.D.	2014.12.30	(−)	(+)
Saddle angle (deg)	123.90	4.70	125.85		
Articular angle (deg)	147.07	5.79	147.60		
Gonial angle (deg)	117.10	6.70	126.86*		
Ant. Cranial Base (mm)	72.90	3.20	75.08		
Post. Cranial Base (mm)	41.30	3.40	38.66		
Ramus height (mm)	56.60	5.20	62.60*		
Body length (mm)	79.00	5.00	94.15***		
Maxillary base (mm)	48.40	3.60	48.39		
Ramus ratio	77.00	3.00	83.38**		
Mn. body ratio	108.00	8.16	125.39**		
Maxillary ratio	67.99	3.00	64.45*		
Ant. Facial Height (AFH) (mm)	136.00	5.50	157.55***		
Post. Facial Height (PFH) (mm)	95.40	6.10	97.47		
PFH/AFH	70.20	4.60	61.87*		
Y-axis to SN (deg)	70.92	3.36	72.02		
SNA (deg)	82.40	3.20	78.78*		
SNB (deg)	80.40	3.10	81.41		
ANB difference	2.00	1.70	−2.63**		
APDI	85.90	4.00	92.03*		
SN-FH (deg)	7.00	2.00	8.30		
SN-GoMe (deg)	32.00	5.00	39.86*		
palatal to GoMe (deg)	22.80	6.20	33.08*		
FH-occusal (deg)	13.00	2.00	15.20*		
Occlusal plane to Gome (deg)	19.77	4.10	16.80		
SN-palatal (deg)	8.60	3.00	7.22		
ODI	73.30	5.90	53.82***		
U1-SN (deg)	109.00	5.70	99.88*		
FH-Mandibular plane (FMA) (deg)	25.00	2.00	32.00***		
L1-FH (FMIA) (deg)	67.00	2.00	74.15***		
L1-Mandibular plane (IMPA) (deg)	96.50	6.60	73.89***		
Interincisal angle (deg)	124.00	7.90	145.96***		
U1-FH (deg)	119.90	2.00	108.18《		
L1, Inclination (deg)	25.00	2.00	19.08**		
U1 to facial plane (mm)	8.84	3.22	2.59*		
L1 to facial plane (mm)	5.02	2.88	4.72		
A point-N Perpend (mm)	1.10	2.70	−3.84*		
Pog-N Perpend (mm)	−0.30	3.80	0.35		
U1 to MxOP (deg)	58.00	2.00	56.23		
L1 to MnOP (deg)	68.30	5.90	85.50**		
U1 to A vert.	0.01	3.51	8.26**		
L1 to A-Pog (mm)	5.00	2.23	7.00		

그림 3-3. 측모두부방사선사진의 분석

상하악 폭경부조화는 MARPE(Miniscrew-assisted rapid palatal expander)를 이용하여 상악을 확장하기로 하였다. 확장이 끝난 후 최소 3개월의 유지 기간을 가지기로 하였다. 상악 #17,27은 MARPE의 후방 microimplant를 이용하여 압하 하기로 하였다. #34의 부족한 공간은 좌측 후방 MIA식립하여 치열 후방이동 이용하여 마련하기로 하였다. 하악지와 하악체의 길이 차이로 인한 하악이 좌측으로 편위된 비대칭 관찰되고 상악의 canting 관찰되어 상악 leveling & differential impaction Le Fort I osteotomy와 하악 differential setback BSSRO계획하였다.

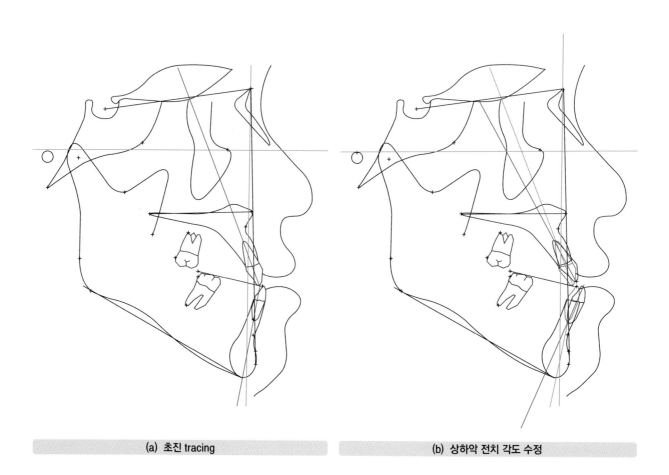

| (a) 초진 tracing | (b) 상하악 전치 각도 수정 |

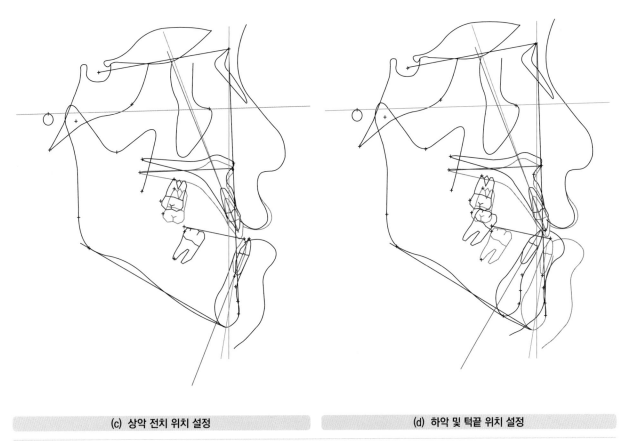

(c) 상악 전치 위치 설정	(d) 하악 및 턱끝 위치 설정

그림 3-4. **STO**

TREATMENT PROGRESS

MARPE 이용하여 매일 2바퀴 돌려 상악 확장하였다. 상악 확장 유지 기간 동안 하악 고정식 장치 부착하고 Leveling 시작하였다. 상악은 MARPE 유지 기간동안 MARPE의 microimplant를 anchorage로 이용하여 #17,27 압하하였다(그림 3-5). #34배열 및 하악전치 탈보상 위해 opencoil 사용하고 하악 #36 원심 협측에 microimplant 식립하여 하악 좌측 치열 후방 이동하였다(그림 3-6). 상하악 치열 배열 완료 후 각형 스테인리스스틸 호선을 결찰하였다. 수술위해 상하악 microimplant 치간사이 식립하고 상악 Le Fort I osteotomy 및 하악 BSSRO 시행하였다. 수술 후 교정치료 시 수술을 위한 안정화 호선과 스플린트를 제거하고 술후 교정치료를 위한 호선을 상하악에 결찰하여 교합을 안정화하였다.

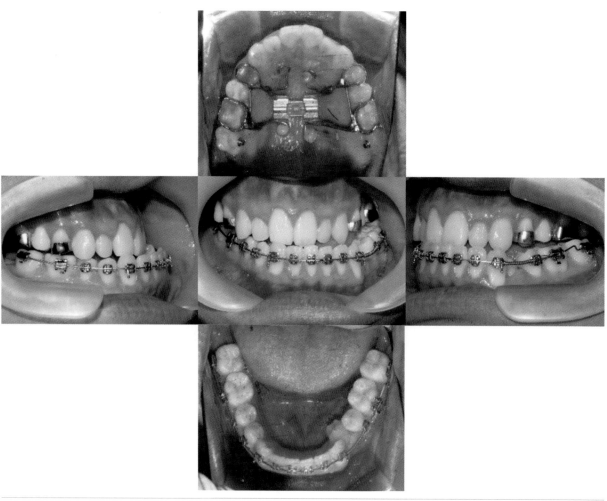

그림 3-5. MARPE 이용한 상악확장중 구내사진(#17,27압하도모)

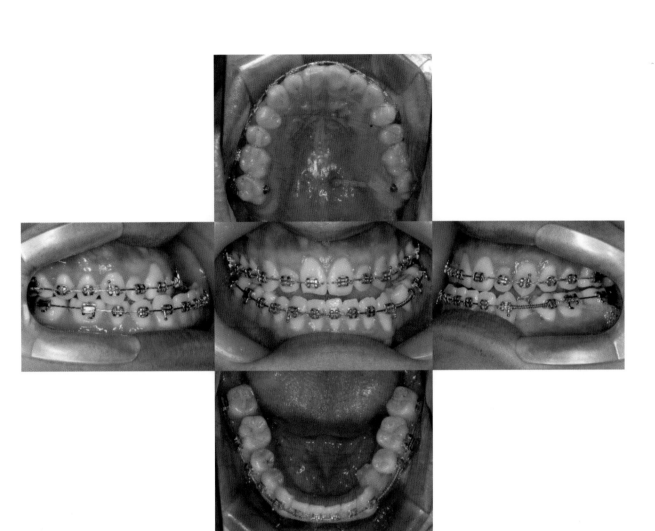

그림 3-6. **술전 교정 후 구내사진**

TREATMENT RESULTS

교정치료 1년 9개월 후 교정장치를 제거하였다. 하악 돌출이 개선되었고 비대칭 개선되었다. 좌우측 I급 견치 및 구치관계로 교합이 개선되었고 상하악 중앙선이 일치하였다. 정상적인 전치부 수직, 수평피개 형성되었다(그림 3-7). 측모두부규격방사선사진 분석에서 ANB가 2.9°로 개선되었으며, 하악 전치 치축 각도가 개선되었다. 하악골의 전후방적인 위치 개선뿐 아니라 전안모고경(AFH)가 작아지게 되었다(AFH 157.5 → 148.9 mm)(그림 3-8).

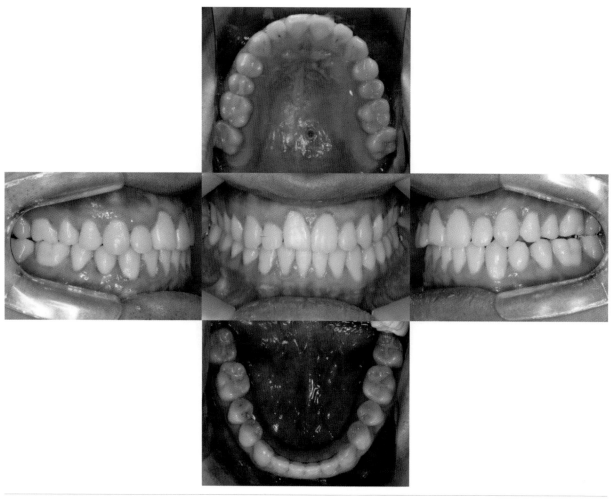

그림 3-7. **치료 후 구내사진**

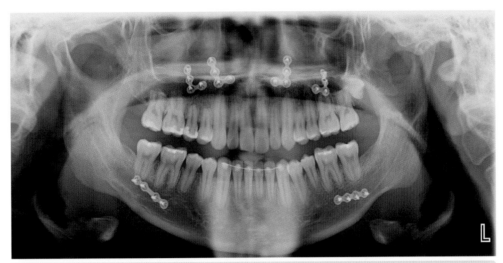

(a) 치료 후 파노라마

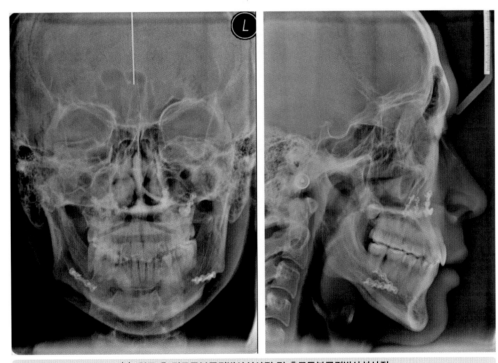

(b) 치료 후 정모두부규격방사선사진 및 측모두부규격방사선사진

그림 3-8. **치료 후 X-ray**

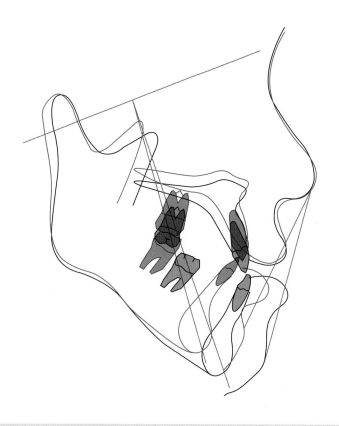

(a) 치료 전후의 측모두부규격방사선사진 중첩

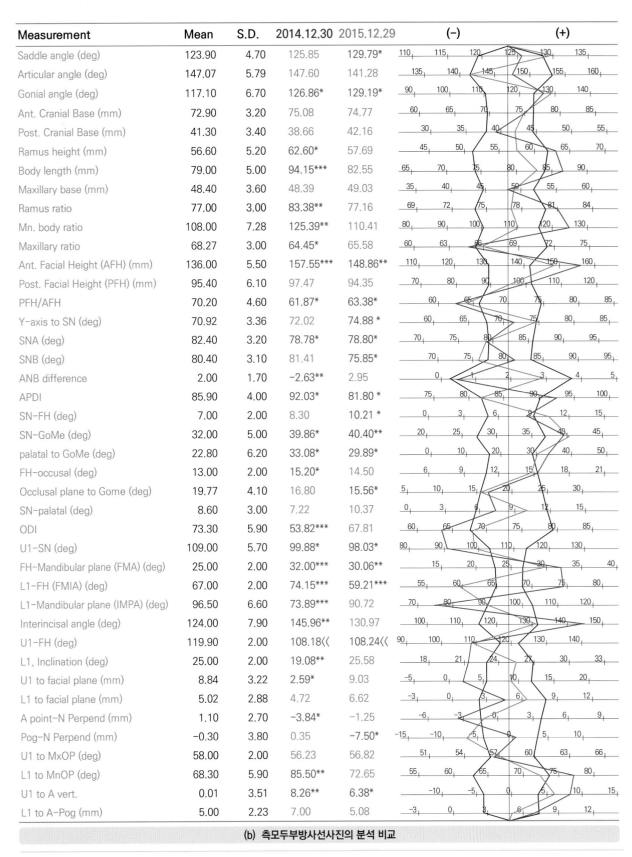

Measurement	Mean	S.D.	2014.12.30	2015.12.29
Saddle angle (deg)	123.90	4.70	125.85	129.79*
Articular angle (deg)	147.07	5.79	147.60	141.28
Gonial angle (deg)	117.10	6.70	126.86*	129.19*
Ant. Cranial Base (mm)	72.90	3.20	75.08	74.77
Post. Cranial Base (mm)	41.30	3.40	38.66	42.16
Ramus height (mm)	56.60	5.20	62.60*	57.69
Body length (mm)	79.00	5.00	94.15***	82.55
Maxillary base (mm)	48.40	3.60	48.39	49.03
Ramus ratio	77.00	3.00	83.38**	77.16
Mn. body ratio	108.00	7.28	125.39**	110.41
Maxillary ratio	68.27	3.00	64.45*	65.58
Ant. Facial Height (AFH) (mm)	136.00	5.50	157.55***	148.86**
Post. Facial Height (PFH) (mm)	95.40	6.10	97.47	94.35
PFH/AFH	70.20	4.60	61.87*	63.38*
Y-axis to SN (deg)	70.92	3.36	72.02	74.88 *
SNA (deg)	82.40	3.20	78.78*	78.80*
SNB (deg)	80.40	3.10	81.41	75.85*
ANB difference	2.00	1.70	-2.63**	2.95
APDI	85.90	4.00	92.03*	81.80 *
SN-FH (deg)	7.00	2.00	8.30	10.21 *
SN-GoMe (deg)	32.00	5.00	39.86*	40.40**
palatal to GoMe (deg)	22.80	6.20	33.08*	29.89*
FH-occusal (deg)	13.00	2.00	15.20*	14.50
Occlusal plane to Gome (deg)	19.77	4.10	16.80	15.56*
SN-palatal (deg)	8.60	3.00	7.22	10.37
ODI	73.30	5.90	53.82***	67.81
U1-SN (deg)	109.00	5.70	99.88*	98.03*
FH-Mandibular plane (FMA) (deg)	25.00	2.00	32.00***	30.06**
L1-FH (FMIA) (deg)	67.00	2.00	74.15***	59.21***
L1-Mandibular plane (IMPA) (deg)	96.50	6.60	73.89***	90.72
Interincisal angle (deg)	124.00	7.90	145.96**	130.97
U1-FH (deg)	119.90	2.00	108.18《《	108.24《《
L1, Inclination (deg)	25.00	2.00	19.08**	25.58
U1 to facial plane (mm)	8.84	3.22	2.59*	9.03
L1 to facial plane (mm)	5.02	2.88	4.72	6.62
A point-N Perpend (mm)	1.10	2.70	-3.84*	-1.25
Pog-N Perpend (mm)	-0.30	3.80	0.35	-7.50*
U1 to MxOP (deg)	58.00	2.00	56.23	56.82
L1 to MnOP (deg)	68.30	5.90	85.50**	72.65
U1 to A vert.	0.01	3.51	8.26**	6.38*
L1 to A-Pog (mm)	5.00	2.23	7.00	5.08

(b) 측모두부방사선사진의 분석 비교

그림 3-9. **치료 전후 비교**

DISCUSSION

하악이 전돌된 골격성 III급 부정교합 환자로 하악지와 하악체의 길이 차이로 비대칭 존재하였다. 술전 교정으로 상악 MARPE 이용한 확장과 MARPE의 microimplant이용한 상악 제2대구치 압하 시행하였다. 악교정 수술 통해 하악 돌출 개선, 비대칭 및 상악 canting 개선 및 전안모 고경이 작아지게 되었다. 치열과 골격적 비대칭은 개선되었으나 연조직의 변화가 수술의 변화량을 다 반영하지 못하기 때문에 생기는 smile시 입술의 약간의 canting이 존재하는 것이 다소 아쉽다. 또한 MARPE를 이용한 상악 확장 후 다소 재발되어 좌측 구치부 교합이 다소 긴밀하지 못한 부분이 아쉬운 부분이다. 환자는 만족하고 더 이상의 치료는 원하지 않아 치료를 종료하게 되었다.

증례 4

24세 여자 환자로 "턱이 나왔어요"를 주소로 전돌된 하악골의 개선을 위해 내원하였다. 좌우측 III급 견치 및 구치 관계였으며. 전치부 절단교합 보였다. 상하악 중절치의 mesial-in rotation을 비롯하여 상하악에 경미한 총생이 있었다(그림 4-1). 얼굴이 길며 아래턱이 돌출되어 보이고 오목한 측모를 보였다. 측모두부규격방사선사진 분석에서 전두개저에 대해 하악골이 전방위치(ANB: -2.0°) 되어있고, 하악각이 127.1°로 장안모의 하악이 전돌된 골격성 III급 양상을 보였다. FH plane에 대한 교합평면의 각도는 8.6°로 평탄하였다. 교합 평면에 대한 상하악 전치부의 각도는 45.4°와 71.5°로 보상성 치축경사 보였다. 상하악궁의 폭경부조화나 안면비대칭은 관찰되지 않았다(그림 4-2).

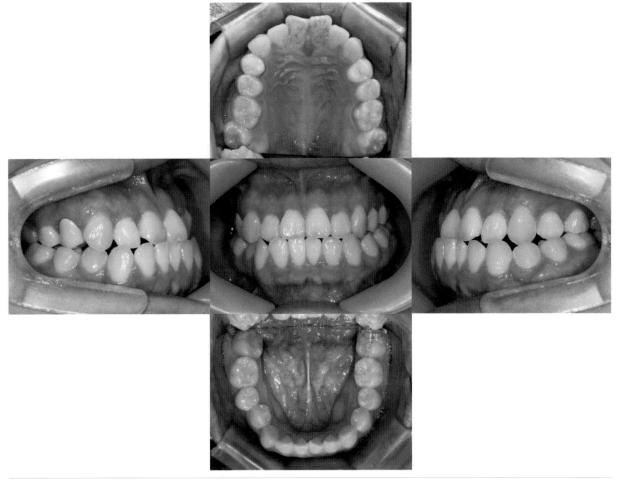

그림 4-1. **초진 구내사진**

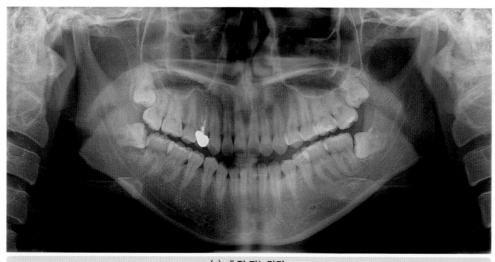

(a) 초진 파노라마

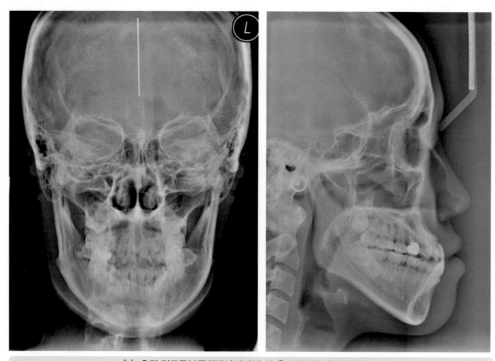

(b) 초진 정모두부규격방사선사진 및 측모두부규격방사선사진

그림 4-2. 초진 X-ray

Measurement	Mean	S.D.	2009.08.11	(−)	(+)
Saddle angle (deg)	125.90	4.40	123.86		
Articular angle (deg)	147.68	5.25	148.82		
Gonial angle (deg)	118.60	5.80	127.08*		
Ant. Cranial Base (mm)	69.30	2.70	71.91		
Post. Cranial Base (mm)	36.70	3.20	29.17**		
Ramus height (mm)	51.60	4.20	54.76		
Body length (mm)	76.00	4.00	79.85		
Maxillary base (mm)	46.90	2.19	50.71*		
Ramus ratio	74.00	3.00	76.15		
Mn. body ratio	108.00	5.00	111.05		
Maxillary ratio	68.87	3.00	70.52		
Ant. Facial Height (AFH) (mm)	127.40	5.60	133.26*		
Post. Facial Height (PFH) (mm)	85.00	5.50	81.13		
PFH/AFH	66.80	4.20	60.88*		
Y-axis to SN (deg)	71.92	3.71	70.02		
SNA (deg)	81.60	3.10	79.54		
SNB (deg)	79.10	3.00	81.54		
ANB difference	2.40	1.80	−2.01**		
APDI	85.70	4.00	96.12**		
SN-FH (deg)	7.00	2.00	10.08*		
SN-GoMe (deg)	36.00	4.00	39.38		
palatal to GoMe (deg)	26.20	4.40	27.71		
FH-occusal (deg)	13.00	2.00	8.55**		
Occlusal plane to Gome (deg)	19.09	4.74	21.13		
SN-palatal (deg)	8.40	3.00	12.05*		
ODI	72.10	5.50	58.13**		
U1-SN (deg)	107.00	6.00	116.98*		
FH-Mandibular plane (FMA) (deg)	25.00	2.00	29.68**		
L1-FH (FMIA) (deg)	67.00	2.00	64.44*		
L1-Mandibular plane (IMPA) (deg)	95.90	6.30	85.92*		
Interincisal angle (deg)	124.00	8.30	117.37		
U1-FH (deg)	119.90	2.00	127.06***		
L1, Inclination (deg)	25.00	2.00	27.21*		
U1 to facial plane (mm)	9.90	3.04	10.71		
L1 to facial plane (mm)	5.87	2.93	10.52*		
A point-N Perpend (mm)	0.40	2.30	−0.42		
Pog-N Perpend (mm)	−1.80	4.50	1.31		
U1 to MxOP (deg)	55.16	3.48	45.37**		
L1 to MnOP (deg)	65.90	3.80	71.54*		
U1 to A vert.	0.85	3.09	11.17***		
L1 to A-Pog (mm)	4.55	2.10	11.17***		

그림 4-3. 측모두부방사선사진의 분석

TREATMENT OBJECTIVES

보상성 치축경사 보이는 상하악 전치를 탈보상 한 뒤, 악교정수술을 통하여 골격적인 부조화를 개선하기로 하였다. 상악 전치의 경우 심한 순측경사로 및 안정시 상악 전치 노출도가 적으므로 이를 고려하여 좌우 제1소구치 발치하여 상악 전치의 탈보상 시행하기로 하였다. 전두개저에 대한 상악골의 위치가 정상이며 비대칭이 관찰되지 않고, 환자가 장안모 수용하기로 하여 하악골 후퇴술 시행하여 하악골의 위치를 개선하기로 하였다.

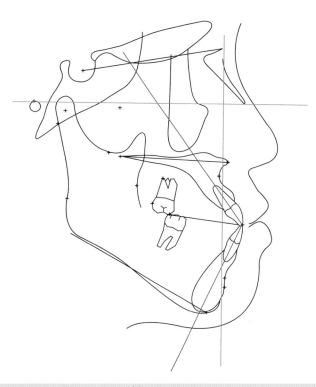

(a) 초진 tracing

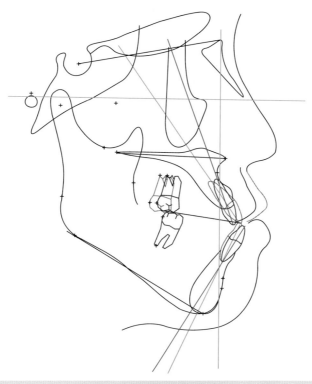

(b) 상하악 전치 각도 수정

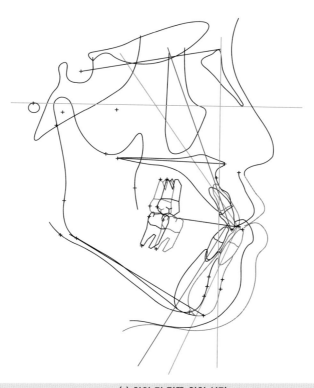

(c) 하악 및 턱끝 위치 설정

그림 4-4. STO

TREATMENT PROGRESS

　　상하악 치열에 장치 부착하고 배열하였다. 상악 전치부 총생 및 순측경사 탈보상 위해 상악 제1소구치 발치 시행하였다(그림 4-5). 하악의 총생 및 하악 전치 설측경사 탈보상을 위해 확장 배열 시행하였다. 상하악 치열 배열 완료 후 발치 공간 폐쇄하였다. 술전 교정 후, 상하악 전치 부 탈보상 및 상악 제1소구치 발치로 인해 전치부 반대교합 양이 더 커졌다(그림 4-6, 4-7). 악교 정수술은 하악 BSSRO 시행하였다. 수술 후 교정치료 시 수술을 위한 안정화 호선과 스플린트 를 제거하고 술후 교정치료를 위한 호선을 상하악에 결찰하여 교합을 안정화하였다.

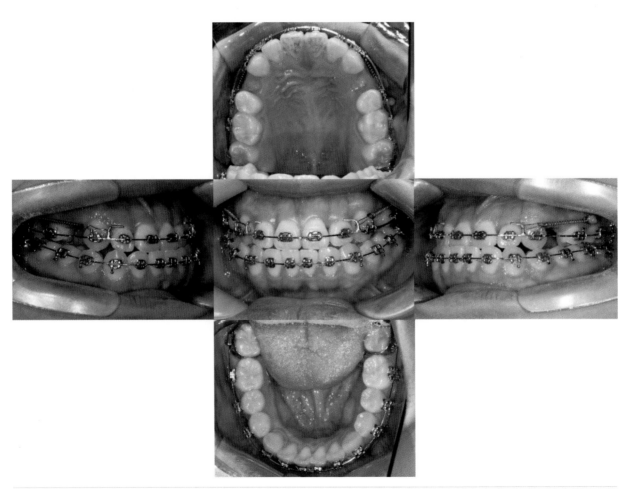

그림 4-5. **상악전치의 심한 순측경사 탈보상 위한 상악 제1소구치 발치 술전 교정 중 구내사진**

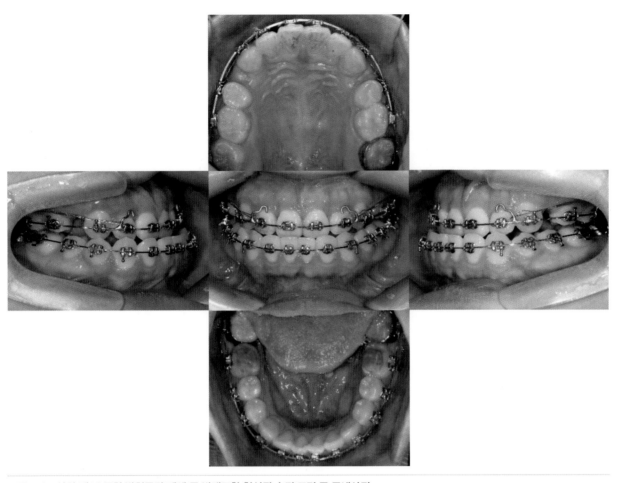

그림 4-6. 상악 제1소구치 발치공간 폐쇄 중 반대교합 형성된 술전 교정 중 구내사진

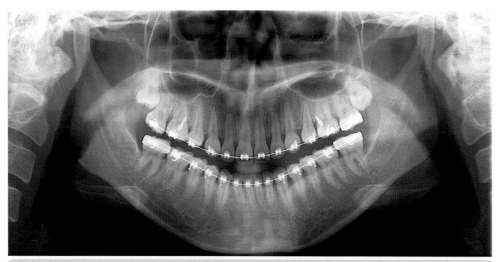

(a) 술전 교정 후 파노라마

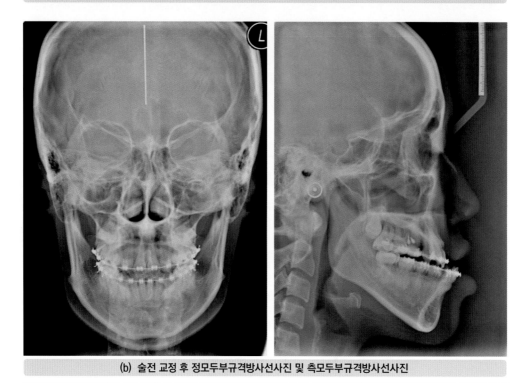

(b) 술전 교정 후 정모두부규격방사선사진 및 측모두부규격방사선사진

그림 4-7. **술전 교정 후 X-ray**

TREATMENT RESULTS

교정치료 1년 2개월 후 교정장치를 제거하였다. 하악골의 돌출이 개선되어 오목한 측모에서 straight한 측모로 개선되었다. 좌우측 I급 견치 및 II급 구치관계로 교합이 개선되었으며, 정상적인 전치부 수직, 수평피개가 형성되었다(그림 4-8).

측모두부규격방사선사진 분석에서 ANB가 3.7°로 개선되었고, 상하악 전치 치축 각도가 개선되었다. 하악골의 전후방적인 위치는 개선되었다(그림 4-9, 4-10).

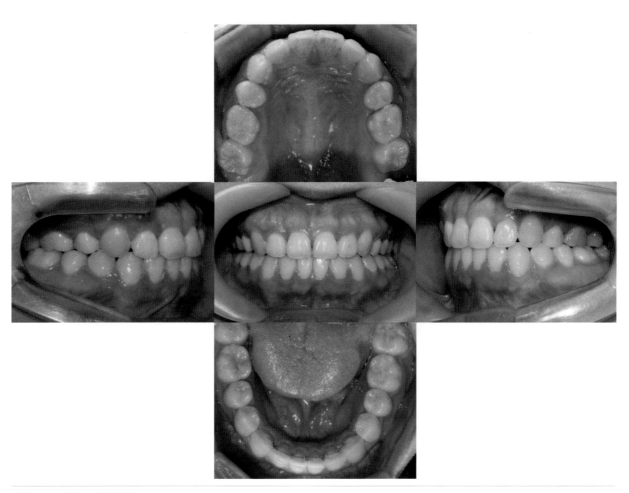

그림 4-8. **치료 후 구내사진**

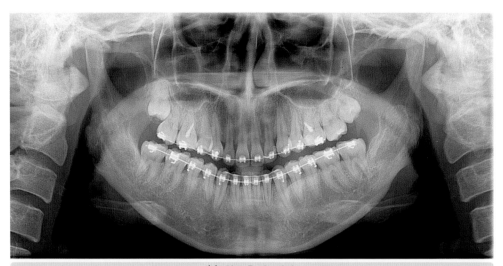

(a) 치료 후 파노라마

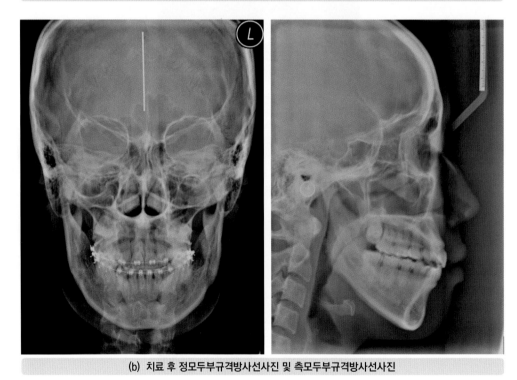

(b) 치료 후 정모두부규격방사선사진 및 측모두부규격방사선사진

그림 4-9. **치료 후 X-ray**

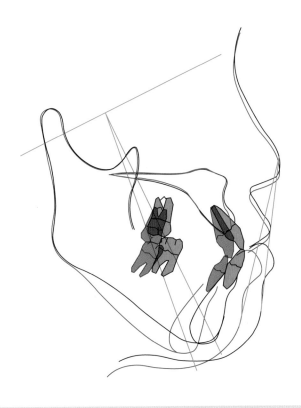

(a) 치료 전후의 측모두부규격방사선사진 중첩

Measurement	Mean	S.D.	2009.08.11	2012.10.04	(−)	(+)
Saddle angle (deg)	125.90	4.40	123.86	131.44*		
Articular angle (deg)	147.68	5.25	148.82	143.00		
Gonial angle (deg)	118.60	5.80	127.08*	135.59**		
Ant. Cranial Base (mm)	69.30	2.70	71.91	69.93		
Post. Cranial Base (mm)	36.70	3.20	29.17*	28.61**		
Ramus height (mm)	51.60	4.20	54.76	53.69		
Body length (mm)	76.00	4.00	79.85	72.05		
Maxillary base (mm)	46.90	2.19	53.06**	52.79**		
Ramus ratio	74.00	3.00	76.15	76.77		
Mn. body ratio	108.00	5.00	111.05	103.03		
Maxillary ratio	69.00	3.00	73.80*	75.49**		
Ant. Facial Height (AFH) (mm)	127.40	5.60	133.26*	138.33*		
Post. Facial Height (PFH) (mm)	85.00	5.50	81.13	78.46*		
PFH/AFH	66.80	4.20	60.88*	56.72**		
Y-axis to SN (deg)	71.92	3.71	70.02	77.52*		
SNA (deg)	81.60	3.10	81.60	79.80		
SNB (deg)	79.10	3.00	81.54	75.50*		
ANB difference	2.40	1.80	0.05*	4.30*		
APDI	85.70	4.00	93.52*	83.84		
SN-FH (deg)	7.00	2.00	10.08*	10.46*		
SN-GoMe (deg)	36.00	4.00	39.38	49.90***		
palatal to GoMe (deg)	26.20	4.40	27.71	36.19**		
FH-occusal (deg)	13.00	2.00	8.55**	12.66		
Occlusal plane to Gome (deg)	19.09	4.74	21.13	26.90*		
SN-palatal (deg)	8.40	3.00	12.05*	13.84*		
ODI	72.10	5.50	60.73**	63.35*		
U1-SN (deg)	107.00	6.00	116.98*	99.28*		
FH-Mandibular plane (FMA) (deg)	25.00	2.00	29.68**	39.56>>		
L1-FH (FMIA) (deg)	67.00	2.00	64.44*	59.63***		
L1-Mandibular plane (IMPA) (deg)	95.90	6.30	85.92*	80.83***		
Interincisal angle (deg)	124.00	8.30	117.37	129.89		
U1-FH (deg)	119.90	2.00	127.06***	109.74<<		
L1, Inclination (deg)	25.00	2.00	24.97	19.83**		
U1 to facial plane (mm)	9.90	3.04	10.71	12.11		
L1 to facial plane (mm)	5.87	2.93	10.52*	10.17*		
A point-N Perpend (mm)	0.40	2.30	1.92	0.31		
Pog-N Perpend (mm)	-1.80	4.50	1.31	-11.89**		
U1 to MxOP (deg)	55.16	3.48	45.37**	59.42*		
L1 to MnOP (deg)	65.90	3.80	71.54*	69.03		
U1 to A vert.	0.85	3.09	8.82**	4.70		
L1 to A-Pog (mm)	4.55	2.10	9.77**	6.38		

(b) 측모두부방사선사진의 분석 비교

그림 4-10. 치료 전후 비교

DISCUSSION

　하악골이 전돌된 골격성 III급 부정교합 환자로 술전 교정치료와 하악 BSSRO로 하악골 전후 방적 위치 개선되었다(4NB: -2.0 → 3.7).

　환자 교합평면 기준의 하악골 후방이동만 하여 안모의 수직적 길이가 크게 개선되지 않은 점은 다소 아쉬웠다. 양악수술을 통한 수직 길이 조절이 있다면 안모가 더욱 개선되지 않았을까 하는 아쉬움이 있지만, 환자 평악 수술을 원하고 다행히 환자는 치료 결과를 만족해 하였다.

증례 5

"턱이 나왔어요"를 주소로 내원한 18세 여자 환자이다. 좌우측 III급 견치 및 구치 관계이며 전치부 반대교합이었다. 하악 전치부에 미약한 총생이 존재하였다. 이부가 우측으로 편위된 안면 비대칭이 존재하였으며, 이로 인해 하악 치열 정중선이 우측으로 편위되어 있었다. #17,27 구개측 교두가 정출되어 있고, 상하악궁의 폭경 부조화는 보이지 않았다(그림 5-1).

측모두부규격방사선사진 분석에서 전두개저에 대해 하악골이 전방에 위치(ANB: -4.2°)하고, 하악각이 111.0°로 단안모의 하악이 전돌된 골격성 III급 양상을 보였다. FH plane에 대한 교합평면의 각도는 5.9°로 평탄하였다. 보상성 치축경사로 인해 교합 평면에 대한 상악 전치부의 각도는 50.0°, 하악 전치부의 각도는 79.4°를 나타내었다(그림 5-2).

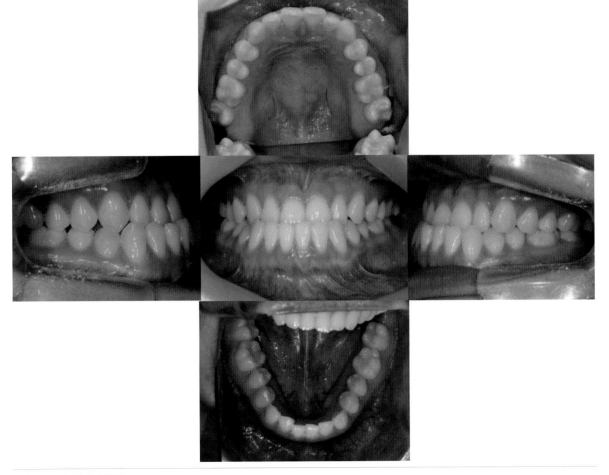

그림 5-1. **초진 구내사진**

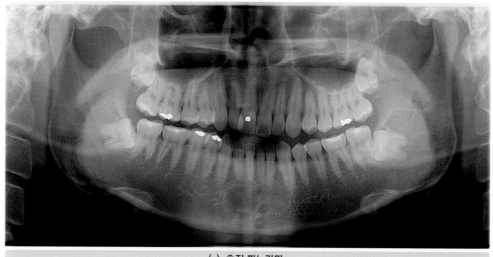

(a) 초진 파노라마

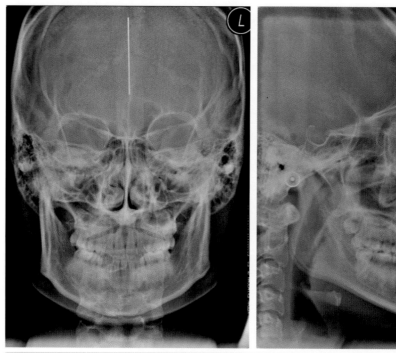

(b) 초진 정모두부규격방사선사진 및 측모두부규격방사선사진

그림 5-2. 초진 X-ray

Measurement	Mean	S.D.	2010.01.06
Saddle angle (deg)	125.90	4.40	115.66**
Articular angle (deg)	147.68	5.25	160.29**
Gonial angle (deg)	118.60	5.80	110.96*
Ant. Cranial Base (mm)	69.30	2.70	71.51
Post. Cranial Base (mm)	36.70	3.20	37.07
Ramus height (mm)	51.60	4.20	50.81
Body length (mm)	76.00	4.00	94.06⟩⟩
Maxillary base (mm)	46.05	2.33	42.07*
Ramus ratio	74.00	3.00	71.05
Mn. body ratio	108.00	5.00	131.54⟩⟩
Maxillary ratio	66.20	3.00	58.83**
Ant. Facial Height (AFH) (mm)	127.40	5.60	126.84
Post. Facial Height (PFH) (mm)	85.00	5.50	86.62
PFH/AFH	66.80	4.20	68.29
Y-axis to SN (deg)	71.92	3.71	61.06**
SNA (deg)	81.60	3.10	84.36
SNB (deg)	79.10	3.00	88.60***
ANB difference	2.40	1.80	-4.24***
APDI	85.70	4.00	101.16***
SN-FH (deg)	7.00	2.00	5.16
SN-GoMe (deg)	36.00	4.00	26.73**
palatal to GoMe (deg)	26.20	4.40	20.35*
FH-occusal (deg)	13.00	2.00	5.90***
Occlusal plane to Gome (deg)	19.09	4.74	15.85
SN-palatal (deg)	8.40	3.00	6.56
ODI	72.10	5.50	59.88**
U1-SN (deg)	107.00	6.00	118.98*
FH-Mandibular plane (FMA) (deg)	25.00	2.00	21.75*
L1-FH (FMIA) (deg)	67.00	2.00	76.30⟩⟩
L1-Mandibular plane (IMPA) (deg)	95.90	6.30	81.98**
Interincisal angle (deg)	124.00	8.30	132.15
U1-FH (deg)	119.90	2.00	124.14**
L1, Inclination (deg)	25.00	2.00	26.20
U1 to facial plane (mm)	9.90	3.04	1.95**
L1 to facial plane (mm)	5.87	2.93	1.38*
A point-N Perpend (mm)	0.40	2.30	-0.50
Pog-N Perpend (mm)	-1.80	4.50	12.19***
U1 to MxOP (deg)	55.16	3.48	49.55*
L1 to MnOP (deg)	65.90	3.80	79.42***
U1 to A vert.	0.85	3.09	6.69*
L1 to A-Pog (mm)	4.55	2.10	5.72

그림 5-3. 측모두부방사선사진의 분석

279

TREATMENT OBJECTIVES

정출되어 있는 #17,27 함입 및 보상성 치축경사 보이는 상하악 전치를 탈보상 한 뒤, 악교정 수술을 통해 골격적 부조화를 개선하기로 하였다. 교합 평면이 평탄하고 안면 비대칭이 존재하여 양악 수술을 계획하였다. 상악은 Le Fort I osteotomy을 시행하여 후방 회전하기로 하였고, 하악은 하악 BSSRO 및 genioplasty을 시행하기로 하였다.

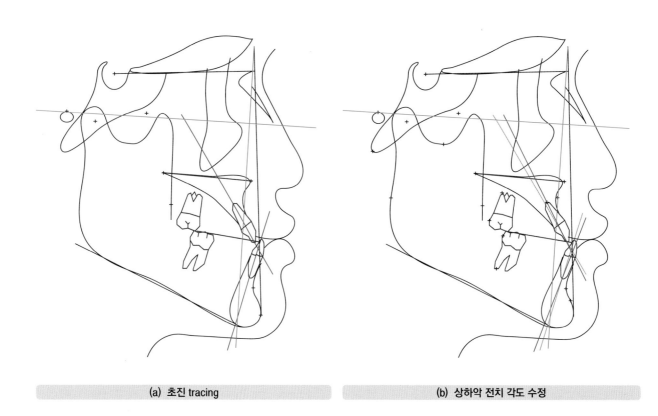

| (a) 초진 tracing | (b) 상하악 전치 각도 수정 |

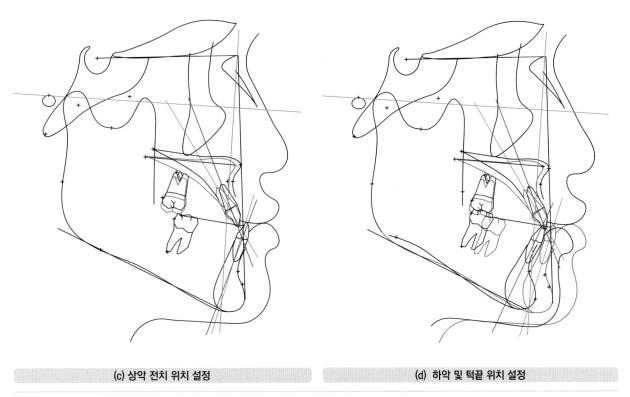

| (c) 상악 전치 위치 설정 | (d) 하악 및 턱끝 위치 설정 |

그림 5-4. STO

TREATMENT PROGRESS

　　상하악 치열에 장치 부착하여 배열하였다. 비발치 확장 배열을 통해 하악의 총생을 해소하였고 하악 전치부 순측경사를 유도하였다. 상악 제1대구치와 제2대구치 사이에 MIA 식립하여 정출된 상악 제2대구치를 함입하였다(그림 5-5). 술전 교정 완료 후, 악교정 수술 의뢰하였다. 악교정수술은 상악에서는 상악 분절술을 시행하여 전방 이동 및 후방 회전 시행하였으며 하악은 하악골 후퇴술 및 하악각 절제술을 시행하였다. 수술 후에는 III급 고무줄을 사용하였으며, 술후 2개월 후부터는 교합 안정화를 위해 사각형의 양측성 고무줄을 사용하였다.

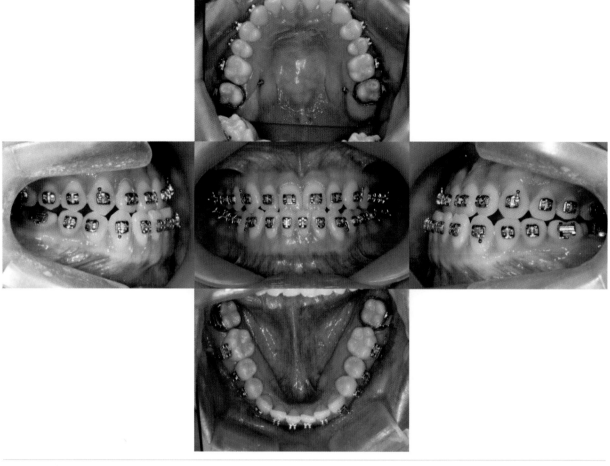

그림 5-5. 술전 교정 후 구내사진

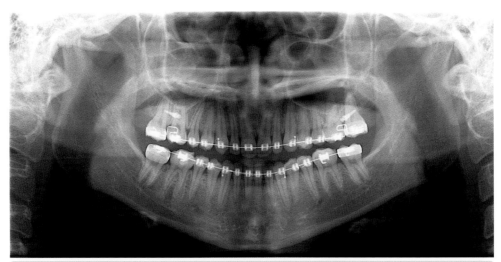

(a) 술전 교정 후 파노라마

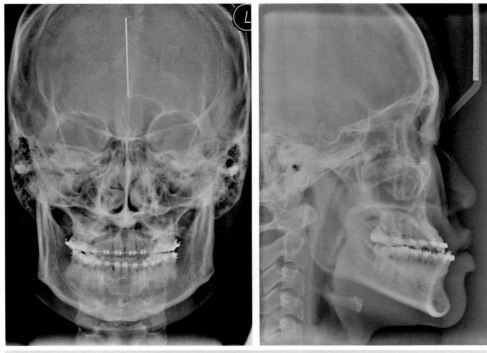

(b) 술전 교정 후 정모두부규격방사선사진 및 측모두부규격방사선사진

그림 5-6. 술전 교정 후 X-ray

TREATMENT RESULTS

교정치료 1년 4개월 후 교정장치를 제거하였으며 술전 교정이 7개월, 술후 교정이 9개월 소요되었다. 하악 전돌 및 안면 비대칭이 개선되었다. 좌우측 I급 견치 및 구치관계가 이루어졌고 하악 치열 정중선이 일치하며, 정상적인 전치부 수직, 수평피개가 형성되었다(그림 5-7).

측모두부규격방사선사진 분석에서 ANB가 0.0°로 개선되었고, 교합 평면의 각도가 11.3°로 증가하였다. 하악골의 전후방적인 위치가 개선이 되었으며 안모의 수직적인 길이도 감소하였다.

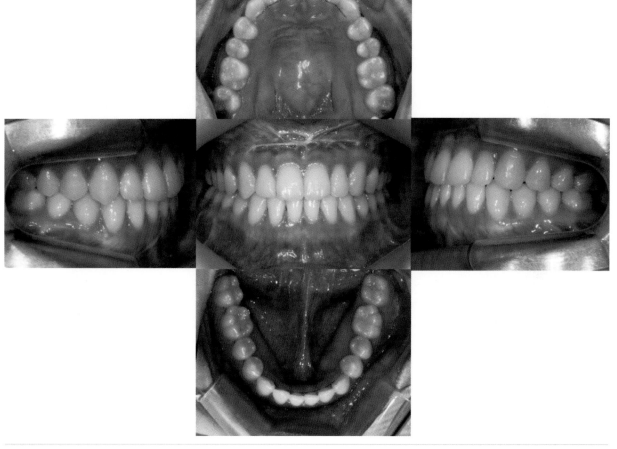

그림 5-7. **치료 후 구내사진**

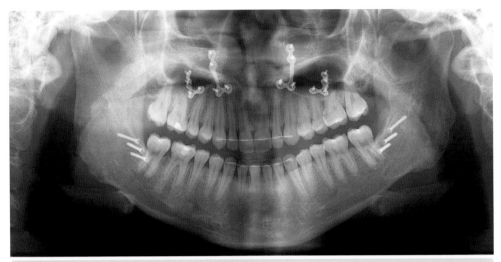

(a) 치료 후 파노라마

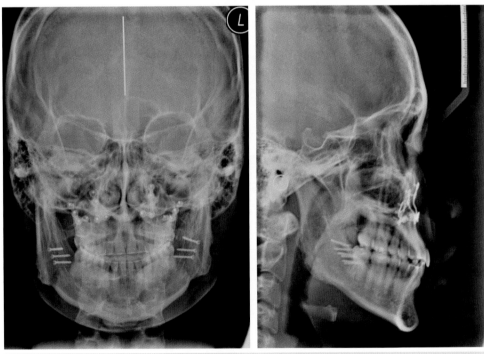

(b) 치료 후 정모두부규격방사선사진 및 측모두부규격방사선사진

그림 5-8. **치료 후 X-ray**

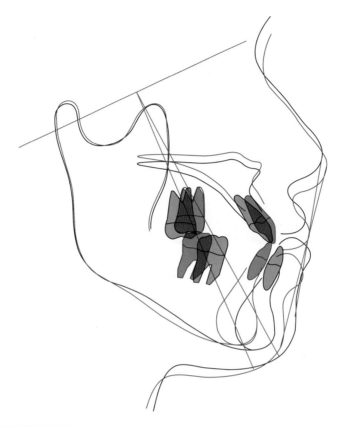

(a) 치료 전후의 측모두부규격방사선사진 중첩

Measurement	Mean	S.D.	2010.01.06	2011.10.26	(−)	(+)
Saddle angle (deg)	125.90	4.40	115.66**	113.53**		
Articular angle (deg)	147.68	5.25	160.29**	153.30*		
Gonial angle (deg)	118.60	5.80	110.96*	128.35*		
Ant. Cranial Base (mm)	69.30	2.70	71.51	72.19*		
Post. Cranial Base (mm)	36.70	3.20	37.07	36.49		
Ramus height (mm)	51.60	4.20	50.81	49.01		
Body length (mm)	76.00	4.00	94.06〉〉	79.73		
Maxillary base (mm)	46.90	2.19	42.07*	38.43***		
Ramus ratio	74.00	3.00	71.05	67.88**		
Mn. body ratio	108.00	5.00	131.54〉〉	110.44		
Maxillary ratio	67.30	3.00	58.83**	53.23〈〈		
Ant. Facial Height (AFH) (mm)	127.40	5.60	126.84	129.71		
Post. Facial Height (PFH) (mm)	85.40	5.50	86.62	83.24		
PFH/AFH	66.80	4.20	68.29	64.17		
Y-axis to SN (deg)	71.92	3.71	61.06**	65.14*		
SNA (deg)	81.60	3.10	84.36	83.96		
SNB (deg)	79.10	3.00	88.60***	83.93*		
ANB difference	2.40	1.80	−4.24***	0.03*		
APDI	85.70	4.00	101.16***	94.36**		
SN-FH (deg)	7.00	2.00	5.16	5.52		
SN-GoMe (deg)	36.00	4.00	26.73**	35.21		
palatal to GoMe (deg)	26.20	4.40	20.35*	24.71		
FH-occusal (deg)	13.00	2.00	5.90***	11.31		
Occlusal plane to Gome (deg)	19.09	4.74	15.85	18.35		
SN-palatal (deg)	8.40	3.00	6.56	10.47		
ODI	72.10	5.50	59.88**	65.88*		
U1-SN (deg)	107.00	6.00	118.98*	115.82*		
FH-Mandibular plane (FMA) (deg)	25.00	2.00	21.75*	29.66**		
L1-FH (FMIA) (deg)	67.00	2.00	76.30〉〉	63.82*		
L1-Mandibular plane (IMPA) (deg)	96.90	6.30	81.98**	86.52*		
Interincisal angle (deg)	124.00	8.30	132.15	122.48		
U1-FH (deg)	119.90	2.00	124.14**	121.34		
L1, Inclination (deg)	25.00	2.00	26.20	29.45**		
U1 to facial plane (mm)	9.90	3.04	1.95**	7.13		
L1 to facial plane (mm)	5.87	2.93	1.38*	3.61		
A point-N Perpend (mm)	0.40	2.30	−0.50	−0.53		
Pog-N Perpend (mm)	−1.80	4.50	12.19***	3.09*		
U1 to MxOP (deg)	55.16	3.48	49.55*	47.91**		
L1 to MnOP (deg)	65.90	3.80	79.42***	73.30*		
U1 to A vert.	0.85	3.09	6.69*	9.64**		
L1 to A-Pog (mm)	4.55	2.10	5.72	4.90		

(b) 측모두부방사선사진의 분석 비교

그림 5-9. **치료 전후 비교**

DISCUSSION

하악골이 전돌된 골격성 III급 부정교합 및 안면비대칭이 존재하는 환자로 술전, 술후 교정
치료와 상악 Le Fort I osteotomy을 시행하여 전방 이동 및 후방 회전 시행하였으며 하악은
BSSRO 및 genioplasty을 시행하였다. 하악골의 전후방적인 위치 및 안면 비대칭은 개선되었다.
양측으로 상악 제3대구치가 존재하였다면 정출된 상악 제2대구치를 발치하고 제3대구치의 자
발적인 맹출을 기다리는 것을 선택해 볼 수도 있었을 것이라 생각된다.

증례 6

DIAGNOSIS

"얼굴이 길고 턱이 나왔어요"를 주소로 내원한 21세 여자 환자이다. 얼굴이 길며 아래턱이 돌출되어 보이고 오목한 측모였다. 좌우측 III급 견치 및 구치 관계이며 전치부 반대교합과 개방 교합을 보였다. 이부가 우측으로 편위된 안면 비대칭이 존재하였으며 이로 인해 하악 치열 정중선이 우측으로 편위 되어 있었다. #17,27 구개측 교두가 정출되어 있는 상태였고 우측 구치부가 반대교합을 보이고 있었다(그림 6-1). 측모두부규격방사선사진 분석에서 전두개저에 대해 하악골이 전방에 위치(ANB: -3.9°)되어 있고, 하악각이 112.3°로 장안모의 하악이 전돌된 골격성 III급 양상을 보였다. 보상성 치축경사로 인해 교합 평면에 대한 상악 전치부의 각도는 52.3°, 하악 전치부의 각도는 93.5°를 나타냈다(그림 6-2).

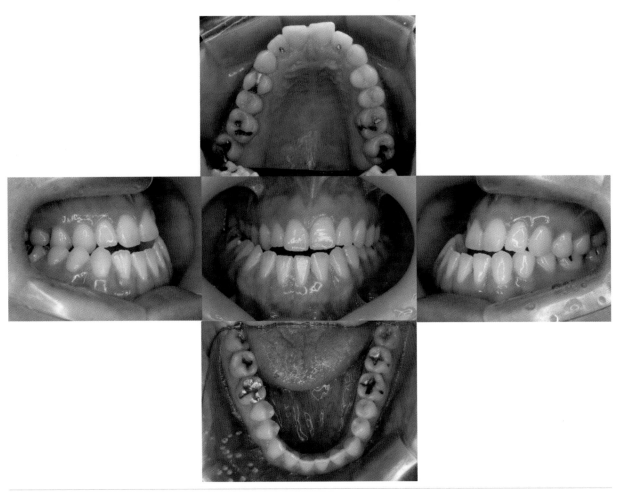

그림 6-1. **초진 구내사진**

289

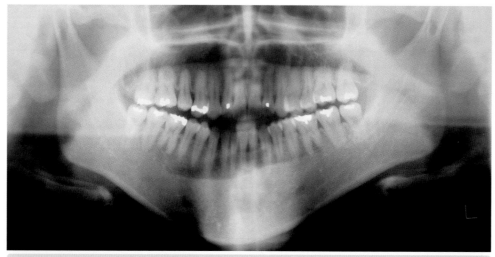

(a) 초진 파노라마

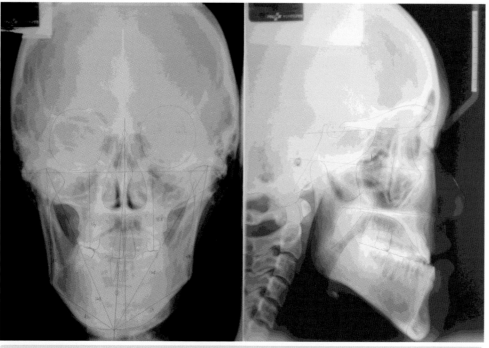

(b) 초진 정모두부규격방사선사진 및 측모두부규격방사선사진

그림 6-2. 초진 X-ray

Measurement	Mean	S.D.	2005.09.02	(−)	(+)
Saddle angle (deg)	125.90	4.40	119.27*		
Articular angle (deg)	147.68	5.25	155.08*		
Gonial angle (deg)	118.60	5.80	125.46*		
Ant. Cranial Base (mm)	69.30	2.70	73.19*		
Post. Cranial Base (mm)	36.70	3.20	39.27		
Ramus height (mm)	51.60	4.20	56.06*		
Body length (mm)	76.00	4.00	94.37⟩⟩		
Maxillary base (mm)	46.90	2.19	47.86		
Ramus ratio	74.00	3.00	76.59		
Mn. body ratio	108.00	5.00	128.94⟩⟩		
Maxillary ratio	67.60	3.00	65.39		
Ant. Facial Height (AFH) (mm)	127.40	5.60	152.50⟩⟩		
Post. Facial Height (PFH) (mm)	85.00	5.50	93.15*		
PFH/AFH	66.80	4.20	61.08*		
Y-axis to SN (deg)	71.92	3.71	69.35		
SNA (deg)	81.60	3.10	80.70		
SNB (deg)	79.10	3.00	84.56*		
ANB difference	2.40	1.80	−3.86***		
APDI	85.70	4.00	99.35***		
SN-FH (deg)	7.00	2.00	8.46		
SN-GoMe (deg)	36.00	4.00	39.85		
palatal to GoMe (deg)	26.20	4.40	30.74*		
FH-occusal (deg)	13.00	2.00	12.13		
Occlusal plane to Gome (deg)	19.09	4.74	19.23		
SN-palatal (deg)	8.40	3.00	9.07		
ODI	72.10	5.50	50.52***		
U1-SN (deg)	107.00	6.00	108.56		
FH-Mandibular plane (FMA) (deg)	25.00	2.00	31.36***		
L1-FH (FMIA) (deg)	67.00	2.00	79.49⟩⟩		
L1-Mandibular plane (IMPA) (deg)	95.90	6.30	69.15⟨⟨		
Interincisal angle (deg)	124.00	8.30	142.47**		
U1-FH (deg)	119.90	2.00	117.01*		
L1, Inclination (deg)	25.00	2.00	19.33**		
U1 to facial plane (mm)	9.90	3.04	2.21**		
L1 to facial plane (mm)	5.87	2.93	1.67*		
A point-N Perpend (mm)	0.40	2.30	−1.06		
Pog-N Perpend (mm)	−1.80	4.50	9.69**		
U1 to MxOP (deg)	55.16	3.48	52.34		
L1 to MnOP (deg)	65.90	3.80	93.46⟩⟩		
U1 to A vert.	0.85	3.09	5.83*		
L1 to A-Pog (mm)	4.55	2.10	5.36		

그림 6-3. 측모두부방사선사진의 분석

TREATMENT OBJECTIVES

정출되어 있는 #17,27 함입 및 보상성 치축경사 보이는 상하악 전치를 탈보상한 뒤, 악교정수술
을 통해 골격적 부조화를 개선하기로 하였다. 상악 전치의 설측 경사를 위해 상악 제1소구치를
발치하였다. 안면 비대칭 존재하고 장안모를 개선하기 위해 양악 수술을 계획하였다. 상악은
Le Fort I osteotomy을 시행하여 전방 및 상방 이동하기로 하였고 하악은 BSSRO을 시행하기로
하였다.

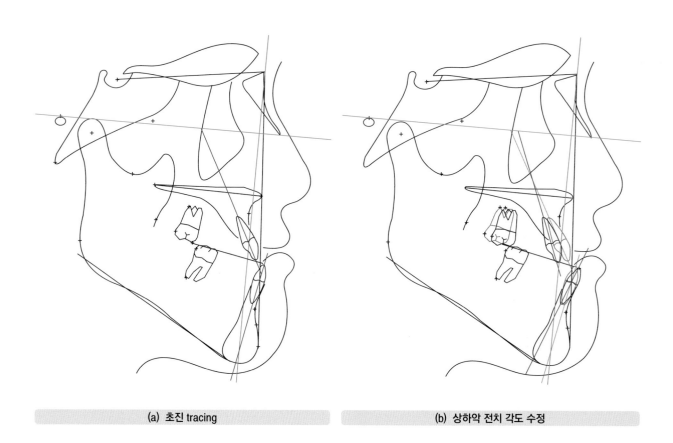

| (a) 초진 tracing | (b) 상하악 전치 각도 수정 |

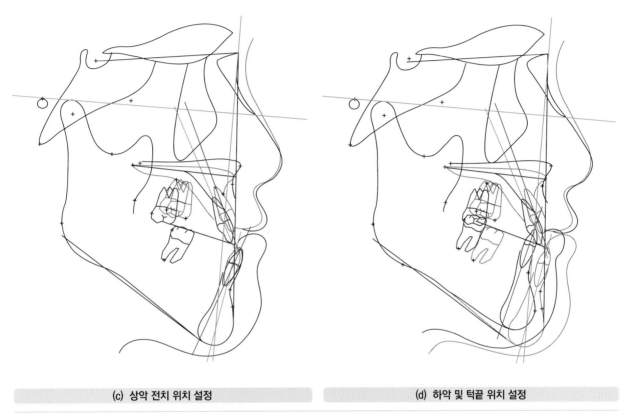

| (c) 상악 전치 위치 설정 | (d) 하악 및 턱끝 위치 설정 |

그림 6-4. **STO**

TREATMENT PROGRESS

상하악 치열에 장치 부착하고 배열하였다. 상악에서는 제1소구치 발치를 통해 상악 전치 설측 경사를 유도하였고 하악에서는 비발치 확장 배열을 통해 하악 전치부 순측 경사를 유도하였다. 상악 제1대구치에 횡구개호선을 연결하고 구개 측으로 와이어를 연장하였고 이를 power chain과 연결하여 상악 제2대구치를 함입하였다(그림 6-5). 술전 교정 완료 후, 악교정 수술 의뢰하였다. 악교정수술은 상악에서는 Le Fort I osteotomy을 시행하여 전방 이동 및 상방 이동 시행하였으며 하악은 BSSRO을 시행하였다.

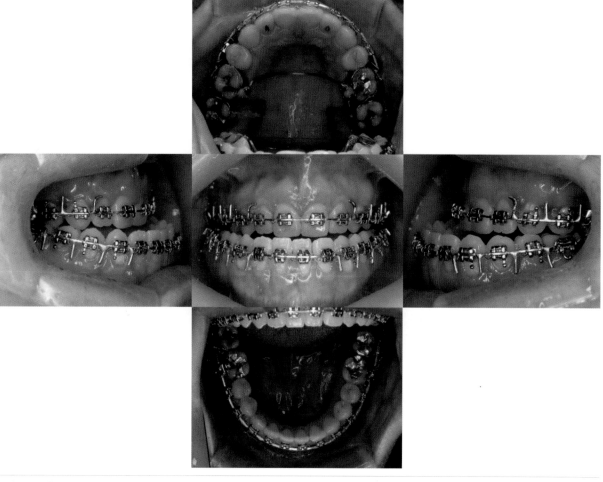

그림 6-5. 술전 교정 후 구내사진

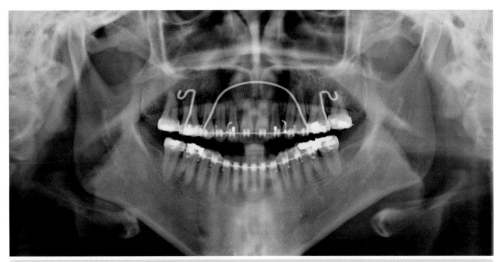

(a) 술전 교정 후 파노라마

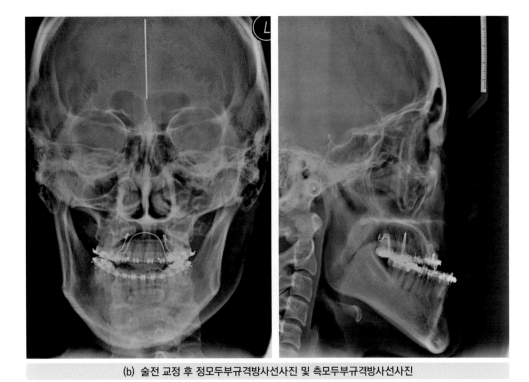

(b) 술전 교정 후 정모두부규격방사선사진 및 측모두부규격방사선사진

그림 6-6. 술전 교정 후 X-ray

TREATMENT RESULTS

교정치료 2년 2개월 후 교정장치를 제거하였으며 술전 교정이 1년, 술후 교정이 1년 2개월 소요되었다. 하악 전돌 및 안면 비대칭이 개선되었다. 좌우측 I급 견치 관계를 이루었으며 상악 제1소구치 발치로 인해 좌우측 II급 구치 관계가 이루어 졌다. 하악 치열 정중선이 일치하였으며, 정상적인 전치부 수직, 수평피개가 형성되었다(그림 6-7).

측모두부규격방사선사진 분석에서 ANB가 2.1°로 개선되었고, 하악골의 전후방적인 위치가 개선되었다. 안모의 수직적인 길이도 감소하였다(그림 6-8).

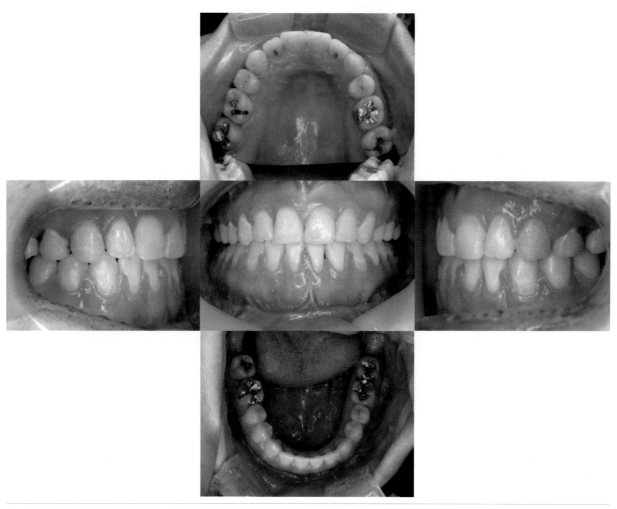

그림 6-7. **치료 후 구내사진**

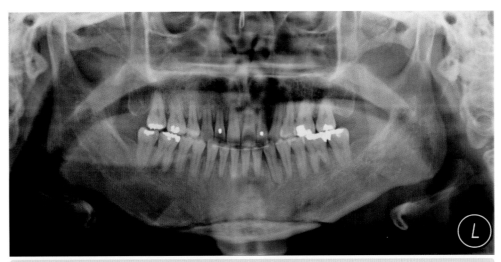

(a) 치료 후 파노라마

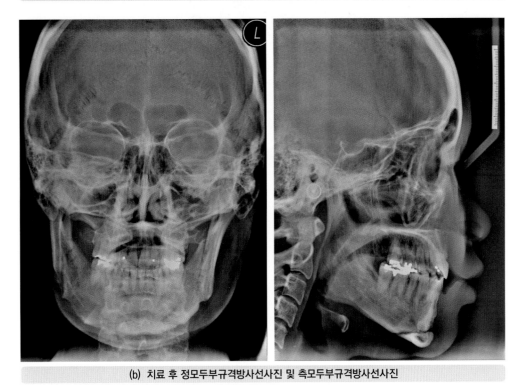

(b) 치료 후 정모두부규격방사선사진 및 측모두부규격방사선사진

그림 6-8. **치료 후 X-ray**

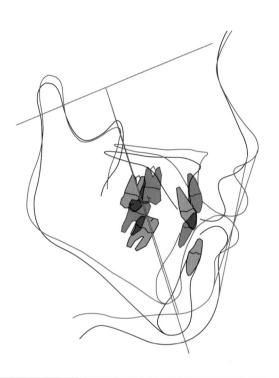

Measurement	Mean	S.D.	2005.09.02	2008.01.16	(−)	(+)
Saddle angle (deg)	125.90	4.40	119.27*	115.97**		
Articular angle (deg)	147.68	5.25	155.08*	159.90**		
Gonial angle (deg)	118.60	5.80	125.46*	112.91		
Ant. Cranial Base (mm)	69.30	2.70	73.19*	73.94*		
Post. Cranial Base (mm)	36.70	3.20	39.27	40.26*		
Ramus height (mm)	51.60	4.20	56.06*	58.31*		
Body length (mm)	76.00	4.00	94.37⟩⟩	86.34**		
Maxillary base (mm)	46.90	2.19	47.86	47.14		
Ramus ratio	74.00	3.00	76.59	78.85*		
Mn. body ratio	108.00	5.00	128.94⟩⟩	116.77*		
Maxillary ratio	68.53	3.00	65.39	63.75*		
Ant. Facial Height (AFH) (mm)	127.40	5.60	152.50⟩⟩	137.53*		
Post. Facial Height (PFH) (mm)	85.00	5.50	93.15*	97.11**		
PFH/AFH	66.80	4.20	61.08*	70.61		
Y-axis to SN (deg)	71.92	3.71	69.35	66.78*		
SNA (deg)	81.60	3.10	80.70	85.72*		
SNB (deg)	79.10	3.00	81.41	83.84*		
ANB difference	79.10	3.00	84.56*	1.88		
APDI	2.40	1.80	−3.86***	84.52		
SN-FH (deg)	85.70	4.00	99.35***	7.43		
SN-GoMe (deg)	7.00	2.00	8.46	28.76*		
palatal to GoMe (deg)	36.00	4.00	30.74*	25.85		
FH-occusal (deg)	13.00	2.00	12.13	3.22⟨⟨		
Occlusal plane to Gome (deg)	19.09	4.74	19.23	18.14		
SN-palatal (deg)	8.40	3.00	9.07	2.94*		
ODI	72.10	5.50	50.52***	65.13*		
U1-SN (deg)	107.00	6.00	108.56	104.92		
FH-Mandibular plane (FMA) (deg)	25.00	2.00	31.36***	21.35*		
L1-FH (FMIA) (deg)	67.00	2.00	79.49⟩⟩	75.02⟩⟩		
L1-Mandibular plane (IMPA) (deg)	95.90	6.30	69.15⟨⟨	83.63*		
Interincisal angle (deg)	124.00	8.30	142.47**	142.66**		
U1-FH (deg)	119.90	2.00	117.01*	112.36***		
L1, Inclination (deg)	25.00	2.00	19.33**	15.51⟨⟨		
U1 to facial plane (mm)	9.90	3.04	2.21**	4.03*		
L1 to facial plane (mm)	5.87	2.93	1.67*	2.12*		
A point-N Perpend (mm)	0.40	2.30	−1.06	3.51*		
Pog-N Perpend (mm)	−1.80	4.50	9.69**	4.11*		
U1 to MxOP (deg)	55.16	3.48	52.34	65.66***		
L1 to MnOP (deg)	65.90	3.80	93.46⟩⟩	79.10***		
U1 to A vert.	0.85	3.09	5.83**	4.22*		
L1 to A-Pog (mm)	4.55	2.10	5.36	1.21*		

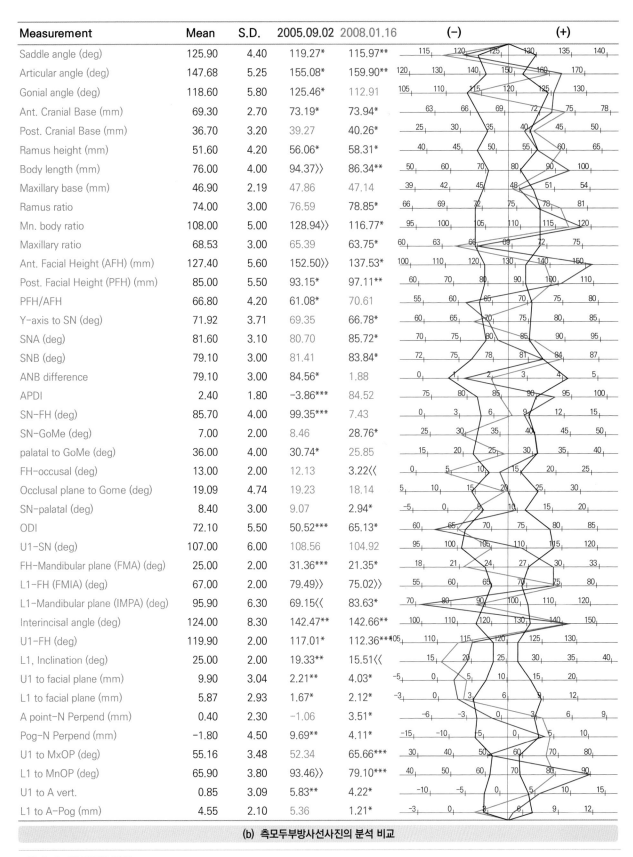

(b) 측모두부방사선사진의 분석 비교

그림 6-9. 치료 전후 비교

DISCUSSION

하악골이 전돌된 골격성 III급 부정교합 및 안면비대칭이 존재하는 환자로 술전, 술후 교정 치료와 상악 분절술 및 하악골 후퇴술을 시행하였다. 하악골의 전후방적인 위치 및 안면 비대칭은 개선되었다. 상악 전치의 설측 경사 위해 상악 제1소구치를 발치하였다. 견치관계 I급 및 상악 편악 발치로 인한 구치부 II급 관계로 교합관계 양호하고 수직적, 전후방적 안모 양호하다. 수술후 구강위생관리 부족하여 법랑질 백색병소 발생한 것이 다소 아쉬움으로 남는다.

증례 7

DIAGNOSIS

18세 여자 환자로 "아래턱이 나왔어요. 턱이 삐뚤해요"를 주소로 전돌된 하악골의 개선을 위해 내원하였다. 좌우측 III급 견치 및 구치 관계였으며, 전치부 절단교합 관찰되었다. 상악 우측 high canine을 비롯하여 상악에 심한 총생(7.0 mm)이 있었다(그림 7-1). 얼굴이 길며 아래턱이 돌출되어 보이고 오목한 측모를 보였다. 측모두부규격방사선사진 분석에서 전두개저에 대해 하악골이 상악골에 비해 상대적으로 전방위치(ANB: 0.4°)되어 있었고, 하악각이 135.6°로 장안모의 하악이 전돌된 골격성 III급 양상을 보였다. 하악 이부의 우측 편위 및 상악골의 좌상방 경사 관찰되었다. FH plane에 대한 교합평면의 각도는 23.0°로 급격한 경사를 보였다. 교합 평면에 대한 상하악 전치부의 각도는 49.2°와 88.7°로 보상성 치축경사 보였으며, 상하악궁의 폭경부조화는 관찰되지 않았다(그림 7-2).

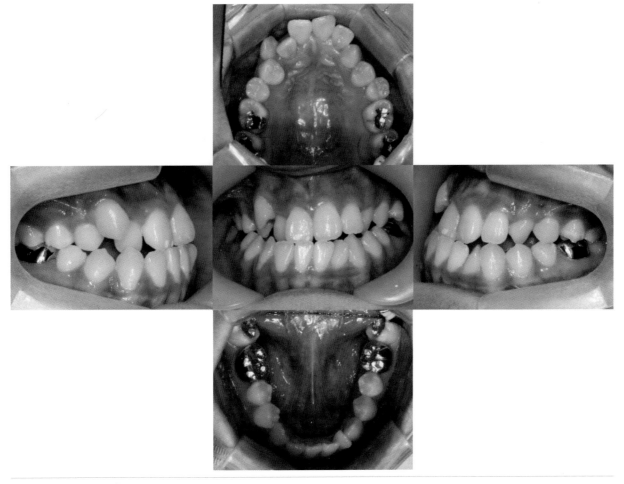

그림 7-1. **초진 구내사진**

301

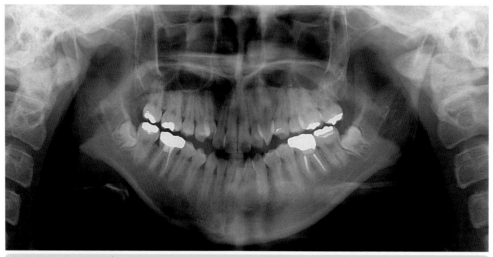

(a) 초진 파노라마

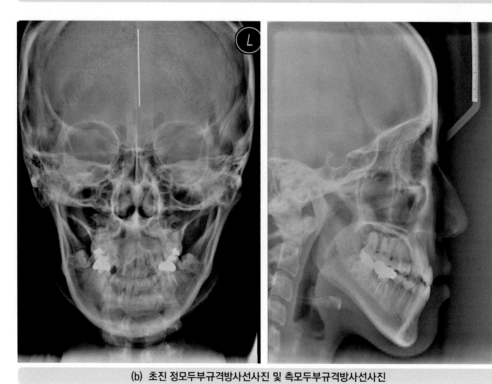

(b) 초진 정모두부규격방사선사진 및 측모두부규격방사선사진

그림 7-2. **초진 X-ray**

Measurement	Mean	S.D.	2008.12.05	(−)	(+)
Saddle angle (deg)	125.90	4.40	133.87*		
Articular angle (deg)	147.68	5.25	141.98*		
Gonial angle (deg)	118.60	5.80	135.61**		
Ant. Cranial Base (mm)	69.30	2.70	67.62		
Post. Cranial Base (mm)	36.70	3.20	33.12*		
Ramus height (mm)	51.60	4.20	42.56**		
Body length (mm)	76.00	4.00	81.86*		
Maxillary base (mm)	45.48	2.42	44.93		
Ramus ratio	74.00	3.00	62.95***		
Mn. body ratio	108.00	5.00	121.06**		
Maxillary ratio	65.67	3.00	66.45		
Ant. Facial Height (AFH) (mm)	127.40	5.60	137.45*		
Post. Facial Height (PFH) (mm)	85.00	5.50	71.62**		
PFH/AFH	66.80	4.20	52.11***		
Y-axis to SN (deg)	71.92	3.71	77.35*		
SNA (deg)	81.60	3.10	75.60*		
SNB (deg)	79.10	3.00	75.24*		
ANB difference	2.40	1.80	0.36*		
APDI	85.70	4.00	92.28*		
SN-FH (deg)	7.00	2.00	10.25*		
SN-GoMe (deg)	36.00	4.00	51.37***		
palatal to GoMe (deg)	26.20	4.40	33.91*		
FH-occusal (deg)	13.00	2.00	23.06⟩⟩		
Occlusal plane to Gome (deg)	19.09	4.74	18.15		
SN-palatal (deg)	8.40	3.00	17.56***		
ODI	72.10	5.50	61.12*		
U1-SN (deg)	107.00	6.00	97.41*		
FH-Mandibular plane (FMA) (deg)	25.00	2.00	41.21⟩⟩		
L1-FH (FMIA) (deg)	67.00	2.00	64.31*		
L1-Mandibular plane (IMPA) (deg)	95.90	6.30	74.48***		
Interincisal angle (deg)	124.00	8.30	136.66*		
U1-FH (deg)	119.90	2.00	107.65⟨⟨		
L1, Inclination (deg)	25.00	2.00	21.28*		
U1 to facial plane (mm)	9.90	3.04	5.33*		
L1 to facial plane (mm)	5.87	2.93	4.60		
A point-N Perpend (mm)	0.40	2.30	-4.90**		
Pog-N Perpend (mm)	-1.80	4.50	-9.62*		
U1 to MxOP (deg)	55.16	3.48	49.20*		
L1 to MnOP (deg)	65.90	3.80	88.56⟩⟩		
U1 to A vert.	0.85	3.09	4.63*		
L1 to A-Pog (mm)	4.55	2.10	4.52		

그림 7-3. 측모두부방사선 사진의 분석

TREATMENT OBJECTIVES

보상성 치축경사 보이는 상악 전치의 탈보상 및 심한 총생 해소하기 위해 상악 제1소구치 발치하고, 하악 전치의 탈보상 및 경미한 총생 해소하기 위해 확장 배열하기로 하였다. 이후, 악교정수술을 통하여 골격적인 부조화를 개선하기로 하였다. 상악골의 좌상방 경사 및 하악 이부의 편위 관찰되므로 상악의 leveling & posterior impaction 및 하악의 differential BSSRO 시행하여 안면 비대칭 및 하악골의 위치를 개선하기로 하였다.

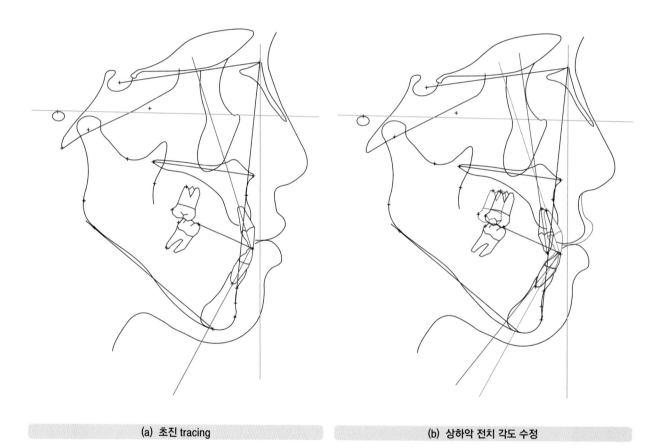

(a) 초진 tracing	(b) 상하악 전치 각도 수정

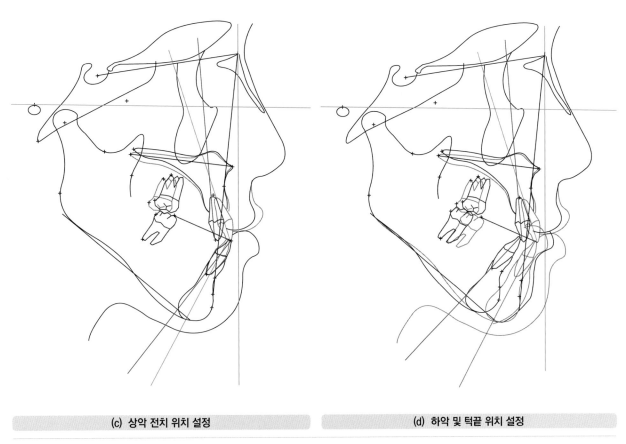

(c) 상악 전치 위치 설정   (d) 하악 및 턱끝 위치 설정

그림 7-4. STO

TREATMENT PROGRESS

상하악 치열에 장치 부착하고 배열하였다. 상악의 심한 총생 해소 및 상악 전치 탈보상을 위해 상악 제1소구치 발치하여 전치부의 설측경사를 유도하였다(그림 7-5). 하악의 미약한 총생 해소 및 전치부 탈보상을 위해 확장 배열하여 전치부의 순측경사를 유도하였다. 발치 공간 폐쇄 시 설측경사 된 상악 전치 경사도 조절을 위해 intrusion arch를 이용하여 상악 전치의 순측 경사를 유도하였다(그림 7-6). 술전 교정 완료 후, 상하악 전치부 탈보상으로 인해 전치부 반대 교합 양이 더 커졌고, 상하악의 총생 해소되었다. Brass wire 혹이 납착된 surgical wire를 결찰한 상태이다(그림 7-7, 7-8). 악교정수술은 상악의 leveling & posterior impaction 및 하악의 differential BSSRO 시행하였다. 수술 후 교정치료 시 수술을 위한 안정화 호선과 스플린트를 제거하고 술후 교정치료를 위한 호선을 상하악에 결찰하여 교합을 안정화하였다.

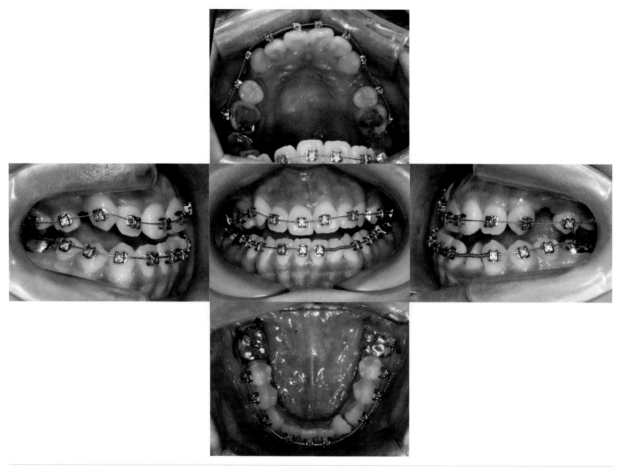

그림 7-5. 상악의 심한 총생으로 인해 상악 제1소구치 발치 후 술전 교정 중 구내사진

306

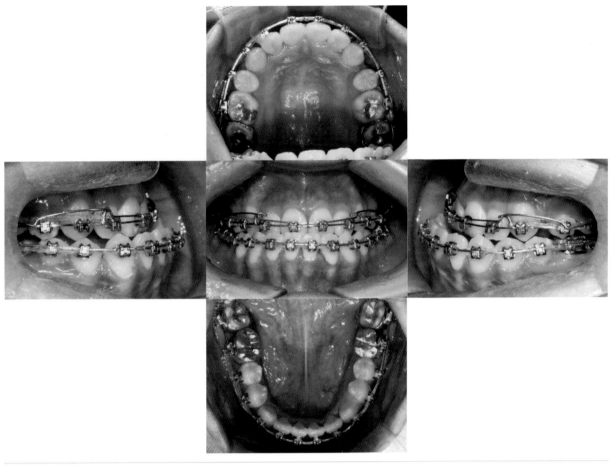

그림 7-6. **상악 전치 순측경사를 위한 술전 교정 중 구내사진**

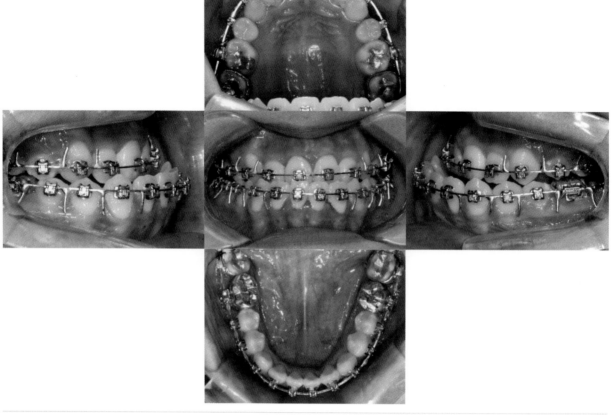

그림 7-7. 술전 교정 후 구내사진

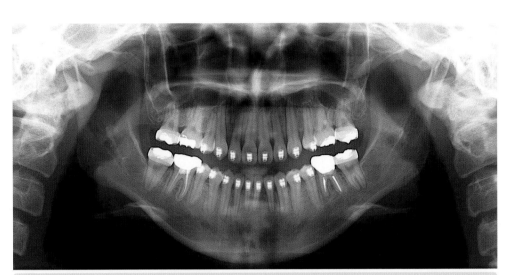

(a) 술전 교정 후 파노라마

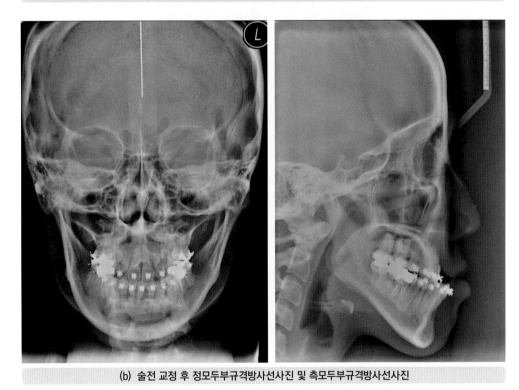

(b) 술전 교정 후 정모두부규격방사선사진 및 측모두부규격방사선사진

그림 7-8. 술전 교정 후 X-ray

술후 교정 7개월 후 교정장치를 제거하였다. 하악골의 돌출이 개선되어 오목한 측모에서 straight한 측모로 개선되었다. 좌우측 I급 견치 및 II급 구치관계로 교합이 개선되었으며, 정상적인 전치부 수직, 수평피개가 형성되었다(그림 7-9).

측모두부규격방사선사진 분석에서 ANB가 4.1°로 개선되었고, 상하악 전치 치축 각도가 개선되었다. 하악골의 전후방적인 위치 및 안모의 수직적인 길이, 안모비대칭 모두 개선되었다(그림 7-10, 7-11).

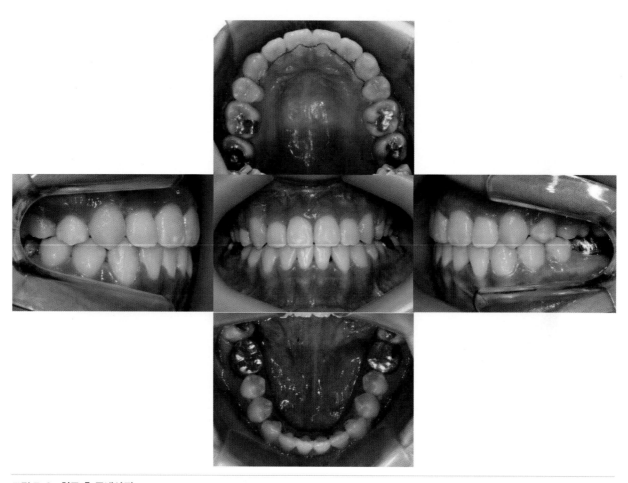

그림 7-9. **치료 후 구내사진**

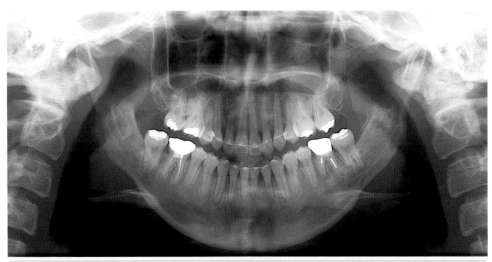

(a) 치료 후 파노라마

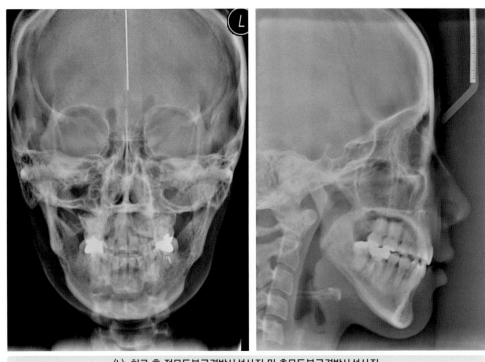

(b) 치료 후 정모두부규격방사선사진 및 측모두부규격방사선사진

그림 7-10. **치료 후 X-ray**

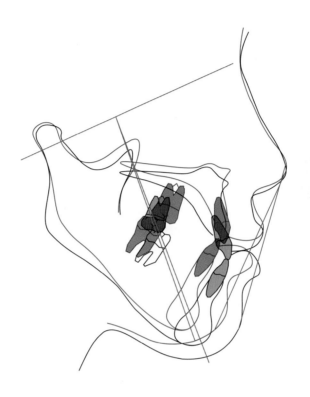

(a) 치료 전후의 측모두부규격방사선사진 중첩

Measurement	Mean	S.D.	2008.12.05	2010.10.04
Saddle angle (deg)	125.90	4.40	133.87*	133.01*
Articular angle (deg)	147.68	5.25	141.98*	128.16**
Gonial angle (deg)	118.60	5.80	135.61*	151.35⟩⟩
Ant. Cranial Base (mm)	69.30	2.70	67.62	67.65
Post. Cranial Base (mm)	36.70	3.20	33.12*	33.66
Ramus height (mm)	51.60	4.20	42.56**	44.63*
Body length (mm)	76.00	4.00	81.86*	68.56*
Maxillary base (mm)	46.90	2.19	44.93	45.30
Ramus ratio	74.00	3.00	62.95***	65.98**
Mn. body ratio	108.00	5.00	121.06**	101.35*
Maxillary ratio	67.07	3.00	66.45	66.97
Ant. Facial Height (AFH) (mm)	127.40	5.60	137.45*	130.10
Post. Facial Height (PFH) (mm)	85.00	5.50	71.62**	70.58**
PFH/AFH	66.80	4.20	52.11***	54.25**
Y-axis to SN (deg)	71.92	3.71	77.35*	76.78*
SNA (deg)	81.60	3.10	75.60*	77.05*
SNB (deg)	79.10	3.00	75.24*	72.96**
ANB difference	2.40	1.80	0.36*	4.08
APDI	85.70	4.00	92.28*	80.33*
SN-FH (deg)	7.00	2.00	10.25*	10.02*
SN-GoMe (deg)	36.00	4.00	51.37***	52.40⟩⟩
palatal to GoMe (deg)	26.20	4.40	33.91*	40.59***
FH-occusal (deg)	13.00	2.00	23.06⟩⟩	18.91**
Occlusal plane to Gome (deg)	19.09	4.74	18.15	23.58
SN-palatal (deg)	8.40	3.00	17.56***	11.93*
ODI	72.10	5.50	61.12*	60.99**
U1-SN (deg)	107.00	6.00	97.41*	87.17***
FH-Mandibular plane (FMA) (deg)	25.00	2.00	41.21⟩⟩	42.49⟩⟩
L1-FH (FMIA) (deg)	67.00	2.00	64.31*	82.40⟩⟩
L1-Mandibular plane (IMPA) (deg)	95.90	6.30	69.15⟨⟨	57.28⟨⟨
Interincisal angle (deg)	124.00	8.30	136.66*	140.09*
U1-FH (deg)	119.90	2.00	107.65⟨⟨	97.20⟨⟨
L1, Inclination (deg)	25.00	2.00	21.28*	23.88
U1 to facial plane (mm)	9.90	3.04	5.33*	6.93
L1 to facial plane (mm)	5.87	2.93	4.60	4.85
A point-N Perpend (mm)	0.40	2.30	-4.90**	-2.93*
Pog-N Perpend (mm)	-1.80	4.50	-9.62*	-12.69**
U1 to MxOP (deg)	55.16	3.48	49.20*	64.92**
L1 to MnOP (deg)	65.90	3.80	88.56⟩⟩	76.02**
U1 to A vert.	0.85	3.09	4.63*	3.35
L1 to A-Pog (mm)	4.55	2.10	4.52	3.06

(b) 측모두부방사선사진 분석의 비교

그림 7-11. **치료 전후 비교**

313

DISCUSSION

　안모비대칭을 동반한 하악골이 전돌된 골격성 III급 부정교합 환자로 술전 교정치료와 악교정수술로 하악골의 전후방적인 위치 및 장안모의 안면고경은 개선되었다. 이 환자의 FH plane에 대한 교합평면 각도가 악교정 수술 후 더욱 급격해졌으나, 수술을 통한 안모의 수직고경 감소효과는 더 커졌다. 상악 발치 후 공간 폐쇄 시 상악전치의 과도한 탈보상으로 치료종료 시 상악 전치가 설측경사 되었고, 하악전치는 충분한 탈보상을 이루지 못했다. 이 경우 발치 공간의 폐쇄 시 intrusion arch보다 microimplant를 이용해 상악 전치의 각도를 조절하였다면 더 효과적이지 않았을까 하는 아쉬움이 있지만, 악교정 수술 후 안모개선과 함께 치료 결과에 대한 환자의 만족도는 높았다.

증례 8

DIAGNOSIS

22세 8개월의 남자 환자로, "이가 삐뚤하고 턱이 나왔어요"를 주소로 본원에 내원하였다. 양쪽 구치와 견치는 III급 교합관계였으며 전치부와 소구치부 반대교합 및 경미한 개방교합 관찰되었다. 상하악궁의 심한 총생(상악: -15 mm, 하악: -8 mm)이 있었고, 이로인해 #13,23은 순측 변위되어 high canine이었으며 #12,22,42는 설측 변위되어 있었다(그림 8-1). 하악이 돌출된 오목한 측모와 중안모 함몰감이 관찰되었으며 전체적으로 전안모 고경이 긴 장안모로 보였다. 측모두부규격방사선사진에서 전두개저에 대해 하악골이 전방위치(ANB: -4.5°)되어 있고, 하악각이 130.9°로 크며, 하악체가 86.6 mm로 길었다. 정모두부방사선 계측사진 분석에서 안면 정중선에 대하여 턱끝점과 하악의 치열정중선이 우측으로 치우쳐 있었다(그림 8-2).

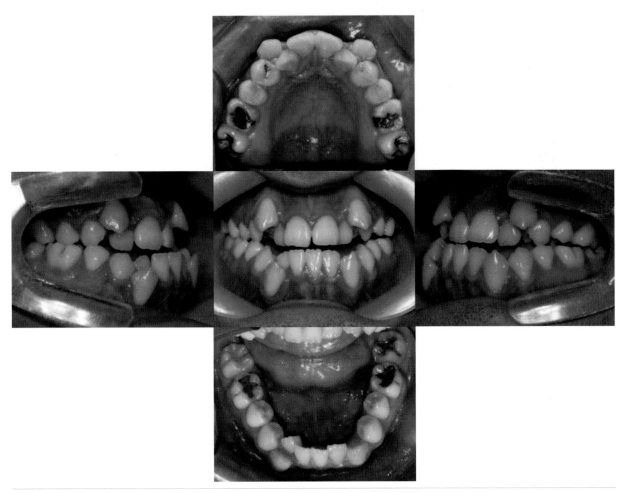

그림 8-1. 초진 구내사진

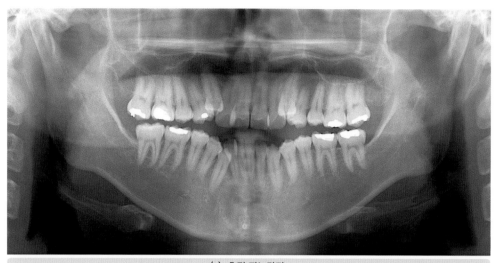

(a) 초진 파노라마

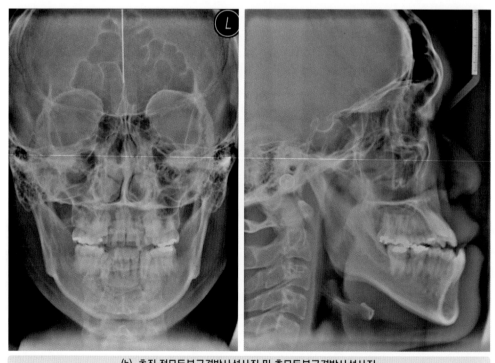

(b) 초진 정모두부규격방사선사진 및 측모두부규격방사선사진

그림 8-2. 초진 X-ray

Measurement	Mean	S.D.	2010.03.30	(−)	(+)
Saddle angle (deg)	123.90	4.70	117.90*		
Articular angle (deg)	147.07	5.79	149.36		
Gonial angle (deg)	117.10	6.70	130.99**		
Ant. Cranial Base (mm)	72.90	3.20	75.57		
Post. Cranial Base (mm)	41.30	3.40	39.91		
Ramus height (mm)	56.60	5.20	60.18		
Body length (mm)	79.00	5.00	86.56*		
Maxillary base (mm)	48.40	3.60	48.09		
Ramus ratio	77.00	3.00	79.63		
Mn. body ratio	108.00	7.06	114.55		
Maxillary ratio	68.34	3.00	63.64*		
Ant. Facial Height (AFH) (mm)	136.00	5.50	150.78***		
Post. Facial Height (PFH) (mm)	95.40	6.10	96.68		
PFH/AFH	70.20	4.60	64.12*		
Y−axis to SN (deg)	70.92	3.36	68.53		
SNA (deg)	82.40	3.20	80.93		
SNB (deg)	80.40	3.10	85.42*		
ANB difference	2.00	1.70	−4.49***		
APDI	85.90	4.00	98.74***		
SN−FH (deg)	7.00	2.00	5.56		
SN−GoMe (deg)	32.00	5.00	38.41*		
palatal to GoMe (deg)	22.80	6.20	30.71*		
FH−occusal (deg)	13.00	2.00	10.70*		
Occlusal plane to Gome (deg)	19.77	4.10	21.98		
SN−palatal (deg)	8.60	3.00	7.53		
ODI	73.30	5.90	52.51***		
U1−SN (deg)	109.00	5.70	109.10		
FH−Mandibular plane (FMA) (deg)	25.00	2.00	32.68***		
L1−FH (FMIA) (deg)	67.00	2.00	69.72*		
L1−Mandibular plane (IMPA) (deg)	96.50	6.60	77.58**		
Interincisal angle (deg)	124.00	7.90	135.06*		
U1−FH (deg)	119.90	2.00	114.66**		
L1, Inclination (deg)	25.00	2.00	24.71		
U1 to facial plane (mm)	8.84	3.22	3.80*		
L1 to facial plane (mm)	5.02	2.88	8.15*		
A point−N Perpend (mm)	1.10	2.70	−4.40**		
Pog−N Perpend (mm)	−0.30	3.80	1.17		
U1 to MxOP (deg)	58.00	2.00	56.61		
L1 to MnOP (deg)	68.30	5.90	81.47**		
U1 to A vert.	0.01	3.51	9.66**		
L1 to A−Pog (mm)	5.00	2.23	11.08**		

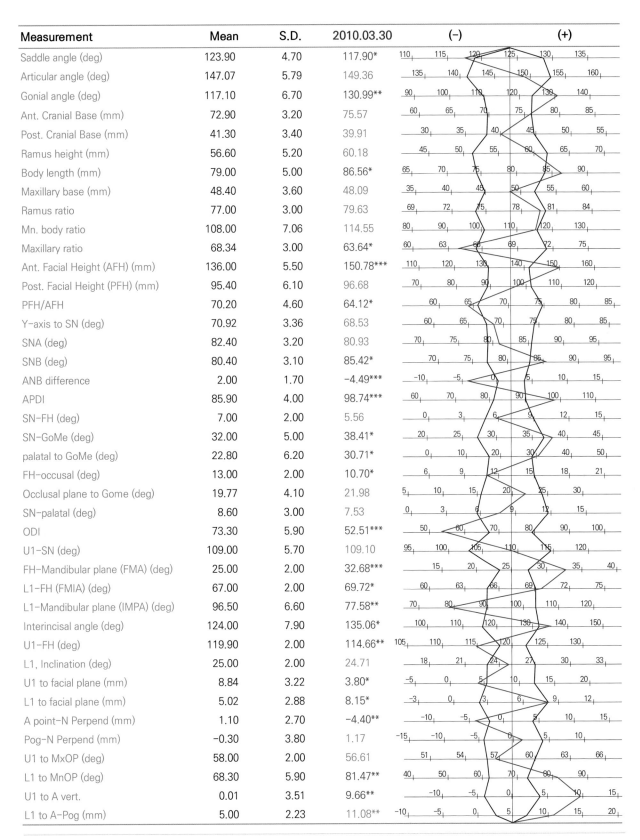

그림 8-3. 측모두부방사선사진의 분석

TREATMENT OBJECTIVES

상하악의 심한 총생으로 인해 소구치 발치가 불가피할 것으로 판단하였다. 상하악 제1소구
치를 발치하고 발치 공간을 이용하여 치아 배열을 하기로 하였다. 골격적 부조화는 악교정 수
술을 통하여 개선하기로 하였다. 악교정 수술 시 상악골의 후방부위를 상방 이동시키고 하악
골은 상악골과 교합을 맞추어 후방이동 시킨다. 편위된 하악은 안면 정중선을 기준으로 이동
하기로 하였다.

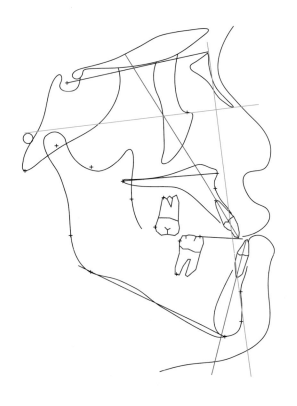

(a) 초진 tracing

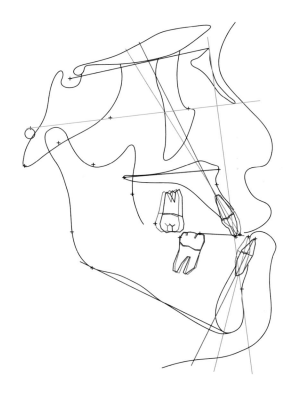

(b) 상하악 전치 각도 수정

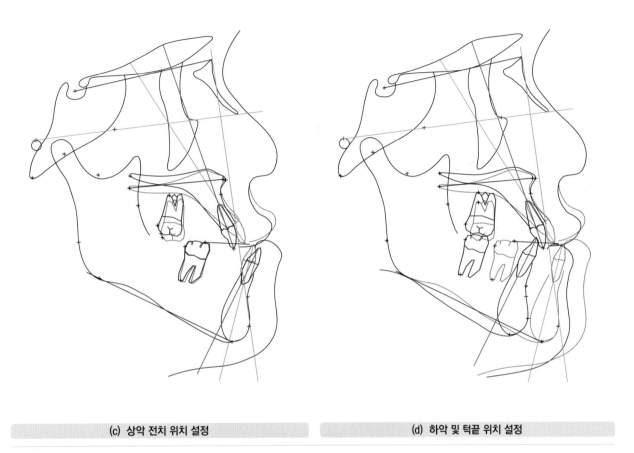

| (c) 상악 전치 위치 설정 | (d) 하악 및 턱끝 위치 설정 |

그림 8-4. STO

TREATMENT PROGRESS

총생 해소를 위해 상하악 제1소구치를 발치 후, 장치 부착하여 치아 배열을 진행했다(그림 8-5). #12,22,42은 설측 변위되어 있었기 때문에 공간 확보 후 장치를 부착하기로 계획하였다. 고정원 소실을 방지하기 위해 상악 구치부 협측에 microimplant를 식립하였고 #13,23을 후방이동하였다. 하악은 #42 장치부착을 위한 공간 확보를 위해 #43을 active tie back과 open coil spring을 이용하여 후방이동 시켰다(그림 8-6). 상악 견치의 후방이동이 충분히 이루어진 후에는 레이스백(lace-back)과 open coil spring으로 #12,22 공간을 확보한 다음 장치 부착하여 순측으로 견인하여 배열하였다. 하악의 발치 공간은 active tie back과 레이스백(lace-back)을 이용하여 폐쇄하였다(그림 8-7). 수술 후 교정치료 시 수술을 위한 안정화 호선과 스플린트를 제거하고 술후 교정치료를 위한 호선을 상하악에 장착하여 잔여 공간을 폐쇄하고 교합이 안정된 후 브라켓을 제거했다.

319

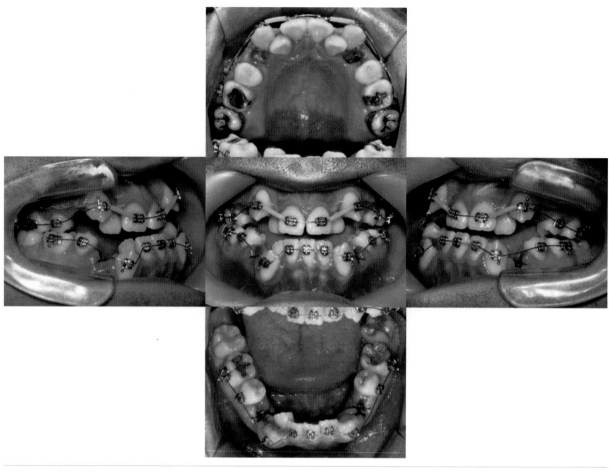

그림 8-5. **발치 후 술전 교정 중 구내사진**

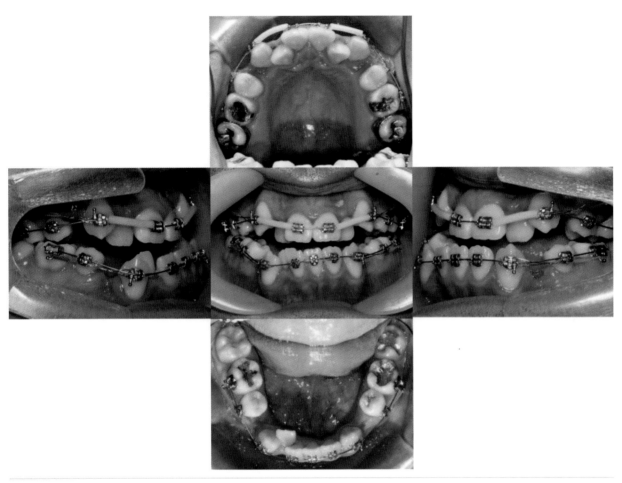

그림 8-6. microimplant 이용한 술전 교정 중 구내사진

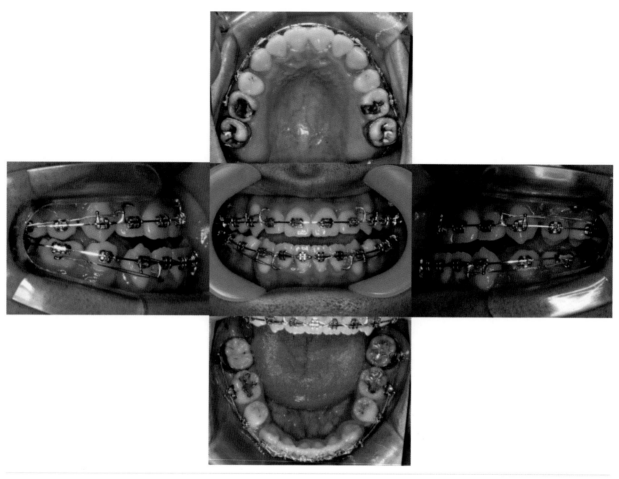

그림 8-7. 술전 교정 후 구내사진

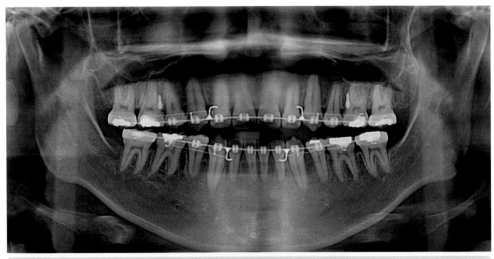

(a) 술전 교정 후 파노라마

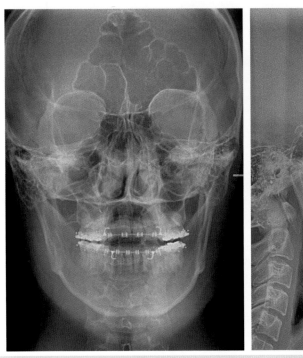
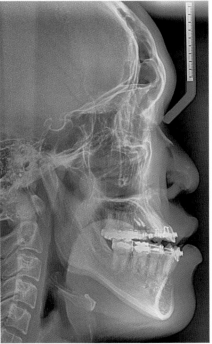

(b) 술전 교정 후 정모두부규격방사선사진 및 측모두부규격방사선사진

그림 8-8. 술전 교정 후 X-ray

TREATMENT RESULTS

교정치료 2년 5개월 후, 교정장치를 제거하였다. 하악 돌출과 하악이 우측으로 편위된 비대칭이 개선되었다. 좌우측 1급 견치와 구치관계로 교합이 개선되었고 정상적인 전치부 수평피개와 수직피개를 보였다. 상악에는 가철식 보정장치, 하악에는 고정식 보정장치로 유지하였다(그림 8-9). 측모두부규격방사선사진에서 하악의 전돌과 상하악 전치의 치축 각도가 개선되었다(그림 8-10, 8-11).

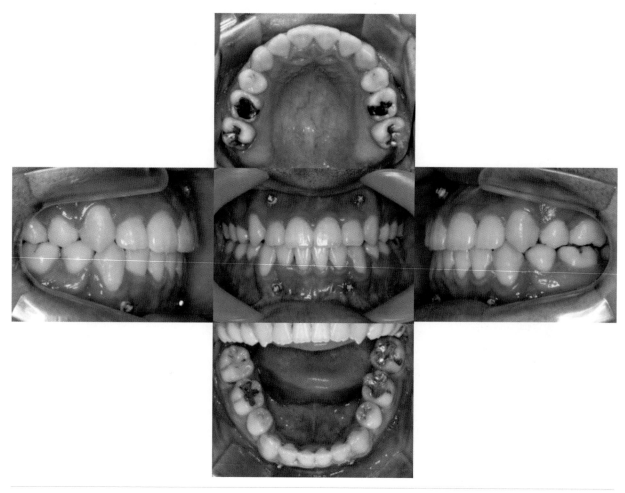

그림 8-9. **치료 후 구내사진**

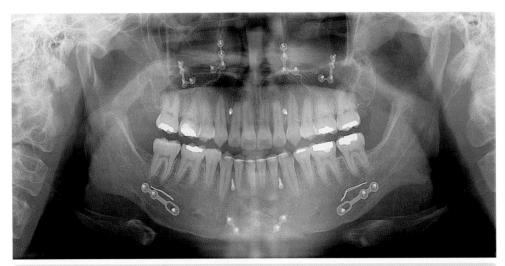

(a) 치료 후 파노라마

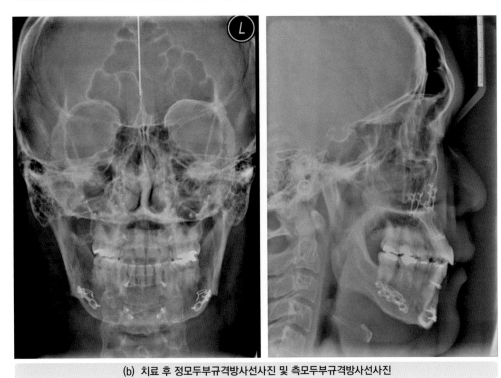

(b) 치료 후 정모두부규격방사선사진 및 측모두부규격방사선사진

그림 8-10. **치료 후 X-ray**

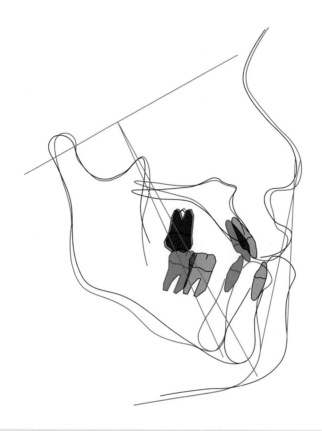

(a) 치료 전후의 측모두부규격방사선사진 중첩

Measurement	Mean	S.D.	2010.03.30	2012.09.11	(−)	(+)
Saddle angle (deg)	123.90	4.70	117.90*	121.05		
Articular angle (deg)	147.07	5.79	149.36	151.48		
Gonial angle (deg)	117.10	6.70	130.99**	123.89*		
Ant. Cranial Base (mm)	72.90	3.20	75.57	74.47		
Post. Cranial Base (mm)	41.30	3.40	39.91	39.38		
Ramus height (mm)	56.60	5.20	60.18	63.56*		
Body length (mm)	79.00	5.00	86.56*	73.71*		
Maxillary base (mm)	48.40	3.60	48.09	44.72*		
Ramus ratio	77.00	3.00	79.63	85.35**		
Mn. body ratio	108.00	5.00	114.55	98.98*		
Maxillary ratio	69.00	3.00	79.63	85.35**		
Ant. Facial Height (AFH) (mm)	136.00	5.50	150.78**	146.10*		
Post. Facial Height (PFH) (mm)	95.40	6.10	96.68	99.95		
PFH/AFH	70.20	4.60	64.12*	68.41		
Y-axis to SN (deg)	70.92	3.36	68.53	73.75		
SNA (deg)	82.40	3.20	80.93	77.20*		
SNB (deg)	80.40	3.10	85.42*	77.99		
ANB difference	2.00	1.70	-4.49***	-0.79*		
APDI	85.90	4.00	98.74***	94.19**		
SN-FH (deg)	7.00	2.00	5.56	5.63		
SN-GoMe (deg)	32.00	5.00	38.41*	36.36		
palatal to GoMe (deg)	22.80	6.20	30.71*	21.36		
FH-occusal (deg)	13.00	2.00	10.70*	13.95		
Occlusal plane to Gome (deg)	19.77	4.10	21.98	16.84		
SN-palatal (deg)	8.60	3.00	7.53	15.06**		
ODI	73.30	5.90	52.51***	73.88		
U1-SN (deg)	109.00	5.70	109.10	108.03		
FH-Mandibular plane (FMA) (deg)	25.00	2.00	32.68***	30.79**		
L1-FH (FMIA) (deg)	67.00	2.00	69.72*	61.27**		
L1-Mandibular plane (IMPA) (deg)	96.50	6.60	77.58**	87.95*		
Interincisal angle (deg)	124.00	7.90	135.06*	127.61		
U1-FH (deg)	119.90	2.00	114.66**	113.66***		
L1, Inclination (deg)	25.00	2.00	24.71	22.39*		
U1 to facial plane (mm)	8.84	3.22	3.80*	10.85		
L1 to facial plane (mm)	5.02	2.88	8.15*	6.55		
A point-N Perpend (mm)	1.10	2.70	-4.40**	-9.09***		
Pog-N Perpend (mm)	-0.30	3.80	1.17	-16.27《		
U1 to MxOP (deg)	58.00	2.00	56.61	51.93***		
L1 to MnOP (deg)	68.30	5.90	81.47**	75.99*		
U1 to A vert.	0.01	3.51	9.66**	8.75**		
L1 to A-Pog (mm)	5.00	2.23	11.08**	6.84		

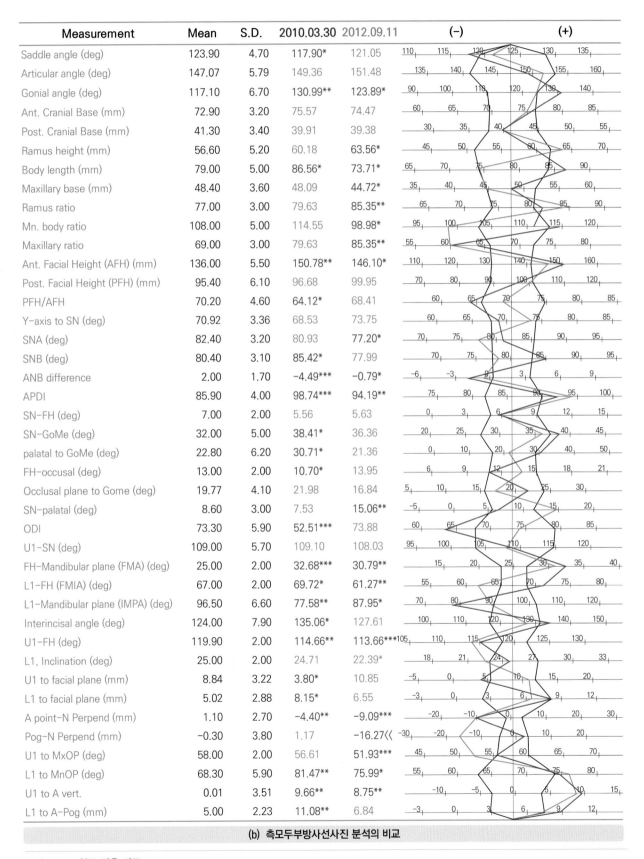

(b) 측모두부방사선사진 분석의 비교

그림 8-11. 치료 전후 비교

본 증례의 환자는 골격성 III급 부정교합과 하악골 비대칭이 있는 환자로, 술전 교정치료에서 제1소구치 발치 후 microimplant를 고정원으로 이용하여, 상악의 총생 해소와 탈보상을 위한 공간을 얻을 수 있었다. 상악골의 후상방 이동에 맞추어 하악골을 후방이동 시켜 안모의 길이도 감소하는 효과가 있었다. 악교정 수술 후 환자의 주소였던 하악 전돌과 안면 비대칭은 양호하게 개선되었다.

과거에는 III급 부정교합 환자에서도 비수술로 치료하는 것을 목표로 하였다. 본 환자 또한 과거 비수술을 목표로 성장 조절치료를 시도하였으나 원하는 만큼의 수평피개와 수직피개를 얻지 못했다. 최근 심미적 요구의 증가에 의해 수술적 접근에 대한 요구가 증가하고 있으며, 본 환자도 악교정 수술과 발치를 동반한 교정치료를 통하여 심미적인 안모와 기능의 개선을 얻을 수 있었다.

증례 9

DIAGNOSIS

23세 여자 환자로 "아래턱이 나왔어요"를 주소로 내원하였다. 좌우측 III급 견치 및 구치 관계였으며. 전치부 반대교합 및 좌우측 구치부 반대교합과 미약한 개방교합을 보였다. 상하악 전치부에 중등도의 총생(상악 -6.0 mm, 하악: -4.5 mm)이 있었다(그림 9-1). 아래턱이 돌출되어 보이고 오목한 측모를 보였다. 측모두부규격방사선사진 분석에서 전두개저에 대해 하악골이 상대적으로 전방위치(ANB: -1.6°) 되어 있고, 하악이 전돌된 골격성 III급 양상을 보였다. FH plane에 대한 교합평면의 각도(14.1°)와 후안모 고경에 대한 전안모 고경의 비율(65.1)은 양호하였다. 교합평면에 대한 상하악 전치부의 각도는 56.9°와 78.2°로 상악 전치부의 각도는 양호하였으나, 하악 전치부는 설측으로 보상성 치축경사를 보였다. 하악에 비해 상악의 폭경이 좁은 상하악궁의 폭경부조화 관찰되었다. 안면비대칭은 관찰되지 않았다(그림 9-2).

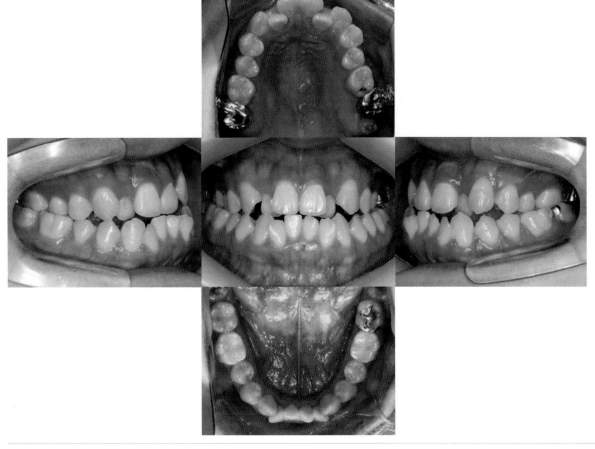

그림 9-1. **초진 구내사진**

329

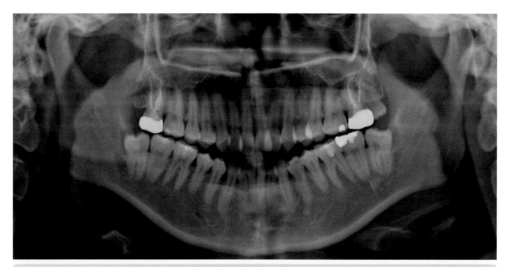

(a) 초진 파노라마

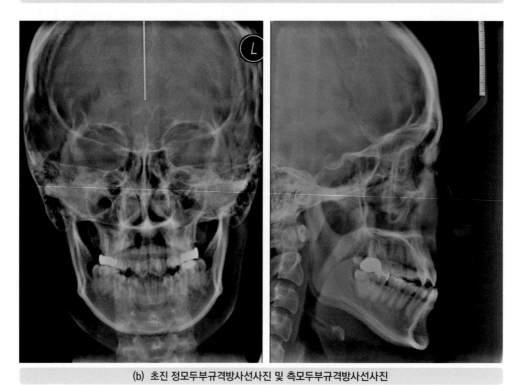

(b) 초진 정모두부규격방사선사진 및 측모두부규격방사선사진

그림 9-2. **초진 X-ray**

Measurement	Mean	S.D.	2007.12.18	(−)	(+)
Saddle angle (deg)	125.90	4.40	132.49*		
Articular angle (deg)	147.68	5.25	141.88*		
Gonial angle (deg)	118.60	5.80	122.66		
Ant. Cranial Base (mm)	69.30	2.70	70.70		
Post. Cranial Base (mm)	36.70	3.20	38.69		
Ramus height (mm)	51.60	4.20	55.64		
Body length (mm)	76.00	4.00	79.69		
Maxillary base (mm)	46.90	2.19	41.33**		
Ramus ratio	74.00	3.00	78.71*		
Mn. body ratio	108.00	5.00	112.73		
Maxillary ratio	68.30	3.00	58.46***		
Ant. Facial Height (AFH) (mm)	127.40	5.60	137.23*		
Post. Facial Height (PFH) (mm)	85.00	5.50	89.34		
PFH/AFH	66.80	4.20	65.10		
Y-axis to SN (deg)	71.92	3.71	73.26		
SNA (deg)	81.60	3.10	75.63*		
SNB (deg)	79.10	3.00	77.22		
ANB difference	2.40	1.80	−5.59**		
APDI	85.70	4.00	96.82**		
SN-FH (deg)	7.00	2.00	10.80*		
SN-GoMe (deg)	36.00	4.00	36.92		
palatal to GoMe (deg)	26.20	4.40	19.66*		
FH-occusal (deg)	13.00	2.00	14.11		
Occlusal plane to Gome (deg)	19.09	4.74	12.12*		
SN-palatal (deg)	8.40	3.00	17.37**		
ODI	72.10	5.50	70.09		
U1-SN (deg)	107.00	6.00	98.06*		
FH-Mandibular plane (FMA) (deg)	25.00	2.00	26.23		
L1-FH (FMIA) (deg)	67.00	2.00	64.75*		
L1-Mandibular plane (IMPA) (deg)	95.90	6.30	89.04*		
Interincisal angle (deg)	124.00	8.30	135.88*		
U1-FH (deg)	119.90	2.00	108.87《		
L1, Inclination (deg)	25.00	2.00	26.99		
U1 to facial plane (mm)	9.90	3.04	1.66**		
L1 to facial plane (mm)	5.87	2.93	3.81		
A point-N Perpend (mm)	0.40	2.30	−4.30**		
Pog-N Perpend (mm)	−1.80	4.50	−2.42		
U1 to MxOP (deg)	55.16	3.48	56.91		
L1 to MnOP (deg)	65.90	3.80	78.21***		
U1 to A vert.	0.85	3.09	5.64*		
L1 to A-Pog (mm)	4.55	2.10	5.54		

그림 9-3. 측모두부방사선사진의 분석

331

TREATMENT OBJECTIVES

　설측으로 보상성 치축경사 보이는 하악 전치를 순측으로 탈보상하고, microimplant를 이용하여 상악 전체 치열을 후방 이동하고, 전두개저에 대해 설측 경사되어 있는 상악 전치 치축경사를 순측으로 조절하여 상하악의 총생을 해소하였다. 전두개저에 대한 상악골의 위치가 정상이며 비대칭이 관찰되지 않고 안모의 수직적 길이가 양호하므로 하악의 BSSRO를 시행하여 하악골의 위치를 개선하기로 하였다.

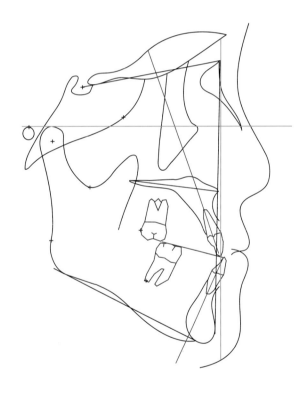

(a) 초진 tracing

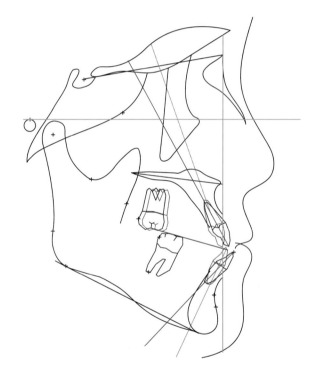

(b) 상하악 전치 각도 수정

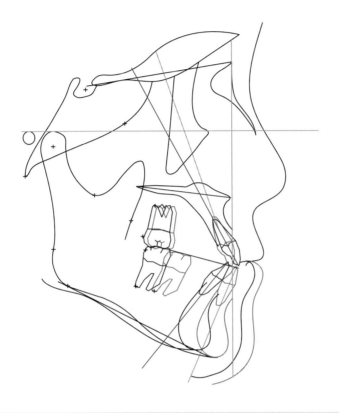

(c) 하악 및 턱끝 위치 설정

그림 9-4. STO

TREATMENT PROGRESS

상하악 치열(상악 전치부 제외)에 장치 부착하고 배열하였다. 하악 전치부 총생을 이용하여 비발치 확장배열을 통해 전치부 순측경사 유도하였다. 상악 견치 및 구치부 배열 완료 후 각형 스테인리스스틸 호선을 결찰하였다. 상악 좌우측 제1대구치 근심협측에 microimplant를 식립하고 power chain을 사용하여 상악 측방치군의 후방이동을 유도하였다(그림 9-5). 이후 상악 전치부에 장치 부착 및 상악 전치부 순측 경사 유도하였다. 술전 교정 완료 후, 상하악의 총생 해소되었고 전두개저에 대한 상악 전치 및 교합평면에 대한 하악 전치 경사는 개선되었다. brass wire 혹이 납착된 surgical wire를 결찰한 상태이다(그림 9-6, 9-7). 악교정수술은 하악의 BSSRO를 시행하였다. 수술 후 교정치료 시 수술을 위한 안정화 호선과 스플린트를 제거하였다. 술후 교정치료를 위한 호선을 상하악에 결찰하였다. 상하악 폭경 부조화를 개선하기 위해 mulligan 장치를 이용하여 상악 폭경을 확장하고 교합을 안정화하였다(그림 9-8).

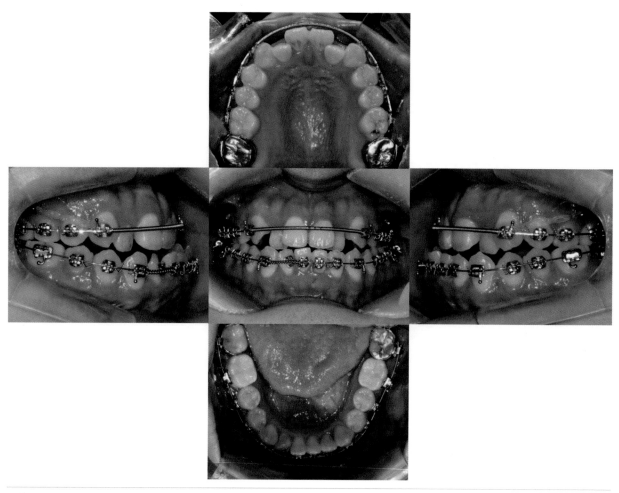

그림 9-5. microimplant를 이용한 측방치군의 후방이동

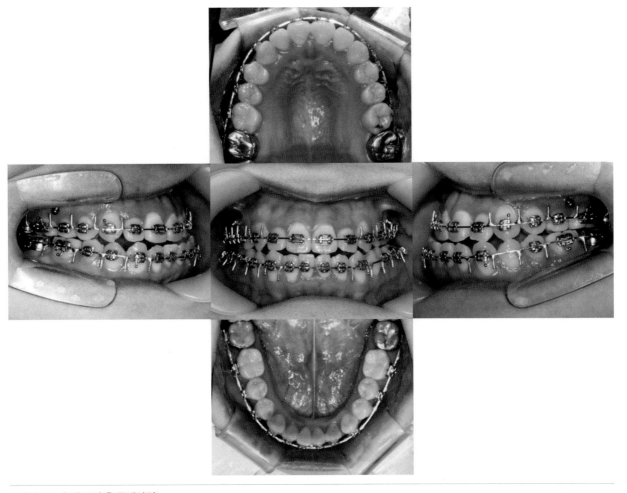

그림 9-6. 술전 교정 후 구내사진

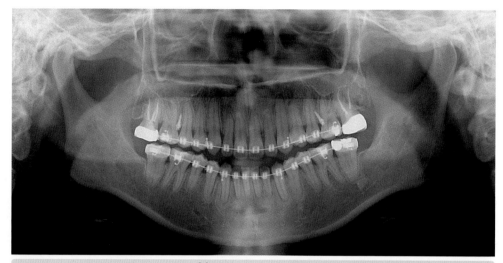

(a) 술전 교정 후 파노라마

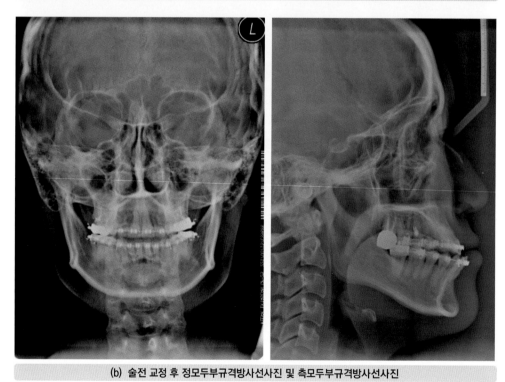

(b) 술전 교정 후 정모두부규격방사선사진 및 측모두부규격방사선사진

그림 9-7. 술전 교정 후 X-ray

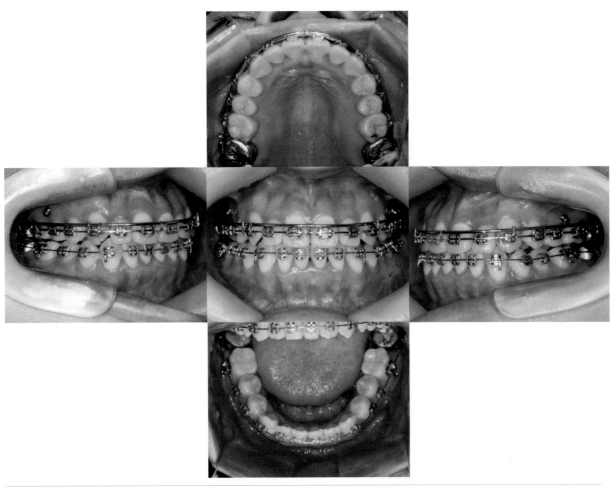

그림 9-8. mulligan 장치를 이용한 술후 교정 중 구내사진

TREATMENT RESULTS

교정치료 2년 후 교정장치를 제거하였다. 하악골의 돌출이 개선되어 오목한 측모에서 straight한 측모로 개선되었다. 좌우측 I급 견치 및 구치관계로 교합이 개선되었으며, 정상적인 전치부 수직, 수평피개가 형성되었다(그림 9-9).

측모두부규격방사선사진 분석에서 ANB가 1.4°로 개선되었고, 상하악 전치 치축 각도가 개선되었다. 하악골의 전후방적인 위치 또한 개선되었다(그림 9-10, 9-11).

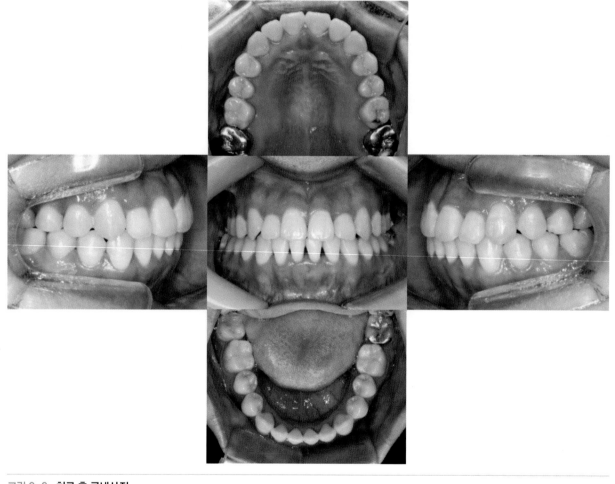

그림 9-9. **치료 후 구내사진**

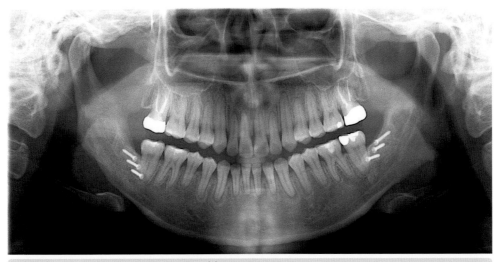

(a) 치료 후 파노라마

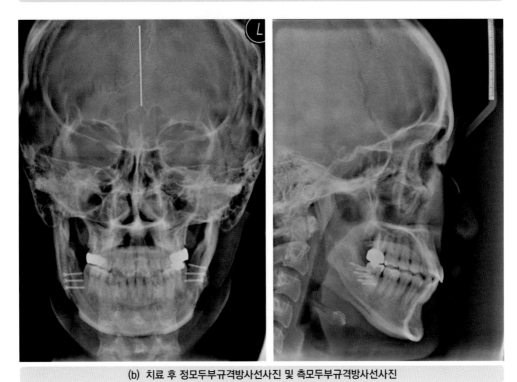

(b) 치료 후 정모두부규격방사선사진 및 측모두부규격방사선사진

그림 9-10. **치료 후 X-ray**

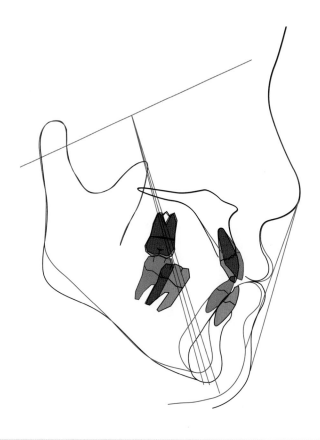

(a) 치료 전후의 측모두부규격방사선사진 중첩

Measurement	Mean	S.D.	2007.12.18	2010.02.12	(−)	(+)
Saddle angle (deg)	125.90	4.40	132.49*	132.35*		
Articular angle (deg)	147.68	5.25	141.88*	138.18*		
Gonial angle (deg)	118.60	5.80	122.66	131.27**		
Ant. Cranial Base (mm)	69.30	2.70	70.70	71.24		
Post. Cranial Base (mm)	36.70	3.20	38.69	39.02		
Ramus height (mm)	51.60	4.20	55.64	47.67		
Body length (mm)	76.00	4.00	79.69	78.09		
Maxillary base (mm)	46.90	2.19	41.33**	41.64**		
Ramus ratio	74.00	3.00	78.71*	66.92**		
Mn. body ratio	108.00	5.00	112.73	109.62		
Maxillary ratio	69.00	3.00	58.46***	58.46***		
Ant. Facial Height (AFH) (mm)	127.40	5.60	137.23*	134.56*		
Post. Facial Height (PFH) (mm)	85.00	5.50	89.34	81.04		
PFH/AFH	66.80	4.20	65.10	60.23*		
Y-axis to SN (deg)	71.92	3.71	73.26	74.11		
SNA (deg)	81.60	3.10	75.63*	75.76*		
SNB (deg)	79.10	3.00	77.22	74.30*		
ANB difference	2.40	1.80	−1.59**	1.46		
APDI	85.70	4.00	96.82**	89.28		
SN-FH (deg)	7.00	2.00	10.80*	10.73*		
SN-GoMe (deg)	36.00	4.00	36.92	41.79*		
palatal to GoMe (deg)	26.20	4.40	19.66*	24.48		
FH-occusal (deg)	13.00	2.00	14.11	9.91*		
Occlusal plane to Gome (deg)	19.09	4.74	12.12*	21.16		
SN-palatal (deg)	8.40	3.00	17.37**	17.32**		
ODI	72.10	5.50	70.09	72.83		
U1-SN (deg)	107.00	6.00	98.06*	106.79		
FH-Mandibular plane (FMA) (deg)	25.00	2.00	26.23	31.07***		
L1-FH (FMIA) (deg)	67.00	2.00	64.75*	56.58《		
L1-Mandibular plane (IMPA) (deg)	95.90	6.30	89.04*	92.35		
Interincisal angle (deg)	124.00	8.30	135.88*	119.05		
U1-FH (deg)	119.90	2.00	108.87《	117.53*		
L1, Inclination (deg)	25.00	2.00	26.99	31.05***		
U1 to facial plane (mm)	9.90	3.04	1.66**	7.82		
L1 to facial plane (mm)	5.87	2.93	3.81	4.96		
A point-N Perpend (mm)	0.40	2.30	−4.30**	−4.25**		
Pog-N Perpend (mm)	−1.80	4.50	−2.42	−6.63*		
U1 to MxOP (deg)	55.16	3.48	56.91	52.03		
L1 to MnOP (deg)	65.90	3.80	78.21***	65.77		
U1 to A vert.	0.85	3.09	5.64*	7.54**		
L1 to A-Pog (mm)	4.55	2.10	5.54	5.35		

(b) 측모두부방사선사진 분석의 비교

그림 9-11. **치료 전후 비교**

341

DISCUSSION

　　하악골이 전돌된 골격성 III급 부정교합 환자로 술전 교정치료와 하악골 후퇴술로 하악골의 전후방적인 위치는 개선되었다. 치료 후 상하악 구치부 반대교합은 개선되었으나 여전히 구치부 수평피개는 충분하지 않았다. 이 경우 술전교정 치료시, 상악 폭경확장 장치를 통한 상악 폭경 확장을 먼저 시행하여 상하악 폭경부조화를 개선하였으면 좀 더 안정적인 상하악 구치부 교합 관계를 형성할 수 있지 않았을까 하는 아쉬움이 있다.

증례 10

DIAGNOSIS

17세 여자 환자로 하악골의 전돌과 안면비대칭을 주소로 내원하였다. 전 악궁에서 반대교합 상태였으며, 우측 III급, 좌측은 II급 견치 및 구치 관계였다. #17 결손으로 인해 상악궁 전체가 우측으로 회전하여 상악 치열정중선이 안면정중선에 대해 우측으로 편위되었으며, 좌우측 측 방치군의 전후방적 위치 차이가 있었다(그림 10-1). 하악골의 좌측 편위로 인해 하악 치열정중선 은 안면정중선에 대해 좌측으로 편위되었다. 하악 전치부 미약한 공간 존재하였다. 측모두부규 격방사선사진 분석에서 전두개저에 대해 하악골이 상대적으로 전방위치(ANB: -3.9°) 된 골격성 III급 양상을 보였다. FH plane에 대한 교합평면의 각도는 7.3°로 평탄하였다. 교합 평면에 대한 상하악 전치부의 각도는 각각 51.4°와 72.7°로 보상성 치축경사 보였다. 정모두부규격방사선사진 분석에서 우측 하악지 및 하악체가 좌측보다 길어 이부가 안면정중선에 대해 5 mm 좌측에 위 치한 하악골의 편위가 관찰되었다(그림 10-2).

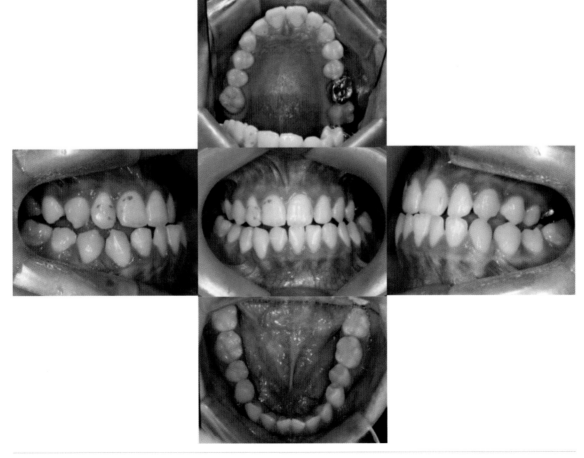

그림 10-1. **초진 구내사진**

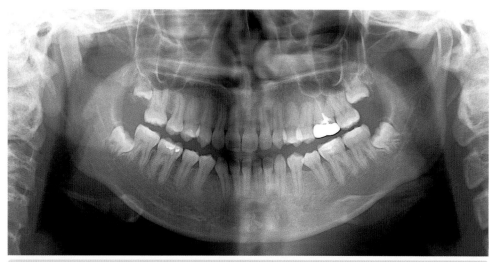

(a) 초진 파노라마

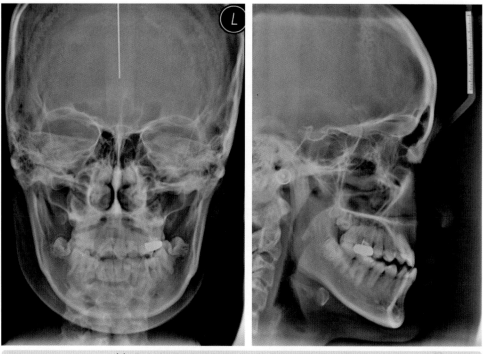

(b) 초진 정모두부규격방사선사진 및 측모두부규격방사선사진

그림 10-2. **초진 X-ray**

Measurement	Mean	S.D.	2010.01.19	(−)	(+)
Saddle angle (deg)	125.90	4.40	116.54**		
Articular angle (deg)	147.68	5.25	149.44		
Gonial angle (deg)	118.60	5.80	121.44		
Ant. Cranial Base (mm)	69.30	2.70	74.78**		
Post. Cranial Base (mm)	36.70	3.20	35.49		
Ramus height (mm)	51.60	4.20	54.90		
Body length (mm)	76.00	4.00	83.68*		
Maxillary base (mm)	44.55	2.57	50.26**		
Ramus ratio	74.00	3.00	73.42		
Mn. body ratio	108.00	5.00	111.90		
Maxillary ratio	64.80	3.00	67.21		
Ant. Facial Height (AFH) (mm)	127.40	5.60	125.68		
Post. Facial Height (PFH) (mm)	85.00	5.50	87.34		
PFH/AFH	66.80	4.20	69.50		
Y-axis to SN (deg)	71.92	3.71	61.64**		
SNA (deg)	81.60	3.10	83.06		
SNB (deg)	79.10	3.00	87.00**		
ANB difference	2.40	1.80	−3.94***		
APDI	85.70	4.00	100.81***		
SN-FH (deg)	7.00	2.00	7.34		
SN-GoMe (deg)	36.00	4.00	27.41*		
palatal to GoMe (deg)	26.20	4.40	19.13*		
FH-occusal (deg)	13.00	2.00	3.21《		
Occlusal plane to Gome (deg)	19.09	4.74	16.87		
SN-palatal (deg)	8.40	3.00	8.30		
ODI	72.10	5.50	61.02**		
U1-SN (deg)	107.00	6.00	119.68**		
FH-Mandibular plane (FMA) (deg)	25.00	2.00	20.08**		
L1-FH (FMIA) (deg)	67.00	2.00	72.05**		
L1-Mandibular plane (IMPA) (deg)	95.90	6.30	87.87*		
Interincisal angle (deg)	124.00	8.30	125.02		
U1-FH (deg)	119.90	2.00	127.03***		
L1, Inclination (deg)	25.00	2.00	28.12*		
U1 to facial plane (mm)	9.90	3.04	1.87**		
L1 to facial plane (mm)	5.87	2.93	3.63		
A point-N Perpend (mm)	0.40	2.30	0.45		
Pog-N Perpend (mm)	−1.80	4.50	10.38**		
U1 to MxOP (deg)	55.16	3.48	51.43*		
L1 to MnOP (deg)	65.90	3.80	72.74*		
U1 to A vert.	0.85	3.09	7.89**		
L1 to A-Pog (mm)	4.55	2.10	6.67*		

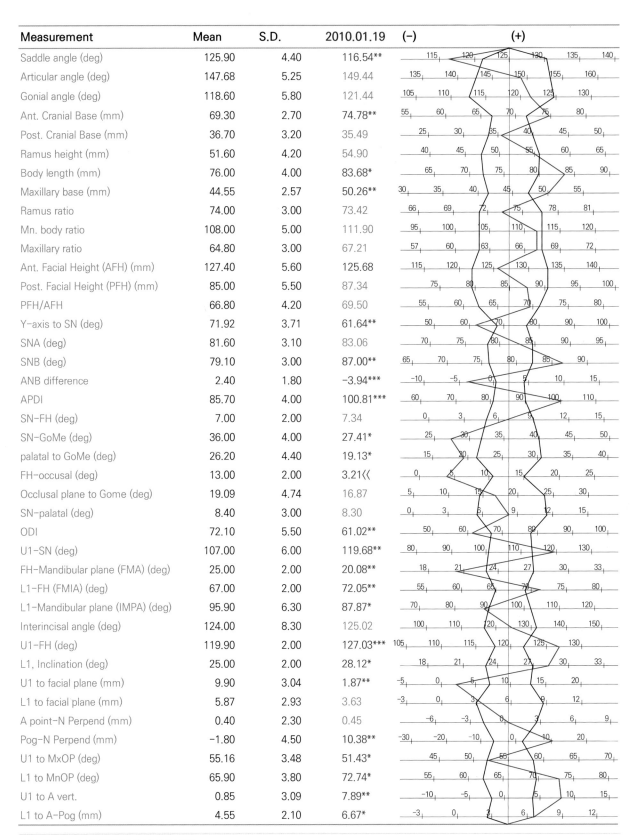

그림 10-3. 측모두부방사선사진의 분석

TREATMENT OBJECTIVES

　수술 전 교정을 통하여 상악 치열 정중선의 개선, 상하악 전치 치축경사의 탈보상 그리고 깊은 하악 Spee 만곡의 개선을 도모한 뒤 악교정수술을 통하여 안면비대칭 및 하악골의 전후 방적 부조화를 개선하기로 하였다.

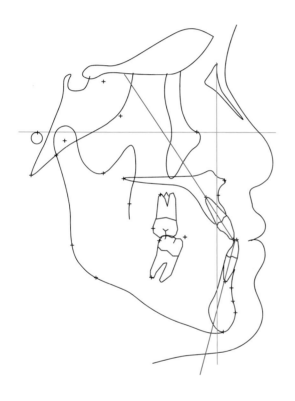

(a) 초진 tracing

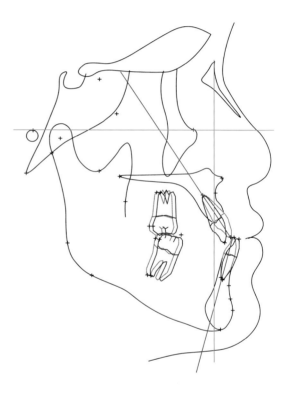

(b) 상하악 전치 각도 수정

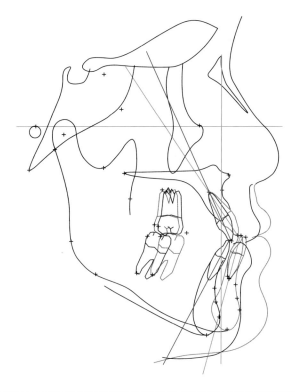

(c) 하악 및 턱끝 위치 설정

그림 10-4. STO

TREATMENT PROGRESS

상하악 치열에 장치 부착하고 배열하였다. 상악 치열정중선의 개선 및 전치부 설측 경사를 유도하기 위해 #24 발치 시행하고 발치 공간으로 전치부 retraction을 시행하였다. 하악에는 intrusion arch 사용하여 Spee 만곡의 개선과 전치부 순측경사 유도하였다(그림 10-5). 술전교정 완료 후, 상하악 전치부 탈보상으로 인해 전치부 반대교합 양이 더 커졌고, 상악 치열정중선이 안면정중선과 일치하였다. Brass wire 훅이 납착된 surgical wire를 결찰하여 수술준비를 마친 상태이다(그림 10-6, 10-7). 악교정 수술은 하악의 BSSRO를 후퇴술을 시행하였다. 수술 후 교정 치료 시 surgical wire와 스플린트를 제거하고 안정화 호선을 상하악에 결찰하였다.

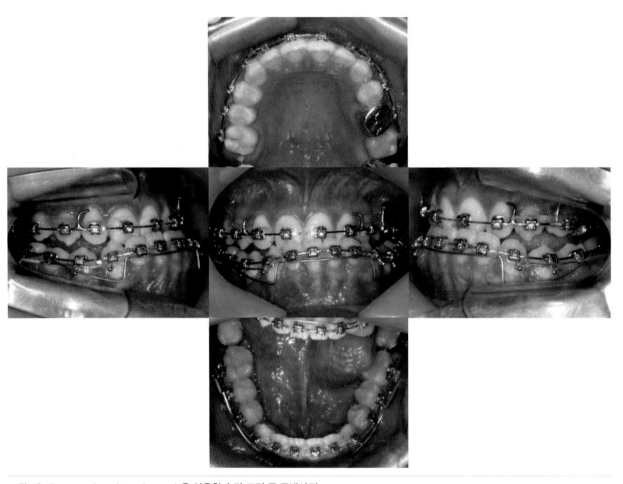

그림 10-5. one-piece intrusion arch을 이용한 술전 교정 중 구내사진

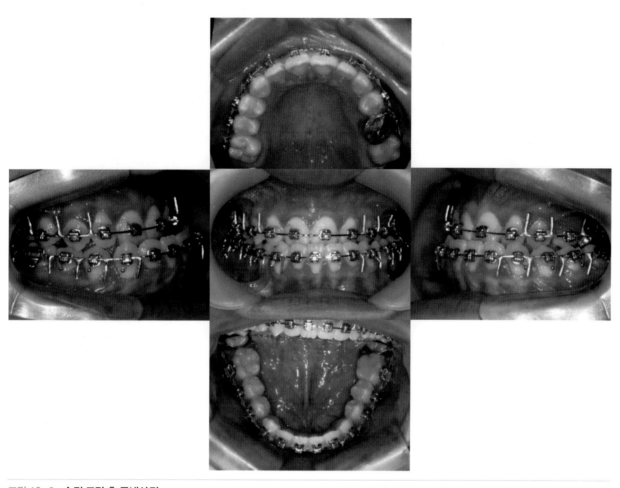

그림 10-6. 술전 교정 후 구내사진

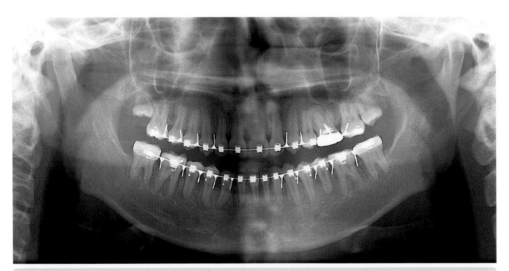

(a) 술전 교정 후 파노라마

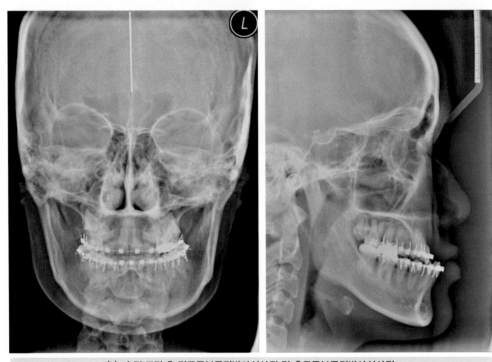

(b) 술전 교정 후 정모두부규격방사선사진 및 측모두부규격방사선사진

그림 10-7. 술전 교정 후 X-ray

TREATMENT RESULTS

교정치료 1년 8개월 후 교정장치를 제거하였다. 하악골의 돌출 및 정모에서 안면비대칭이
개선되었다. 좌우측 I급 견치관계 및 우측 I급, 좌측 II급 구치관계로 교합이 개선되었으며, 상
하악 치열 정중선이 일치하였고, 정상적인 전치부 수직, 수평피개가 형성되었다(그림 10-8).

측모두부규격방사선사진 분석에서 ANB가 1.5°로 개선되었고, 상하악 전치 치축 각도가 개
선되었다. 정모두부규격방사선사진 분석에서 하악골이 대칭성을 보였고, 안면정중선과 상하
악 치열정중선이 일치하였다(그림 10-9, 10-10).

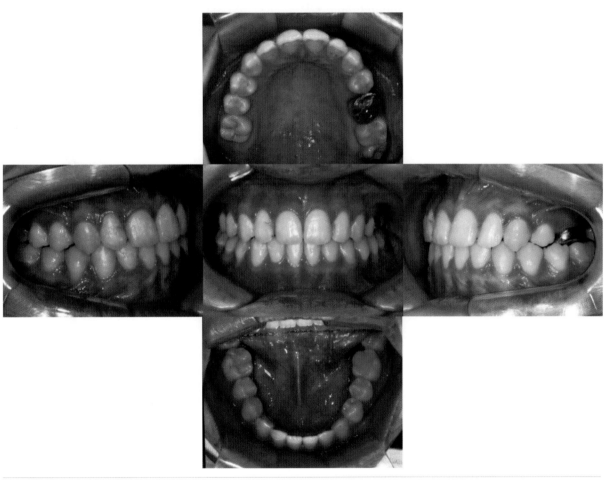

그림 10-8. **치료 후 구내사진**

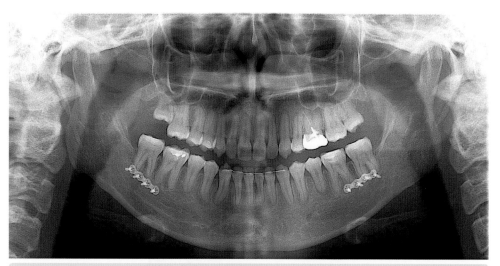

(a) 치료 후 파노라마

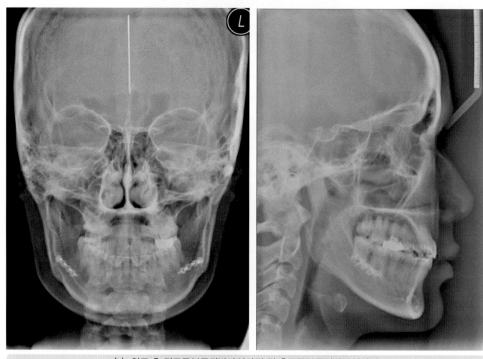

(b) 치료 후 정모두부규격방사선사진 및 측모두부규격방사선사진

그림 10-9. **치료 후 X-ray**

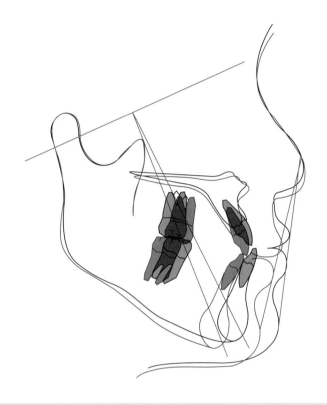

(a) 치료 전후의 측모두부규격방사선사진 중첩

Measurement	Mean	S.D.	2010.01.19	2012.01.26
Saddle angle (deg)	125.90	4.40	116.54**	116.38**
Articular angle (deg)	147.68	5.79	149.44	152.35
Gonial angle (deg)	118.60	5.80	121.44	124.17
Ant. Cranial Base (mm)	69.30	2.70	74.78**	74.01*
Post. Cranial Base (mm)	36.70	3.20	35.49	35.23
Ramus height (mm)	51.60	4.20	54.90	52.71
Body length (mm)	76.00	4.00	83.68*	79.80
Maxillary base (mm)	46.26	2.29	50.26**	48.99*
Ramus ratio	74.00	3.00	73.42	71.22
Mn. body ratio	108.00	5.00	111.90	107.82
Maxillary ratio	66.40	3.00	67.21	66.19
Ant. Facial Height (AFH) (mm)	127.40	5.60	125.68	129.42
Post. Facial Height (PFH) (mm)	85.00	5.50	87.34	85.50
PFH/AFH	66.80	4.20	69.50	66.06
Y-axis to SN (deg)	71.92	3.71	61.64**	65.76*
SNA (deg)	81.60	3.10	83.06	84.27
SNB (deg)	79.10	3.00	87.00**	82.79*
ANB difference	2.40	1.80	-3.94***	1.48
APDI	85.70	4.00	100.81***	89.28
SN-FH (deg)	7.00	2.00	7.34	7.13
SN-GoMe (deg)	36.00	4.00	27.41**	32.43
palatal to GoMe (deg)	26.20	4.40	19.13*	24.25
FH-occusal (deg)	13.00	2.00	3.21《	7.31**
Occlusal plane to Gome (deg)	19.09	4.74	16.87	18.47
SN-palatal (deg)	8.40	3.00	8.30	8.66
ODI	72.10	5.50	61.02**	68.00
U1-SN (deg)	107.00	6.00	119.68**	107.84
FH-Mandibular plane (FMA) (deg)	25.00	2.00	20.08**	25.78
L1-FH (FMIA) (deg)	67.00	2.00	72.05**	62.67**
L1-Mandibular plane (IMPA) (deg)	95.90	6.30	87.87*	91.60
Interincisal angle (deg)	124.00	8.30	125.02	127.70
U1-FH (deg)	119.90	2.00	127.03***	114.97**
L1, Inclination (deg)	25.00	2.00	28.12*	27.59*
U1 to facial plane (mm)	9.90	3.04	1.87**	5.75*
L1 to facial plane (mm)	5.87	2.93	3.63	4.35
A point-N Perpend (mm)	0.40	2.30	0.45	1.55
Pog-N Perpend (mm)	-1.80	4.50	10.38**	1.80
U1 to MxOP (deg)	55.16	3.48	51.43*	59.10*
L1 to MnOP (deg)	65.90	3.80	72.74*	69.84*
U1 to A vert.	0.85	3.09	7.89**	6.06*
L1 to A-Pog (mm)	4.55	2.10	6.67*	3.99

(b) 측모두부방사선 사진 분석

그림 10-10. **치료 전후 비교**

DISCUSSION

하악골이 전돌된 골격성 III급 부정교합과 함께 하악골의 비대칭이 있는 환자로, 악교정 수술을 동반한 교정치료를 통해 환자의 주소를 해소하였다. #17 결손으로 인한 상악 치열 전체가 우측으로 회전된 형태로 술전교정 시 반대측 제1소구치를 발치하여 상악 치열 정중선 개선 및 및 전치부 탈보상 유도하였다. 하악 치열의 총생이 미약하여 확장배열만으로 충분한 전치부 탈보상을 유도하기 어렵기 때문에 전치부 순측경사 및 Spee 만곡의 leveling을 위하여 intrusion arch를 사용하였다. 이후, 악교정 수술을 통해 환자의 주소인 하악 전돌과 비대칭이 양호하게 개선되었다. 결손 된 #17을 발육중인 #18로 대체하여 사용하기 위해 #18의 맹출 경과를 주기적으로 관찰하였다.